# 明潘之恒《黃海》本《素問》

（下）

主　編◎錢超塵
副主編◎王育林　劉　陽

《黃帝內經》版本通鑒

第二輯

北京科学技术出版社

《黃帝内經》版本通鑒·第二輯

# 明潘之恒《黄海》本《素問》（下）

解題 劉陽

天都外史潘之恒景升定

睡菴居士湯賓尹嘉賓閱

絕藏二之五十四

# 黃帝內經素問卷第十四

啓玄子次註



## 刺要論篇第五十

新校正云：按全元起本在第六卷刺齊篇中

黃帝問曰：願聞刺要。岐伯對曰：病有浮沈，刺有淺深，各至其理無過其道道謂氣所行之道也過之則内傷不及則生外壅壅則邪從之過之内傷以太深也不及外壅以妄益他分之氣也氣益而外壅故邪氣隨虛而從之也淺深不得反為大賊内動五藏後生大病賊謂私害動謂動亂然不及則外壅過之則内傷既且外壅内傷是為大病之階漸爾故曰後生大病也故曰病有在毫毛腠理者有在皮膚者有在肌肉者有在脉者有在筋者有在骨者有在髓者毛之長者曰毫是故刺毫毛腠理無傷皮皮之文理曰腠理然二者皆皮之可見者也皮傷則内動肺肺動則秋病溫瘧泝泝然寒慄鍼經曰凡刺有五以應五藏一曰半刺半刺者淺内而疾發鍼令鍼傷多如拔髮狀以取皮氣此肺之應也然此其淺以應於肺腠理毫毛猶應更淺當取髮根淺深之半爾肺之合皮王於秋氣故泝動則秋病溫瘧泝泝然寒

慄也刺皮無傷肉肉傷則內動脾脾動則七十二日四季之月病腹脹煩不嗜食脾之合肉寄王四季又其脈從股內前廉入腹屬脾絡胃上鬲俠咽連舌本散舌下其支別者復從胃別上鬲注心中故傷肉則動脾脾動則四季之月腹脹煩而不嗜食也七十二日四季之月者謂三月六月九月十二月各十二日後土寄王十八日也刺肉無傷脈脈傷則內動心心動則夏病心痛心之合脈王於夏氣真心少陰之脈起於心中出屬心系心包心主之脈起於胸中出屬心包平人氣象論曰藏真通於心故脈傷則動心心動則夏病心痛刺脈無傷筋筋傷則內動肝肝動則春病熱而筋弛肝之合筋王於春氣鍼經曰熱則筋緩故筋傷則動肝肝動則春病熱而筋弛緩弛猶縱緩也刺筋無傷骨骨傷則內動腎腎動則冬病脹腰痛骨亦合骨王於冬氣腰為腎府故骨傷則動腎腎動則冬病腰痛也腎之脈直行者

從腎上貫肝鬲故㵎也

刺骨無傷髓髓傷則銷鑠胻酸體解㑊然不去矣髓者骨之充鍼經曰髓海不足則腦轉耳鳴胻酸眩冐故髓傷則腦髓銷鑠胻酸體解㑊然不去也銷鑠謂髓腦銷鑠解㑊謂強不強弱不弱熱不熱寒不寒解解㑊㑊然不可名之也腦髓銷鑠骨空之所致也

## 刺齊論篇第五十一

新校正云按全元起本在第六卷

黃帝問曰願聞刺淺深之分謂皮肉筋脉骨之分位也岐伯對曰刺骨者無傷筋刺筋者無傷肉刺肉者無傷脉刺脉者無傷皮刺皮者無傷肉刺肉者無傷筋刺筋者無傷骨帝曰余未知其所謂願聞其解岐伯曰刺骨無傷筋者鍼至筋而去不及骨也刺筋無傷肉者至肉

而去不及筋也刺肉無傷脉者至脉而去不及肉也刺脉無傷皮者至皮而去不及脉也是皆謂遣邪也然筋有寒邪肉有風邪脉有濕邪皮有熱邪則如是遣之所謂邪者皆言其非順正氣而相干犯也○新校正云詳此謂刺淺不至所當刺之處也下文則誠其太深也所謂刺皮無傷肉者病在皮中鍼入皮中無傷肉也刺肉無傷筋者過肉中筋也刺筋無傷骨者過筋中骨也此之謂反也此則誠過分太深也○新校正云按全元起云刺如此者是謂傷此皆過過必損其血氣是謂逆也邪必因而入也

刺禁論篇第五十二新校正云按全元起本在第六卷

黄帝問曰願聞禁數岐伯對曰藏有要害不可不察肝生於左肝象木王於春春陽發生故生於左也肺藏於右肺象金王於秋秋陰

收殺故藏於右也○新校正云按楊上云云肝爲少陽陽長之始故曰生肺爲少陰陰藏之初故曰藏

心部於表陽氣主外心象火也腎治於裏陰氣主内腎象水也○新校正云按楊上善云心爲五藏部主故得稱部腎間動氣内治五藏故曰治脾爲之使營動不已糟粕水穀故使者也胃爲之市水穀所歸五味皆入如市雜故爲市也鬲肓之上中有父母鬲肓之上氣海居中氣者生之原生者命之主故氣海爲人之父母也○新校正云按楊上善云心下鬲上爲肓心爲陽父也肺爲陰母也肺主於氣心主於血共營衛於身故爲父母七節之傍中有小心小心謂眞心神靈之宮室○新校正云按太素小心作志心楊上善云脊有三七二十一節腎在下七節之傍腎神曰志五藏之靈皆名爲神神之所以任得名爲志者心之神也從之有福逆之有咎從謂隨順也八者人之所以生形之所以成故順之則福延逆之則咎至刺中心一日死其動爲噫心在氣爲噫刺中肝五日死

其動爲語肝在氣爲語○新校正云按全元起本并甲乙經語作欠元起云腎傷則欠子母相感也王氏改欠作語刺中腎六日死其動爲嚏腎在氣爲嚏○新校正云按全元起及甲乙經六日作三日刺中肺三日死其動爲欬肺在氣爲欬刺中脾十日死其動爲呑脾在氣爲呑○新校正云按全元起本及甲乙經十日作十五日刺中五藏與診要經終論并四時刺逆從論相重此叙五藏相次之法以所生爲次甲乙經以心肺肝脾腎爲次是以所尅爲次全元起本舊文則錯亂無次矣刺中膽一日半死其動爲嘔膽氣勇故爲嘔○新校正云按診要經終論刺中膽下又云刺中肓者爲傷中其病雖愈不過一歲而死刺跗上中大脈血出不止死跗爲足跗大脈動而不止者則胃之大經也胃爲水穀之海然血出不止則胃氣將傾海竭氣亡故死刺面中溜脈不幸爲盲面中溜脈者手太陽任脈之交會手太陽脈自顴而斜行至目內眥任脈自鼻鼽兩傍上

四

行至巔于下故刺面中溜脉不幸爲盲**刺頭中腦戶入腦立死**腦戶穴名也在枕骨上通於腦中然腦爲髓之海真氣之所聚鍼入腦則真氣泄故立死**刺舌下中脉太過血出不止爲瘖**舌下脉脾之脉也脾脉者俠咽連舌本散舌下血出不止則脾氣不能營運於舌故瘖不能言語**刺足下布絡中脉血不出爲腫**布絡謂當內踝前足下空處布散之絡正當然谷穴分也絡中脉則衝脉也衝脉者並少陰之經下入內踝之後入足下也然刺之而血不出則腎脉與衝脉氣并歸於然谷之中故爲腫**刺郄中大脉令人仆脫色**尋此經郄中主治與中誥流注經委中穴正同應郄中者以經穴爲名委中處所爲名亦猶寸口脉口氣口皆同一處爾然郄中大脉者足太陽經脉也足太陽之脉起於目內眥合手太陽手太陽脉自目內眥斜絡於顴足太陽脉上頭下項又循於足故刺之過禁則令人仆倒而面色如脫去也**刺氣街中脉血不出爲腫鼠僕**氣街之中膽胃脉也膽之脉循脅裏

出氣街胃之脉俠齊入氣街中其支別者起胃下口循腹裏至氣街中而合今刺之而血不出則血脉氣并聚於中故内結爲腫如伏鼠之形也氣街在腹下俠齊兩傍相去四寸鼠僕上一寸動脉應手也○新校正云按別本僕一作鼷氣府論注氣街在齊下横骨兩端鼠鼷上一寸也

**刺脊間中髓爲傴**傴謂傴僂身踡屈也脊間謂脊骨節間也刺中髓則骨精氣泄故傴僂也

**刺乳上中乳房爲腫根蝕**乳之上下皆足陽明之脉也乳房之中乳液滲泄胸中氣血皆外湊之然刺中乳房則氣更交湊故爲大腫中有膿根内蝕肌膚化爲膿水而久不愈

**刺缺盆中内陷氣泄令人喘欬逆**五藏者肺爲之蓋缺盆爲之道肺藏氣而主息又在氣爲欬刺缺盆中内陷則肺氣外泄故令人喘欬逆也

**刺手魚腹内陷爲腫**手魚腹内肺脉所流故刺之内陷則爲腫也○新校正云按甲乙經肺脉所流當作留字

**無刺大醉令人氣亂**脉數過度故因刺而亂也○新校正云按靈樞經氣亂當作脉亂

**無刺大怒令**

人氣逆怒者氣逆故刺之益甚無刺大勞人經氣越也無刺新飽人氣盛滿也無刺大饑人氣不足也無刺大渴人血脉乾也無刺大驚人神蕩越而氣不治也○新校正云詳無刺大醉至此七條與靈樞經相出入靈樞經云新内無刺已刺無内大怒無刺已刺無怒大勞無刺已刺無勞大醉無刺已刺無醉大飽無刺已刺無飽大飢無刺已刺無飢大渴無刺已刺無渴大驚大恐必定其氣乃刺之也刺陰股中大脉血出不止死陰股之中脾之脉也脾者中土孤藏以灌四傍今血出不止脾氣將竭故死○新校正云按刺陰股中大脉條皇甫士安移在前刺跗上中大脉下相續自後至篇末逐條與前條相間也刺客主人内陷中脉為内漏為聾客主人穴名也今名上關在耳前上廉起骨開口有空手少陽足陽明脉交會於中陷脉言刺太深也刺太深則交脉破决故為耳内之漏脉内漏則氣不營故聾○新校正云詳客主人穴與氣穴論注同按甲乙經及氣穴府論注云手足少陽足陽明

三脈之會疑此脫足少陽一脈也刺膝髕出液爲跛膝爲筋府筋會於中液出筋乾故跛刺臂太陰脈出血多立死臂太陰者肺脈也肺者主行榮衛陰陽治節由之血出多則榮衛絕故立死也刺足少陰脈重虛出血爲舌難以言足少陰腎脈也足少陰脈貫腎絡肺繫舌本故重虛出血則舌難言也刺膺中陷中肺爲喘逆仰息肺氣上泄逆所致也刺肘中內陷氣歸之爲不屈伸肘中謂肘屈折之中尺澤穴中也刺過陷脈惡氣歸之氣固關節故不屈伸也刺陰股下三寸內陷令人遺溺股下三寸腎之絡也衝脈與少陰之絡皆起於腎下出於氣街並循於陰股其上行者出胞中故刺陷脈則令人遺溺也刺掖下脇間內陷令人欬掖下肺脈也肺之脈從肺系橫出掖下真心藏脈直行者從心系却上掖下刺陷脈則心肺俱動故欬也刺少腹中膀胱溺出令人少腹滿胞氣外泄穀氣歸之故少腹滿

也少腹謂齊下也刺腨腸內陷爲腫腨腸之中足太陽脉也太陽氣泄故爲腫刺匡上陷骨中脉爲漏爲盲匡目匡也骨中謂目匡骨中也匡骨中脉目之系肝之脉也刺內陷則眼系絶故爲目漏目盲刺關節中液出不得屈伸諸筋者皆屬於節津液滲潤之液出則筋膜乾故不得屈伸也

刺志論篇第五十三新校正云按全元起本在第六卷

黃帝問曰願聞虛實之要岐伯對曰氣實形實氣虛形虛此其常也反此者病陰陽應象大論曰形歸氣由是故虛實同焉反謂不相合應失常平之候也形氣相反故病生氣謂脉氣形謂身形也穀盛氣盛穀虛氣虛此其常也反此者病靈樞經曰縈氣之道內穀爲實穀入於胃氣傳與肺精專者上行經隧由是故穀氣虛實占必同焉候不相應則爲病也○新校正云按甲乙經實作寶脉實

血實脉虚血虚此其常也反此者病脉者血之府故虚實同焉反不相應則爲病也帝曰如何而反岐伯曰氣虚身熱此謂反也氣虚爲陽氣不足陽氣不足當身寒反身熱者脉氣當盛脉不盛而身熱證不相符故謂反也〇新校正云按甲乙經云氣盛身寒氣虚身熱此謂反也當補此四字穀入多而氣少此謂反也胃之所出者穀氣而布於經脉也穀入於胃脉道乃散今穀入多而氣少者是胃氣不散故謂反也穀不入而氣多此謂反也胃氣外散肺并之也脉盛血少此謂反也脉少血多此謂反也經脉行氣絡脉受血經氣入絡絡受經氣候不相合故皆反常也氣盛身寒得之傷寒氣虚身熱得之傷暑傷謂觸冒也寒傷形故氣盛身寒熱傷氣故氣虚身熱穀入多而氣少者得之有所脫血濕居下也脫血則血虚血虚則氣盛内鬱化成津液流入下焦故云濕居

下也穀入少而氣多者邪在胃及與肺也胃氣不足肺氣下流於胃中故邪在胃然肺氣入胃則肺氣不自守氣不自守則邪氣從之故云邪在胃及與肺也脉小血多者飲中熱也飲謂留飲也飲留脾胃之中則脾氣溢脾氣溢則發熱中脉大血少者脉有風氣水漿不入此之謂也風氣盛滿則水漿不入於脉夫實者氣入也虛者氣出也入為陽出為陰陰生於内故出陽生於外故入氣實者熱也氣虛者寒也陽盛而陰内拒故熱陰盛而陽外微故寒入實者左手開鍼空也入虛者左手閉鍼空也言用鍼之補寫也右手持鍼左手捻穴故實者左手開鍼空以寫之虛者左手閉鍼空以補之也

## 鍼解篇第五十四

新校正云按全元起本在第六卷

黄帝問曰願聞九鍼之解虛實之道岐伯對曰刺虛

則實之者鍼下熱也氣實乃熱也滿而泄之者鍼下寒也氣虛乃寒也菀陳則除之者出惡血也菀積也陳久也除去也言絡脉之中血積而久者鍼刺而除去之也邪勝則虛之者出鍼勿按邪者不正之目非本經氣是則謂邪非言鬼毒精邪之所勝也出鍼勿按穴俞且開故得經虛邪氣發泄也徐而疾則實者徐出鍼而疾按之疾而徐則虛者疾出鍼而徐按之徐出謂得經氣已久乃出之疾按謂鍼出穴已速疾按之則真氣不泄經脉氣全故徐而疾乃實也疾出鍼謂鍼入穴已至於經脉即疾出之徐按謂鍼出穴已徐緩按之則邪氣得泄精氣復固故疾而徐乃虛也言實與虛若寒溫氣多少也寒溫謂經脉陰陽之氣也若無若有者疾不可知也言其實脉不可即而知也夫不可即知故若無慧然神悟故若有也察後與先者知病先後也知病先後乃補

寫之**為虛與實者工勿失其法**鍼經曰經氣已至慎守勿失此之謂也○新校正云按甲乙經云若存若亡為虛與實**若得若失者離其法也**妄為補寫離亂大經誤補實者轉令若得誤寫虛者轉令若失故曰若得若失也鍼經曰無實實無虛虛此其誠也○新校正云詳自篇首至此與太素九鍼解篇經同而解異二經互相發明也**虛實之要九鍼最妙者為其各有所宜也**熱在頭身宜鑱鍼肉分氣滿宜員鍼脈氣虛少宜鍉鍼寫熱出血發泄固病宜鋒鍼破癰腫出膿血宜鈹鍼調陰陽去暴痺宜員利鍼治經絡中痛痺宜毫鍼痺深居骨解腰脊節腠之間者宜長鍼虛風舍於骨解皮膚之間宜大鍼此之謂各有所宜也○新校正云按別本錍一作鈹**補寫之時者與氣開闔相合也**氣當時刻謂之開已過未至謂之闔時刻者然水下一刻人氣在太陽水下二刻人氣在少陽水下三刻人氣在陽明水下四刻人氣在陰分水下不已氣行不已如是則當刻者謂之開過刻及未至者謂之闔也鍼經曰謹候其氣

之所在而刺之是謂逢時此所謂補寫之時也○新校正云詳自篇首至此文出靈樞經素問解之至詳發明也甲乙經云補寫之時以鍼爲之者此脫此四字也九鍼之名各不同形者鍼窮其所當補寫也各不同形謂長短鋒頴不等窮其補寫謂各隨其療而用之也○新校正云按九鍼之形今具甲乙經刺實須其虛者留鍼陰氣隆至乃去鍼也刺虛須其實者陽氣隆至鍼下熱乃去鍼也言要以氣至而有効也經氣已至愼守勿失者勿變更也變謂變易更謂改更皆變法也言得氣至必宜謹守無變其法反招損也深淺在志者知病之內外也志一爲意志意皆行鍼之用也近遠如一者深淺其候等也言氣雖近遠不同然其測候皆以氣至而有効也如臨深淵者不敢墯也言氣候補寫如臨深淵不敢墯慢失補寫之法也手如握虎者欲其壯也壯謂

持鍼堅定也鍼經曰持鍼之道堅者爲寶則其義也○新校正云按甲乙經寶字作實神無營於衆物者静志觀病人無左右視也且絶妄視心專一務則用之必中無惑誤也○新校正云詳從前實須其虚至此義又見寶命全形論此又爲之解亦互相發明也無邪下者欲端以正也正指在刺鍼無左右必正其神者欲瞻病人目制其神令氣易行也檢彼精神令無散越則氣爲神使中外易調也所謂三里者下膝三寸也所謂跗之者新校正云按全元起本跗之作低跗太素作付之按骨空論跗之疑作跗上舉膝分易見也三里穴名正在膝下三寸䯒外兩筋肉分間極重按之則足跗上動脈止矣故曰舉膝分易見巨虚者蹻足䯒獨陷者巨虚穴名也蹻謂舉也巨虚下廉當舉足取之則䯒外兩筋之間陷下也下廉者陷下者也欲知下廉穴者䯒外兩筋之間獨陷下者則其處也帝曰余聞九

鍼上應天地四時陰陽願聞其方令可傳於後世以爲常也岐伯曰夫一天二地三人四時五音六律七星八風九野身形亦應之鍼各有所宜故曰九鍼新校正云詳此文與靈樞經相出入人皮應天覆蓋於物天之象也人肉應地柔厚安靜地之象也人脉應人盛衰變易人之象也人筋應時堅固眞定時之象也人聲應音備五音故人陰陽合氣應律交會氣通相生無替則律之象○新校正云按別本氣一作變人齒面目應星人面應七星者所謂面有七孔應之也○新校正云詳此注乃全元起之辭也人出入氣應風動出往來風之象也人九竅三百六十五絡應野身形之外野之象也故一鍼皮二鍼肉三鍼脉四鍼筋五鍼骨六鍼調陰陽七鍼益精八鍼除風九鍼

通九竅除三百六十五節氣此之謂各有所主也鑱一鍼二員鍼三鍉鍼四鋒鍼五鈹鍼六員利鍼七毫鍼八長鍼九大鍼○新校正云按別本鈹一作鈹人心意應八風動靜不形風之象也人氣應天運行不息天之象也人髮齒耳目五聲應五音六律髮齒生長耳目清通五聲應同故五五音及六律也人陰陽脉血氣應地人陰陽有交會生成脉血氣有虛盈盛衰故應地也人肝目應之九肝氣通目木生數三三而三之則應之九也九竅三百六十五新校正云按全元起本無此七字人一以觀動靜天二以候五色七星應之以候髮毋澤五音一以候宫商角徵羽六律有餘不足應之二地一以候高下有餘九野一節俞應之以候閉節三人變一分人候齒泄多血少十分角

之變五分以候緩急六分不足三分寒關節第九分四時人寒溫燥濕四時一應之以候相反一四方各作解此一百二十四字蠹簡爛文義理殘缺莫可尋究而上古書故且載之以佇後之具本也○新校正云詳王氏云一百二十四字今有一百二十三字又亡一字矣

## 長刺節論篇第五十五新校正云按全元起本在第三卷

刺家不診聽病者言在頭頭疾痛爲藏鍼之藏猶深也言深刺之故下文曰新校正云按全元起本云爲鍼之無藏字刺至骨病已上無傷骨肉及皮皮者道也皮者鍼之道故刺骨無傷骨肉及皮也陰刺入一傍四處治寒熱頭有寒熱則用陰刺法治之陰刺謂卒刺之如此數也○新校正云按別本卒刺一作平刺按甲乙經陽刺者正內一傍內四陰刺者左右卒刺之此陰刺疑是陽刺也深專者

刺大藏（寒熱病氣深專攻中者當刺五藏以拒之）迫藏刺背背俞也（迫近也漸近於藏則刺背五藏之俞也）刺之迫藏藏會（言刺近於藏者何也以是藏氣之會發也）腹中寒熱去而止（言刺背俞者無問其數要以寒熱去乃止鍼）與刺之要發鍼而淺出血（若與諸俞刺之則如此）治腐腫者刺腐上視癰小大深淺刺（腐腫謂腫中肉腐敗爲膿血者癰小者淺刺之癰大者深刺之○新校正云按全元起本及甲乙經腐作癰）刺大者多血小者深之必端内鍼爲故止（癰之大者多出血癰之小者但直鍼之而已○新校正云按甲乙經云刺大者多而深之必端内鍼爲故正也此文云小者深之疑此誤）病在少腹有積刺皮髓以下至少腹而止刺俠脊兩傍四椎間刺兩髂髎季脇肋間導腹中氣熱下已（少腹積謂寒熱之氣結積也皮髓謂臍下同身寸之五寸横約文審

刺而勿過深之刺禁論曰刺少腹中膀胱溺出令人少腹滿由此故不可深之矣俠脊四椎近間據經無俞恐當云五椎間五椎之下兩傍正心之俞心應少腹故當言椎間也髂爲腰骨髎一爲髁字形相近之誤也髎謂居髎腰側穴也季脇肋間當是刺季肋之間京門穴也○新校正云按釋音皮髓作皮骺苦末反是骺誤作髓也及遍尋篇韻中無髓字只有骺字骺骨端也皮骺者蓋謂齊下橫骨之端也全元起本作皮髓元起注云齊傍埵起也亦未爲得病在少腹腹痛不得大小便病名曰疝得之寒刺少腹兩股間刺腰髁骨間刺而多之盡炅病已厥陰之脈環陰器抵少腹衝脈與少陰之絡皆起於腎下出於氣街循陰股其後行者自少腹以下骨中央女子入繫廷孔其絡循陰器合篡間繞篡後別繞臀至少陰與巨陽中絡者合少陰上股內後廉貫脊屬腎其男子循莖下至篡與女子等故刺少腹及兩股間又刺腰髁骨間也腰髁骨者腰房俠脊平立陷者中按之有骨處也疝爲寒生故多刺之少腹盡熱乃止鍼炅熱也○新校正云按

十二

別水篡一作基病在筋筋攣節痛不可以行名曰筋痺刺筋
上為故刺分肉間不可中骨也分謂肉分間有筋維絡處也刺筋無傷骨
故不可中骨也病起筋炅病已止筋寒痺生故得筋熱病已乃止病在肌膚
肌膚盡痛名曰肌痺傷於寒濕刺大分小分多發鍼而
深之以熱為故大分謂大肉之分小分謂小肉之分無傷筋骨傷筋骨
癰發若變鍼經曰病淺鍼深內傷良肉皮膚為癰又曰鍼太深則邪氣反沉病益甚傷筋骨則
鍼太深故癰發若變也諸分盡熱病已止熱可消寒故病已則止病在骨
骨重不可舉骨髓酸痛寒氣至名曰骨痺深者刺無
傷脉肉為故其道大分小分骨熱病已止骨痺刺無傷脉肉者
何自刺其氣通肉之大小分中也病在諸陽脉且寒且熱諸分且寒

且熱名曰狂氣狂亂也刺之虛脉視分盡熱病已止病初發歲一發不治月一發不治月四五發名曰癲病刺諸分諸脉其無寒者以鍼調之病止新校正云按甲乙經云刺諸分其脉尤寒以鍼補之病風且寒且熱炅汗出一日數過先刺諸分理絡脉汗出且寒且熱三日一刺百日而已病大風骨節重鬚眉墮名曰大風刺肌肉為故汗出百日泄衛氣之怫熱刺骨髓汗出百日泄榮氣之怫熱凡二百日鬚眉生而止鍼怫熱屏退陰氣內復故多汗出鬚眉生也

黃海經藏　黃帝內經素問卷第十四

黄□ 素問十四

刺腰論泝素音弛施是切鑠詩若切眩縣音刺齊論解胡買切刺

禁論髕牝音刺志論脘上活切捻涅音鍼解論鍉低音長刺節

論髺光抹切篡初患切

黄海商部之二函

天都外史潘之恒景升定

素園居士羅萬鍾愧鍾閲

# 紀藏二之五十五

## 黄帝内經素問卷第十五 啓玄子次註

皮部論　經絡論

氣穴論　氣府論

### 皮部論篇第五十六 新校正云按全元起本在第二卷

黄帝問曰余聞皮有分部脉有經紀筋有結絡骨有度量其所生病各異别其分部左右上下陰陽所在

病之始終願聞其道岐伯對曰欲知皮部以經脉爲紀者諸經皆然循經脉行止所主則皮部可知諸經謂十二經脉也十二經脉皆同陽明之陽名曰害蜚蜚生化也害殺氣也殺氣行則生化弭故曰害蜚上下同法視其部中有浮絡者皆陽明之絡也上謂手陽明下謂足陽明也其色多青則痛多黑則痹黃赤則熱多白則寒五色皆見則寒熱也絡盛則入客於經陽主外陰主內陽謂陽絡陰謂陰絡此通言之也手足身分所見經絡皆然少陽之陽名曰樞持樞謂樞要持謂執持上下同法視其部中有浮絡者皆少陽之絡也絡盛則入客於經故在陽者主內在陰者主出以滲於內諸經皆然太陽之陽名曰關樞關司外動以靜鎮爲

事如樞之運則氣和平也上下同法視其部中有浮絡者皆太陽之絡也絡盛則入客於經少陰之陰名曰樞儒儒順也守要而順陰陽開闔之用也新校正云按甲乙經儒作檽上下同法視其部中有浮絡者皆少陰之絡也絡盛則入客於經其入經也從陽部注於經其出者從陰內注於骨心主之陰名害肩心主脉入掖下氣不和則妨害肩掖之動運上下同法視其部中有浮絡者皆心主之絡也絡盛則入客於經太陰之陰名曰關蟄關閉蟄類使順行藏新校正云按甲乙經蟄作執上下同法視其部中有浮絡者皆太陰之絡也絡盛則入客於經部謂本經絡之所部分浮謂浮息也凡十二經絡脉者皮之部也列陰陽位

部上於皮故曰皮之部也是故百病之始生也必先於皮毛邪中之則腠理開開則入客於絡脉留而不去傳入於經留而不去傳入於府廩於腸胃廩積也聚也邪之始入於皮也泝然起毫毛開腠理泝然惡寒也起謂毛起豎也腠理皆謂皮空及文理也其入於絡也則絡脉盛色變盛謂盛滿變謂易其常也其入客於經也則感虛乃陷下經虛邪入故曰感虛脉虛氣少故陷下也其留於筋骨之間寒多則筋攣骨痛熱多則筋弛骨消肉爍䐃破毛直而敗攣急也弛緩也消爍也鑠經曰寒則筋急熱則筋緩寒勝爲痛熱勝爲氣消䐃者肉之標故肉消則䐃破毛直而敗也帝曰夫子言皮之十二部其生病皆何如歧伯曰皮者脉之部也脉氣流行各有陰陽氣隨經所

迴而部主之故云脉之部邪客於皮則腠理開開則邪入客於絡脉絡脉滿則注於經脉經脉滿則入舍於府藏也故皮者有分部不與而生大病也脉行皮中各有部分脉受邪氣隨則病生非由皮氣而能生也新校正云按甲乙經不與作不愈全元起本作不與元起云氣不與經脉和調則氣傷於外邪流入於內必生大病也帝曰善

經絡論篇第五十七新校正云按全元起本在皮部論末王氏分

黃帝問曰夫絡脉之見也其五色各異青黃赤白黑不同其故何也岐伯對曰經有常色而絡無常變也經行氣故色見常應於時絡主血故受邪則變而不一矣帝曰經之常色何如岐伯曰心赤肺白肝青脾黃腎黑皆亦應其經脉之色

也帝曰絡之陰陽亦應其經乎歧伯曰陰絡之色應
其經陽絡之色變無常隨四時而行也順四時氣化之行止寒
多則凝泣凝泣則青黒熱多則淖澤淖澤則黄赤此
皆常色謂之無病五色具見者謂之寒熱淖濕也澤潤液也謂
微濕潤也帝曰善

氣穴論篇第五十八新校正云按全元起本在第二卷

黄帝問曰余聞氣穴三百六十五以應一歲未知其
所願卒聞之歧伯稽首再拜對曰窘乎哉問也其非
聖帝孰能窮其道焉因請溢意盡言其處孰誰也帝捧
手逡巡而却曰夫子之開余道也目未見其處耳未

問其數而目以明耳以聰矣目以明耳以聰言心志通明過如意也岐
伯曰此所謂聖人易語良馬易御也帝曰余非聖人
之易語也世言眞數開人意今余所訪問者眞數發
蒙解惑未足以論也謂氣穴眞數庶將解彼蒙昧之疑惑未足以論述深微之意也
然余願聞夫子溢志盡言其處令解其意請藏之金
匱不敢復出言其處謂穴俞處所岐伯再拜而起曰臣請言之
背與心相控而痛所治天突與十椎及上紀天突在頸結喉
下同身寸之四寸中央宛宛中陰維任脈之會低鍼取之刺可入同身寸之一寸留七呼若灸者可灸三
壯按今甲乙經經脈流注孔穴圖經當脊十椎下並無穴目恐是七椎也此則督脈氣所主之上紀之處
次如下說　新校正云按甲乙經天突在結喉下五寸上紀者胃脘也謂中脘也中脘

四

者胃募也在上脘下同身寸之一寸居心蔽骨與齊之中手太陽少陽足陽明三脈所生脈氣所發也刺可入同身寸之一寸二分若灸者可灸七壯 新校正云按甲乙經云任脈之會也 下紀者關元也 關元者少陽募也在齊下同身寸之三寸足三陰任脈之會刺可入同身寸之二寸留七呼若灸者可灸七壯 背胸邪繫陰陽左右如此其病前後痛濇胸脇痛而不得息不得臥上氣短氣偏痛 新校正云按別本偏一作滿 脈滿起斜出尻脈絡胸脇支心貫鬲上肩加天突斜下肩交十椎下 尋此支絡脈流注病形證悉是骨脈支絡自尾骶出各上行斜絡脇支心貫鬲上加天突斜之肩而下交於七椎 新校正云詳自背與心相控而痛至此疑是骨空論文簡脫誤於此 藏俞五十穴 藏謂五藏肝心脾肺腎非兼四形藏也俞謂井滎俞經合非背俞也然井滎俞經合者肝之井也大敦也滎行間也俞太衝也經中封也合曲泉也大敦在足大指端去

爪甲角如韭葉及三毛之中足厥陰脉之所出也刺可入同身寸之三分留十呼若灸者可灸三壯行間在足大指之間脉動應手陷者中足厥陰脉之所流也　新校正云按甲乙經留作流餘所流並作留刺可入同身寸之六分留十呼若灸者可灸三壯太衝在足大指本節後同身寸之二寸陷者中　新校正云按刺腰痛注云本節後內間同身寸之二寸陷者中動脉應手　足厥陰脉之所注也刺可入同身寸之三分留十呼若灸者可灸三壯中封在足內踝前同身寸之一寸半　新校正云按甲乙經云一寸陷者中仰足而取之伸足乃得之足厥陰脉之所行也刺可入同身寸之四分留七呼若灸者可灸三壯曲泉在膝內輔骨下大筋上小筋下陷者中屈膝而得之足厥陰脉之所入也刺可入同身寸之六分留十呼若灸者可灸三壯心包之井者中衝也榮勞宮也俞大陵也經間使也合曲澤也中衝在手中指之端去爪甲角如韭葉陷者中手心主脉之所出也刺可入同身寸之一分留三呼若灸者可灸一壯勞宮在掌中央動脉手心主脉之所流也刺可入同身寸之三分留六呼若灸者可灸三壯大陵在掌後骨

兩筋間陷者中手心主脉之所注也刺可入同身寸之六分留七呼若灸者可灸三壯間使在掌後同身寸之三寸兩筋間陷者中手心主脉之所行也刺可入同身寸之六分留七呼若灸者可灸七壯新校正云按甲乙經云灸三壯曲澤在肘內廉下陷者中屈肘而得之手心主脉之所入也刺可入同身寸之三分留七呼若灸者可灸三壯脾之井者隱白也榮大都也俞太白也經商丘也合陰陵泉也隱白在足大指之端內側去爪甲角如韭葉足太陰脉之所出也刺可入同身寸之一分留三呼若灸者可灸三壯大都在足大指本節後陷者中足太陰脉之所流也刺可入同身寸之三分留七呼若灸者可灸三壯太白在足內側核骨下陷者中足太陰脉之所注也刺可入同身寸之三分留七呼若灸者可灸三壯商丘在足內踝下微前陷者中足太陰脉之所行也刺可入同身寸之四分留七呼若灸者可灸三壯陰陵泉在膝下內側輔骨下陷者中伸足乃得之足太陰脉之所入也刺可入同身寸之五分留七呼若灸者可灸三壯肺之非者少商也滎魚際也俞太淵也經經渠也合尺澤也少商在手大指之端內側去爪甲

角如韭葉手太陰脉所出也刺可入同身寸之一分
留一呼若灸者可灸三壯　新校正云按甲乙經作
一壯　魚際在手大指本節後內側散脉手太陰脉
之所流也刺可入同身寸之二分留三呼若灸者可
灸三壯太淵在掌後陷者中手太陰脉之所注也刺
可入同身寸之二呼留二呼若灸者可灸三壯經渠
在寸口陷者中手太陰脉之所行也刺可入同身寸
之三分留三呼不可灸傷人神明尺澤在肘中約上
動脉手太陰脉之所入也刺可入同身寸之三分留
三呼若灸者可灸三壯腎之井者湧泉也榮然谷也
俞太谿也經復溜也　新校正云按甲乙經溜作留
餘復溜字並同　合陰谷也湧泉在足心陷者中屈
足踡指宛宛中足少陰脉之所出也刺可入同身寸
之三分留三呼若灸者可灸三壯然谷在足內踝前
起大骨下陷者中足少陰脉之所溜也刺可入同身
寸之三分留三呼若灸者可灸三壯刺此多見血令
人立饑欲食太谿在足內踝後跟骨上動脉陷者中
足少陰脉之所注也刺可入同身寸之三分留七呼
若灸者可灸三壯復溜在足內踝上同身寸之二寸
陷者中　新校正云按刺腰痛篇注云在內踝後上

六

二寸動脉　足少陰脉之所行也刺可入同身寸之
三分留三呼若灸者可灸五壯陰骨在膝下內輔骨
之後大筋之下小筋之上按之應手屈膝而得之足
少陰脉之所入也刺可入同身寸之四分若灸者可
灸三壯如是五藏之俞藏各五五穴則二
十五俞以左右脉具而言之則五十穴

**府俞七十二穴**

府謂六府非兼九形府也俞亦謂井榮俞原經合
非背俞也肝之府膽膽之井者竅陰也榮俠谿也
俞臨泣也原丘虛也經陽輔也合陽陵泉也竅陰在
足小指次指之端去爪甲角如韭葉足少陽脉之所
出也刺可入同身寸之一分留一呼　新校正云按
甲乙經作三呼　若灸者可灸三壯俠谿在足小指
次指歧骨間本節前陷者中足少陽脉之所流刺可
入同身寸之三分留三呼若灸者可灸三壯臨泣在
足小指次指本節後間陷者中去俠谿同身寸之一
寸半足少陽脉之所注也刺可入同身寸之三分
新校正云按甲乙經作二分　留五呼若灸者可灸
三壯丘虛在足外踝下如前陷者中去臨泣同身寸
之三寸足少陽脉之所過也刺可入同身寸之五分
留七呼若灸者可灸三壯陽輔在足外踝上　新校

正云按甲乙經云外踝上四寸輔骨前絶骨之端如前同身寸之三分所去丘虚同身寸之七寸足少陽脈之所行也刺可入同身寸之五分留七呼若灸者可灸三壯陽陵泉在膝下同身寸之一寸胻外廉陷者中足少陽脈之所入也刺可入同身寸之六分留十呼若灸者可灸三壯脾之府胃胃之井者厲兌也榮內庭也俞陷谷也原衝陽也經解谿也合三里也厲兌在足大指次指之端去爪甲角如韭葉足陽明脈之所出也刺可入同身寸之一分留一呼若灸者可灸一壯內庭在足大指次指外間陷者中足陽明脈之所流也刺可入同身寸之三分留十呼　新校正云按甲乙經云作二十呼若灸者可灸三壯陷谷在足大指次指外間本節後陷者中去內庭同身寸之二寸足陽明脈之所注也刺可入同身寸之五分留七呼若灸者可灸三壯衝陽在足跗上同身寸之五寸骨間動脈上去陷谷同身寸之三寸足陽明脈之所過也刺可入同身寸之三分留十呼若灸者可灸三壯解谿在衝陽後同身寸之二寸半　新校正云按甲乙經作一寸半刺瘧注作三寸半素問二注不同當從甲乙經之說腕上陷者中足陽明脈之所

七

行也刺可入同身寸之五分留五呼若灸者可灸三壯三里在膝下同身寸之三寸䯒骨外廉兩筋肉分間足陽明脉之所入也刺可入同身寸之一分留七呼若灸者可灸三壯肺之府大腸大腸之井者商陽也滎二間也俞三間也原合谷也經陽谿也合曲池也商陽在手大指次指内側去爪甲角如韭葉手陽明脉之所出也刺可入同身寸之一分留一呼若灸者可灸三壯二間在手大指次指本節前内側陷者中手陽明脉之所流也刺可入同身寸之三分留六呼若灸者可灸三壯三間在手大指次指本節後内側陷者中手陽明脉之所注也刺可入同身寸之三分留三呼若灸者可灸三壯合谷在手大指次指岐骨之間手陽明脉之所過也刺可入同身寸之三分留六呼若灸者可灸三壯陽谿在腕中上側兩筋間陷者中手陽明脉之所行也刺可入同身寸之三分留七呼若灸者可灸三壯曲池在肘外輔屈肘兩骨之中手陽明脉之所入也以手拱胷取之刺可入同身寸之五分留七呼若灸者可灸三壯心之府小腸小腸之井者少澤也滎前谷也俞後谿也原腕骨也經陽谷也合小海也少澤在手小指之端去爪甲下

同身寸之一分陷者中手太陽脉之所出也刺可入同身寸之一分留二呼若灸者可灸一壯前谷在手小指外側本節前陷者中手太陽脉之所流也刺可入同身寸之一分留三呼若灸者可灸三壯後谿在手小指外側本節後陷者中手太陽脉之所注也刺可入同身寸之一分留二呼若灸一壯灸一壯腕骨在手外側腕前起骨下陷者中手太陽脉之所過也刺可入同身寸之二分留三呼若灸者可灸三壯陽谷在手外側腕中鋭骨之下陷者中手太陽脉之所行也刺可入同身寸之二分留三呼　新校正云按甲乙經作二呼　若灸者可灸三壯少海在肘內大骨外去肘端同身寸之五分陷者中屈肘乃得之手太陽脉之所入也刺可入同身寸之二分留七呼若灸者可灸五壯心包之府三焦三焦之井者關衝也滎液門也俞中渚也原陽池也經支溝也合天井也關衝在手小指次指之端去爪甲角如韭葉手少陽脉之所出也刺可入同身寸之一分留三呼若灸者可灸三壯液門在手小指次指間陷者中手少陽脉之所流也刺可入同身寸之二分若灸者可灸三壯中渚在手小指次指本節後間陷者中手少陽脉之

所注也刺可入同身寸之二分留三呼若灸者可灸
三壯陽池在手表腕上陷者中手少陽脉之所過也
刺可入同身寸之二分留六呼若灸者可灸三壯支
溝在腕後同身寸之三寸兩骨之間陷者中手少陽
脉之所行也刺可入同身寸之二分留七呼若灸者
可灸三壯天井在肘外大骨之後同身寸之一寸兩
筋間陷者中屈肘得之手少陽脉之所入也刺可入
同身寸之一寸留七呼若灸者可灸三壯臂之府膀
胱膀胱之井者至陰也滎通谷也俞東骨也原京骨
也經崑崙也合委中也至陰在足小指外側去爪甲
角如韭葉足太陽脉之所出也刺可入同身寸之一
分留五呼若灸者可灸三壯通谷在足小指外側本
節前陷者中太陽脉之所流也刺可入同身寸之二
分留五呼若灸者可灸三壯束骨在足小指外側本
節後赤白肉際陷者中足太陽脉之所注也刺可入
同身寸之三分留三呼若灸者可灸三壯京骨在足
外側大骨下赤白肉際陷者中按而得之足太陽脉
之所過也刺可入同身寸之三分留一呼若灸者可
灸三壯崑崙在足外踝後跟骨上陷者中細脉動應
手足太陽脉之所行也刺可入同身寸之五分留十

可若灸者可灸三壯委中在膕中央約文中動脉
新校正云詳委中穴與甲乙經及刺瘧篇注痺論注
同文骨空論云在膝解之後曲脚之中背面取之又
熱穴論注刺熱篇注云在足膝後屈處　足太陽脉
之所入刺可入同身寸之五分留七呼若灸者可灸
三壯如是六府之俞府各六穴則三十六俞以左右
脉具而言之則七十二穴**熱俞五十九穴水俞五十七穴**並具水熱論中
新校正云按熱俞文見刺熱篇注**頭上五行行五五五二十五穴**此亦
熱俞之五十九穴也**中胋兩傍各五凡十穴**謂五藏之背俞也肺俞在第三椎下
兩傍心俞在第五椎下兩傍肝俞在第九椎下兩傍
脾俞在第十一椎下兩傍腎俞在第十四椎下兩傍
此五藏俞者各俠脊相去同身寸之一寸半並足太
陽脉之會刺可入同身寸之三分肝俞留六呼餘並
留七呼若灸者可灸三壯俠脊數之則十穴也**大椎上兩傍各一凡二穴**今甲
乙經經脉流注孔穴圖經並不載未詳何俞也　新校正云按大椎上傍無穴大椎下傍穴名大杼後有

故王氏云未詳**目瞳子浮白二穴**瞳子髎在目外去眥同身寸之五分手太陽手足少陽三脉之會刺可入同身寸之三分若灸者可灸三壯浮白在耳後入髮際同身寸之一寸足太陽少陽二脉之會刺可入同身寸之三分若灸者可灸三壯左右言之各二爲四也**兩髀厭分中二穴**謂環銚穴也在髀樞後足少陽太陽二脉之會刺可入同身寸之一寸留二十呼若灸者可灸三壯　新校正云按王氏云在髀樞後按甲乙經云在髀樞中後當作中灸三壯甲乙經作五壯**犢鼻二穴**在膝髕下胻上俠解大筋中足陽明脉氣所發刺可入同身寸之六分若灸者可灸三壯**耳中多所聞二穴**聽宮穴也在耳中珠子大如赤小豆手足少陽手太陽三脉之會刺可入同身寸之一分若灸者可灸三壯　新校正云按甲乙經云刺可入三分**眉本二穴**攢竹穴也在眉頭陷者中足太陽脉氣所發刺可入同身寸之三分留六呼若灸者可灸三壯**完骨二穴**在耳後入髮際同身寸之四分足太陽少陽之會刺可入同身寸之三分留七呼若灸者可灸三壯

新校正云按甲乙經云刺可入二分灸七壯**頂中央一穴**風府穴也在頂上入髮際同身寸之一寸大筋內宛宛中督脈陽維二經之會疾言其肉立起言休其肉立下刺可入同身寸之四分留三呼灸之不幸使人瘖**枕骨二穴**竅陰穴也在完骨上枕骨下搖動應手足太陽少陽之會刺可入同身寸之三分若灸者可灸三壯新校正云按甲乙經云刺可入四分灸可五壯**上關二穴**鍼經所謂刺之則呿不能欠者也在耳前上廉起骨開口有空手少陽足陽明之會刺可入同身寸之三分留七呼若灸者可灸三壯刺深令人耳無所聞**大迎二穴**在曲頷前同身寸之一寸三分骨陷者中動脈足陽明脈氣所發刺可入同身寸之三分留七呼若灸者可灸三壯**下關二穴**鍼經所謂刺之則欠不能呿者也在上關下耳前動脈下廉合口有空張口而閉足陽明少陽二脈之會刺可入同身寸之三分留七呼若灸者可灸三壯耳中有乾擿之不得灸也新校正云按甲乙經擿之作擿抵**天柱二穴**在俠項後髮際大筋外廉陷者中足太陽脈氣所發刺可入同

身寸之二分留六呼若灸者可灸三壯**巨虚上下廉四穴**上廉足陽明與大腸合也在膝犢鼻下䯒外廉同身寸之六寸足陽明脉氣所發刺可入同身寸之八分若灸者可灸三壯下廉足陽明與小腸合也在上廉下同身寸之三寸足陽明脉氣所發刺可入同身寸之三分若灸者可灸三壯

新校正云按甲乙經井刺熱篇注水熱穴注上廉在三里下三寸此云犢鼻下六寸者蓋三里在犢鼻下三寸上廉又在三里下三寸故云六寸也**曲牙二穴**頰車穴也在耳下曲頰端陷者中開口有空足陽明脉氣所發刺可入同身寸之三分若灸者可灸三壯也**天突一穴**已前釋也**天府二穴**在腋下同身寸之三寸臂臑內廉動脉手太陰脉氣所發禁不可灸刺可入同身寸之四分留三呼**天牖二穴**在頸筋間缺盆上天容後天柱前完骨下髮際上手少陽脉氣所發刺可入同身寸之一寸留七呼若灸者可灸三壯**扶突二穴**在頸當曲頰下同身寸之一寸人迎後手陽明脉氣所發仰而取之刺可入同身寸之四分若灸者可灸三壯**天窻二穴**在曲

顴下浮突後動脈應手陷者中手太陽脈氣所發刺可入同身寸之六分若灸者可灸三壯肩解
二穴謂肩井也在肩上陷解中缺盆上大骨前手足少陽陽維之會刺可入同身寸之五分若灸者
可灸三壯　新校正云按甲乙經灸五壯關元一穴新校正云詳此已前釋萬當篇再注今去
之委陽二穴三焦下輔俞也在膕中外廉兩筋間此足太陽之別絡刺可入同身寸之七分
留五呼若灸者可灸三壯屈身而取之肩貞二穴在肩曲甲下兩骨解間肩髃後陷者中手
太陽脈氣所發刺可入同身寸之八分若灸者可灸三壯瘖門一穴在項髮際宛宛中入系舌
本督脈陽維二經之會仰頭取之刺可入同身寸之
四分不可灸灸之令人瘖　新校正云按氣府論注云
去風府一寸齊一穴齊中也禁不可刺刺之使人齊中惡瘍潰矢出者死不可治若灸者可灸
三壯背俞十二穴謂俞府或中神藏靈墟神封步廊左右則十二穴也俞府在巨骨下俠任
脈兩傍橫去任脈各同身寸之二寸陷者中下五穴
遶相去同身寸之一寸六分陷者中並足少陰脈氣

所發仰而取之刺可入同身
寸之四分若灸者可灸五壯背俞二穴大杼穴也在脊第一椎下
兩傍相去各同身寸之一寸半陷者中督脈別絡手
足太陽三脈氣之會刺可入同身寸之三分留七呼
若灸者可灸七壯膺俞十二穴謂雲門中府周榮胷鄉天谿食竇左右則十二穴也新
校正云按甲乙經作周榮胷鄉　雲門在巨骨下侠
任脈傍橫去任脈各同身寸之六寸　新校正云按
水熱穴注作胷中中行兩傍與此文雖異處所無別
胷者中動脈應手雲門中府相去同身寸之一寸餘
五穴遞相去同身寸之一寸六分陷者中並手太陰
脈氣所發雲門食竇舉臂取之餘並仰而取之雲門
刺可入同身寸之七分太深令人逆息中府刺可入
同身寸之三分留五呼餘刺可入同身寸之四分若
灸者可灸五壯　新校正云詳王氏以此十二穴并
手太陰按甲乙經雲門乃手太陰中府乃手足太陰
之會周榮已下乃足太陰
非十二穴並手太陰也分肉二穴在足外踝上絕
骨之端同身寸
之三分筋肉分間陽維脈氣所發刺可入同身寸之
三分留七呼若灸者可灸三壯　新校正云按甲乙

經無分肉穴詳處所疑是陽輔在足外踝上輔骨前絕骨端如前三分所又按刺腰痛注作絕骨之端如後二分刺入五分留十呼與此注小異**踝上橫二穴**內踝上者交信穴也交信去內踝上同身寸之二寸少陰前太陰後筋骨間足陰蹻之郄刺可入同身寸之四分留五呼若灸者可灸三壯外踝上附陽穴也附陽去外踝上同身寸之三寸太陽前少陽後筋骨間陽蹻之郄刺可入同身寸之六分留七呼若灸者可灸三壯新校正云按甲乙經附陽作付陽**陰陽蹻四穴**陰蹻穴在足內踝下是謂照海陰蹻所生刺可入同身寸之四分留六呼若灸者可灸三壯陽蹻穴是謂申脈陽蹻所生在外踝下陷者中新校正云按刺腰痛篇注作在外踝下五分繆刺論法云外踝下半寸容爪甲刺可入同身寸之二分留七呼若灸者可灸三壯新校正云按甲乙經留七呼作六呼刺腰痛篇注作十呼**水俞在諸分**分謂肉之分理間治水取之**熱俞在氣穴**寫熱則取之**寒熱俞在兩骸厭中二穴**骸厭謂膝外俠膝之骨厭中也**大禁二十**

十二

五在天府下五寸（謂五里穴也所以謂之大禁者謂其禁不可刺也鍼經曰迎之五里中道而上五至而已五注而藏之氣盡矣故五五二十五而竭其俞矣蓋謂此也又曰五里者尺澤之後五里與此文同）凡三百六十五穴鍼之所由行也（新校正云詳自藏俞五十至此并重復共得三百六十穴通前天突十椎上紀下紀共三百六十五穴除重複實有三百一十三穴）帝曰余已知氣穴之處遊鍼之居願聞孫絡谿谷亦有所應乎（孫絡小絡也謂絡之支別者）岐伯曰孫絡三百六十五穴會亦以應一歲以溢奇邪以通榮衛榮衛稽留衛散榮溢氣竭血著外為發熱內為少氣疾寫無怠以通榮衛見而寫之無問所會（榮積衛留內外相薄者見其血絡當即寫之亦無問其脈之會合）帝曰善願聞谿谷之會也岐伯曰肉之

大會爲谷肉之小會爲谿肉分之間谿谷之會以行榮衛以會大氣新校正云按甲乙經作以舍大氣邪溢氣壅脉熱肉敗榮衛不行必將爲膿內銷骨髓外破大膕熱過故致是留於節湊必將爲敗若留於骨節之則津液所湊之處則骨節之間髓液皆潰爲膿故必敗爛筋骨而不得屈伸矣積寒留舍榮衛不居卷肉縮筋新校正云按全元起本作寒肉縮筋肋肘不得伸內爲骨痺外爲不仁命曰不足大寒流於谿谷也邪氣盛甚真氣不榮髓溢內消故爲是也不足爲陽氣不足也寒邪外薄久積淹留陽不外勝內消筋髓故曰不足大寒留於谿谷之中也谿谷三百六十五穴會亦應一歲其小痺淫溢循脉往來微鍼所及與法相同若小寒之氣流行淫溢隨脉往來爲痺病用鍼調者與常法相同爾帝

乃辟左右而起再拜曰今日發蒙解惑藏之金匱不敢復出乃藏之金蘭之室署曰氣穴所在岐伯曰孫絡之脉别經者其血盛而當寫者亦三百六十五脉並注於洛傳注十二脉絡非獨十四脉絡也(十四絡者謂十二經絡兼任脉督脉之絡也脾之大絡起自於脾故不并言之也)内解寫於中者十脉(絡謂脉絡之中經絡也雖則別行然所受邪亦隨注寫於五藏之脉左右各五故十脉也)

## 氣府論篇第五十九(新校正云按全元起本在第二卷)

足太陽脉氣所發者七十八穴(兼氣浮薄相通者言之當言九十三穴非七十八穴也正經脉會發者七十八穴浮薄相通者一十五穴則其數也)兩眉頭各一(謂攢竹穴也所在刺灸分壯與氣穴同法)入髮至項三寸半傍五相去三寸

謂大杼風門各二穴也所在刺灸分壯與氣穴同法
新校正云按別本云入髮至項三寸又注云寸同身寸也諸寸同法與此注全別此注爲大杼風門各二穴所在灸刺分壯與此氣穴同法令氣穴篇中無風門穴而注言與同法此注之非可見此非王氏之誤誤在後人詳此入髮至項三寸半傍五相去三寸蓋是說下文浮氣之在皮中五行行五之穴故王都不解釋直云寸爲同身寸也但以項誤作項剩半字耳所以言入髮至項者自入髮顖會穴至項百會凡三寸自百會後至後項又三寸故云入髮至項三寸傍五者爲兼四行傍數有五行也相去三寸者蓋謂自百會頂中數左右前後各三寸有五行行五共二十五穴也後人誤認將項爲項以爲大杼風門此甚誤也況大杼在第一椎下兩傍風門又在第二椎下上云髮際非此三寸半也其誤甚明

其浮氣在皮中者凡五行行五五五二十五

浮氣謂氣浮而通之可以去熱者也五行謂頭上自髮際中同身寸之二寸後至項之後骨也二十五者其中行則顖會前頂百會後頂強閒五督脈氣也次俠兩傍行則五處承光通天絡

十四

郄玉枕各五五本經氣也又次傍兩行則臨泣目窗正營承靈腦空各五五足少陽氣也兩傍四行各五則二十穴中行五則二十五也其

**項中大筋兩傍各一**

謂天柱二穴也所在刺灸分壯與氣穴同法

**風府兩傍各一**

謂風池二穴也刺灸分壯與氣穴同法　新校正云按甲乙經風池足少陽陽維之會非太陽之所發也經言風府兩傍乃天柱穴之分位此亦復明上項中大筋兩傍穴也此注剩出風池二穴於九十三數外更剩前大杼風門及此風池六穴也

**俠背以下至尻尾二十一節十五間各一**

十五間各一者今中誥孔穴圖經所存者十三穴左右共二十六謂附分魄戶神堂譩譆鬲關魂門陽綱意舍胃倉肓門志室胞肓秩邊十三也附分在第二椎下附項內廉兩傍各相去俠脊同身寸之三寸足太陽之會刺可入同身寸之八分若灸者可灸五壯魄戶在第三椎下兩傍上直附分足太陽脈氣所發下十二穴並同正坐取之刺可入同身寸之五分若灸者如附分法神堂在第五椎下兩傍上直魄戶刺可入同身寸之

三分灸同附分法譩譆在第六椎下兩傍上直神堂新校正云按骨空論注云以手厭之令病人呼譩譆之聲則指下動矣　刺可入同身寸之六分留七呼灸如附分法鬲關在第七椎下兩傍上直譩譆正坐開肩取之刺可入同身寸之五分若灸者可灸三壯　新校正云按甲乙經可灸五壯　魂門在第九椎下兩傍上直鬲關正坐取之刺灸分壯如鬲關法陽綱在第十椎下兩傍上直魂門正坐取之刺灸分壯如魂門法意舍在第十一椎下兩傍上直陽綱正坐取之刺灸分壯如陽綱法胃倉在第十二椎下兩傍上直意舍刺灸分壯如意舍法肓門在第十三椎下兩傍上直胃倉刺同胃倉可灸三十壯　新校正云按肓門灸三十壯與甲乙經同水穴注作灸三壯志室在第十四椎下兩傍上直肓門正坐取之刺灸分壯如魄戸法胞肓在第十九椎下兩傍上直志室伏而取之刺灸分壯如魄戸法　新校正云按志室胞肓灸如魄戸五壯甲乙經作三壯水穴注亦作三壯熱穴法志室亦作三壯秩邊在二十一椎下兩傍上直胞肓伏而取之刺灸分壯如魄戸法五藏之餘各五六府之俞各

六肺俞在第三椎下兩傍俠脊相去各同身寸之一寸半刺可入同身寸之三分留七呼若灸者可灸三壯俞留在第五椎下兩傍相去及刺如肺俞法留七呼肝俞在第九椎下兩傍相去及刺如心俞法留六呼脾俞在第十一椎下兩傍相去及刺如肝俞法留七呼腎俞在第十四椎下兩傍相去及刺如脾俞法留七呼膽俞在第十椎下兩傍相去如肺俞法正坐取之刺可入同身寸之五分留七呼胃俞在第十二椎下兩傍相去及刺如脾俞法留七呼三焦俞在第十三椎下兩傍相去及刺如膽俞法大腸俞在第十六椎下兩傍相去及刺如肺俞法留六呼小腸俞在第十八椎下兩傍相去及刺如心俞法留六呼膀胱俞在第十九椎下兩傍相去及刺如腎俞法留六呼五藏六府之俞若灸者並可灸三壯　新校正云詳或者疑經中各五各六以各字爲誤者非也所以言各者謂左右各五各六非謂每藏府而各五各六也

委中以下至足小指傍各六俞 謂委中崑崙京骨束骨通谷至陰六穴也左右言之則十二俞也其所在刺灸如氣穴法經言脉氣所發者七十八穴今此所有兼亡者九十三

穴。今兼大杼風門風池爲九十九穴，合王氏注總數計之，明知此三穴後之妄增也。**足少陽脉氣所發者六十二穴：兩角上各二，**謂天衝曲鬢左右各二也。天衝在耳上如前同身寸之三分，足太陽少陽二脉之會，刺可入同身寸之三分，若灸者可灸五壯。曲鬢在耳上入髮際曲隅陷者中，鼓頷有空，足太陽少陽二脉之會，刺灸分壯如天衝法。**直目上髮際內各五，**謂臨泣目窻正營承靈腦空左右是也。臨泣在直目上入髮際同身寸之五分，足太陽少陽陽維三脉之會，留七呼。目窻在臨泣後同身寸之一寸。正營在目窻後同身寸之一寸。承靈在正營後同身寸之一寸半。腦空在承靈後同身寸之一寸半，俠枕骨後枕骨上，並足少陽陽維二脉之會，刺可入同身寸之四分，餘並刺可入同身寸之三分，若灸者並可灸五壯。新校正云：按腦空在枕骨後枕骨上，甲乙經作玉枕骨下。**耳前角上各一，**謂頷厭二穴也。在曲角下顳顬之上上廉，手足少陽足陽明三脉之會，刺可入同身寸之七分，留七呼，若灸者可灸三壯，刺深令人耳無所聞。**耳前角**

下各一謂懸釐二穴在曲角上顳顬之下廉足少陽陽明四脉交會刺可入同身寸之三分留七呼若灸者可灸三壯　新校正云按後手少陽中云角上此云角下必有一誤**鋭髮下各一**謂和髎二穴也在耳前鋭髮下横動脉手足少陽二脉之會刺可入同身寸之三分若灸者可灸三壯　新校正云按甲乙經云手足少陽手太陽之會**客主人各一**客主人穴名也在耳前上廉起骨開口有空手足少陽足陽明三脉之會刺可入同身寸之三分留七呼若灸者可灸三壯　新校正云按甲乙經及氣穴注刺禁注並云手少陽足陽明之會與此異**耳後陷中各一**謂翳風二穴也在耳後陷者中按之引耳中手足少陽二脉之會刺可入同身寸之三分若灸者可灸三壯**下關各一**下關穴名也所在刺灸氣穴同法**耳下牙車之後各一**謂頰車一穴也刺灸分壯氣穴同法**缺盆各一**缺盆穴名也在肩上横骨陷者中足陽明脉氣所發刺可入同身寸之三分留七呼若灸者可灸三壯太深令人逆息　新校正云按骨空注作手陽明**掖下三**

寸脇下至胠八間各一
腋下三寸同身寸也腋下謂
淵腋輒筋天池脇下至胠則
日月章門帶脉五樞維道居髎九穴也左右共十八
穴也淵腋在腋下同身寸之三寸足少陽脉氣所發
舉臂得之刺可入同身寸之三分禁不可灸輒筋在
腋下同身寸之三寸復前行同身寸之二寸搓脇
新校正云按甲乙經搓作著下同　足少陽脉氣所
發刺可入同身寸之六分若灸者可灸三壯天池在
乳後同身寸之二寸　新校正云按甲乙經作一寸
腋下三寸搓脇直腋撅脇間手心主足少陽二脉之
會刺可入同身寸之三分　新校正云按甲乙經作
七分　若灸者可灸三壯日月膽募也在第三脇端
横直心蔽骨傍各同身寸之二寸五分上直兩乳
新校正云按甲乙經云日月在期門下五分　足太
陰少陽二脉之會刺可入同身寸之七分若灸者可
灸五壯章門脾募也在季脇端足厥陰少陽二脉之
會側臥屈上足伸下足舉臂取之刺可入同身寸之
八分留六呼若灸者可灸三壯帶脉在季脇下同身
寸之一寸八分足少陽帶脉二經之會刺可入同身
寸之六分若灸者可灸五壯五樞在帶脉下同身寸

十七

之三寸足少陽帶脉二經之會刺可入同身寸之一寸若灸者可灸五壯維道在章門下同身寸之五寸三分足少陽帶脉二經之會刺灸分壯如章門法居髎在章門下同身寸之四寸三分髎骨上 新校正云按甲乙經作監骨 陷者中陽蹻足少陽二脉之會刺灸分壯如維道法所以謂之入間者自按下三寸至季肋凡八肋骨**髀樞中傍各一**謂環銚二穴也刺灸分壯氣穴同法 新校正云按氣穴論云兩髀厭分中王注爲環銚穴又甲乙經注環銚在髀樞中今云髀樞中傍各一者蓋謂此穴在髀樞中也傍各一者謂左右各一穴也非謂環銚在髀樞中傍也**膝以下至足小指次指各六俞**謂陽陵泉陽輔丘虚臨泣俠谿竅陰六穴也左右言之則十二俞也其所在刺灸分壯氣穴同法**足陽明脉氣所發者六十八穴額顱髮際傍各三**謂懸顱陽白頭維左右共六穴也正面髮際横行數之懸顱在曲角上顳顬之中足陽明脉氣所發刺入同身寸之三分留三呼若灸者可灸三壯陽白在眉上同身寸之一寸直瞳子足陽明陰

細二脉之會刺可入同身寸之三分灸三壯頭維在額角髮際俠本神兩傍各同身寸之一寸五分足少陽陽明二脉之交會刺可入同身寸之五分禁不可灸　新校正云按甲乙經陽白足少陽陽維之會今王氏注云足陽明陰維之會詳此在足陽明脉氣所發中則足陽明近是然陽明經不到此又不與陰維會疑王注非甲乙經為得矣

**面鼽骨空各一**

謂四白穴也在目下同身寸之一寸足陽明脉氣所發刺可入同身寸之四分不可灸　新校正云按甲乙經刺入三分灸七壯

**大迎之骨空各一**

大迎穴名也在曲頷前同身寸之一寸三分骨陷者中動脉足陽明脉氣所發刺可入同身寸之三分留七呼若灸者可灸三壯

**人迎各一**

人迎穴名也在頸俠結喉傍大脉動應手足陽明脉氣所發刺可入同身寸之四分過深殺人禁不可灸

**缺盆外骨空各一**

謂天髎二穴也在肩缺盆中上伏骨之陬陷者中手足少陽陽維三脉之會刺可入同身寸之八寸若灸者可灸三壯　新校正云按甲乙經伏骨作毖骨

**膺中骨間各一**

謂膺窻等六穴也膺

窻在胷兩傍俠中行各相去同身寸之四寸巨骨下
同身寸之四寸八分陷者中足陽明脉氣所發仰而
取之刺可入同身寸之四分若灸者可灸五壯此穴
之上又有氣戶庫房屋翳下又有乳中乳根氣戶在
巨骨下直膺窻去膺窻上同身寸之四寸八分庫房
在氣戶下同身寸之一寸六分屋翳在氣戶下同身
寸之三寸二分下即膺窻也膺窻之下即乳乳中也乳
中穴下同身寸之一寸六分陷者中則乳根穴也並
足陽明脉氣所發仰而取之乳中禁不可灸刺灸刺
之不幸生蝕瘡瘡中有清汁膿血者可治瘡中有瘜
肉若蝕瘡者死餘五穴並刺可入同身寸之四分
伸契者可灸三壯　新校正云按甲乙經灸五壯**俠**
**鳩尾之外當乳下三寸俠胃脘各五**謂不容承滿梁門關門太一五
穴也左右共一十穴也俠腹中行兩傍相去各同身寸
之四寸　新校正云按甲乙經云各二寸疑此注剩
各字不容在第四肋端下至太乙各上下相去同身
寸之一寸並足陽明脉氣所發刺可入同身寸之八
分若灸者可灸五壯　新校正云按甲乙經
不容刺入五分此云並入八分疑此注誤**俠齊廣**

**三寸各三**廣謂去齊横廣也廣三寸者各如太一之肉門在太一下同身寸之一寸天樞在滑肉門下同身寸之一寸正當於齊外陵在天樞下同身寸之一寸並足陽明脉氣所發天樞刺可入同身寸之五分留七呼滑肉門外陵各刺可入同身寸之八分若灸者可灸五壯　新校正云按甲乙經天樞在齊傍各二寸上日滑肉門下日外陵是三穴者去齊各二寸也今此經注云廣三寸素問甲乙經不同然**下齊二**甲乙經云分寸與諸書同特此經爲異也**寸俠之各三**下齊二寸在外陵下同身寸之一寸大巨穴也各三者謂大巨水道歸來也大巨在外陵下同身寸之一寸足陽明脉氣所發刺可入同身寸之八分若灸者可灸五壯水道在大巨下同身寸之三寸足陽明脉氣所發刺可入同身寸之二寸半若灸者可灸五壯歸來在水道下同身寸之二寸刺可入同身寸之八分若灸者可灸五壯也**氣街動脉各一**氣街穴名也在歸來下鼠鼷上同身寸之一寸脉動應手足陽明脉氣所發刺可入同身寸之三分留七呼若灸者可灸三壯

新校正云詳此注與甲乙經同刺熱注及熱穴注云氣街在腹臍下橫骨兩端鼠鼷上刺禁論注在腹下俠齊兩傍相去四寸鼠僕上骨空注云在毛際兩傍鼠鼷上諸注不同今錯綜之**伏菟上各一**謂髀關二穴也在膝上伏菟後交分中刺可入同身寸之六分若灸者可灸三壯**三里以下至足中指各八俞分之所在穴空**謂三里上廉下廉解谿衝陽陷谷內庭厲兌八穴也左右言之則十六俞也上廉足陽明與大腸合下廉足陽明與小陽合也其所在刺灸分壯與氣穴同法所謂分之所在穴空者足陽明脉自三里穴分而下行其直者循䯒過跗入中指出其端則厲兌也其支者與直俱行至足跗上入中指次間故云分之所在穴空也之往也言分而各行往指間穴空處也**手太陽脉氣所發者三十六穴目內眥各一**謂睛明二穴也在目內眥手足太陽足陽明陰蹻陽蹻五脉之會刺可入同身寸之一分留六呼若灸者可灸三壯諸穴有云數脉會發而不於所會刺脉下言之者出從其正者也**目外各一**謂瞳

子髎二穴也在目外去眥同身寸之五分手太陽手足少陽三脉之會刺可入同身寸之三分若灸者可灸三壯

**顴骨下各一** 謂顴髎二穴也顴頄也頄面顴也在面頄骨下陷者中手太陽少陽二脉之會刺可入同身寸之三分

**耳郭上各一** 謂角孫二穴也在耳上郭表之中間上髮際之下開口有空手太陽手足少陽三脉之會刺可入同身寸之三分若灸者可灸三壯 新校正云按甲乙經手太陽作手陽明

**耳中各一** 謂聽宮二穴也所在刺灸分壯與氣穴同法

**巨骨穴各一** 巨骨穴名也在肩端上行兩叉骨間陷者中手陽明蹻脉二經之會刺可入同身寸之一寸半若灸者可灸三壯 新校正云按甲乙經作五壯

**曲掖上骨穴各一** 謂臑俞二穴也在肩臑後大骨下胛上廉陷者中手太陽陽維蹻脉二經之會舉臂取之刺可入同身寸之八分若灸者可灸三壯 新校正云按甲乙經作手足太陽

**柱骨上陷者各一** 謂肩井二穴也在肩上陷解中缺盆上大骨前手足少陽陽維三脉之會刺可入同身寸之五分若灸者可灸三壯

**上天**

二十

窻四寸各一謂天窻竅陰四穴也所在刺灸分壯與氣穴同法肩解各一謂秉風二穴也在肩上小髃骨後舉臂有空手太陽陽明手足少陽四脈之會舉臂取之刺可入同身寸之五分若灸者可灸三壯新校正云按甲乙經灸五壯肩解下三寸各一謂天宗二穴也在秉風後大骨下陷者中手太陽脈氣所發刺可入同身寸之五分留六呼若灸者可灸三壯肘以下至手小指本各六俞六俞所起於指端經言至小指本則以端爲本言上之本也下文陽明少陽同也六俞謂小海陽谷腕骨後谿前谷少澤六穴也左右言之則十二俞也其所在刺灸分壯氣穴同法新校正云後此手太陽陽明少陽三經各言至手其指本王注以端爲本者非也詳手二陽之井穴盡出手其指之端爪甲下際此言本者是遂指爪甲之本也安得以端爲本哉手陽明脈氣所發者二十二穴鼻空外廉項上各二謂迎香扶突各二穴也迎香在鼻下孔傍手足陽明二脈之會刺可入同身寸之三分扶突在曲頰下同身寸之一

寸人迎後手陽明脉氣所發仰而取之刺可入同身寸之四分若灸者可灸三壯大迎骨空各一大迎穴名也在曲頷前同身寸之一寸三分骨陷者中動脉足陽明脉氣所發刺可入同身寸之三分留七呼若灸者可灸三壯　新校正云詳大迎穴已見前足陽明經中今又見於此王氏不注所以當作顴髎穴兩出之義柱骨之會各一謂天鼎二穴也在頸缺盆上直扶突氣舍後同身寸之半寸手陽明脉氣所發刺可入同身寸之四分若灸者可灸三壯　新校正云按甲乙經作一寸半髃骨之會各一謂肩髃二穴也所在刺灸分壯與氣穴同法　新校正云按髃骨氣穴注中無刺熱注水熱穴注骨空論注中有之肘以下至手大指次指本各六俞謂三里陽谿合谷三間二間商陽六穴也左右言之則十二俞也所在刺灸分壯與氣穴同法　新校正云按氣穴論注有曲池而無三里曲池手陽明之合也此誤出三里而遺曲池也手少陽脉氣所發者三十二穴鼽骨下各一謂顴髎二穴也所在刺灸分壯

與手少陽脈同法此穴中手少陽太陽脈氣俱會於中等無優劣故重說於此下有者同

眉後各一謂絲竹空二穴也在眉後陷者中手少陽脈氣所發刺可入同身寸之三分留六呼不可灸灸之不幸使人目小及盲新校正云按甲乙經手少陽作足少陽留六呼作三呼

角上各一謂懸釐二穴也此與足少陽脈中同以是二脈之會也新校正云按足少陽脈中言角下此云角上疑此誤

下完骨後各一謂天牖二穴也所在刺灸分壯與氣穴同法

項中足太陽之前各一謂風池二穴也在耳後陷者中按之引於耳中手足少陽脈之會刺可入同身寸之四分若灸者可灸三壯新校正云按甲乙經在顳顬後髮際足少陽陽維之會刺可入三分

俠扶突各一謂天窻二穴也在曲頰下扶突後動脈應手陷者中手太陽脈氣所發刺可入同身寸之六分若灸者可灸三壯

肩貞各一肩貞穴名也在肩曲胛下兩骨解間肩髃後陷者中手太陽脈氣所發刺可入同身寸之八分若灸者可灸三壯

肩貞下三寸分間各一

謂肩髃臑會消濼各二穴也其穴各在肉分間也肩髎在肩端臑上斜舉臂取之手少陽脈氣所發刺可入同身寸之七分若灸者可灸三壯臑會在臂前廉去肩端同身寸之三寸手陽明少陽二絡氣之會刺可入同身寸之五分若灸者可灸五壯消濼在肩下臂外開腋斜肘分下行間手少陽脈之會刺可入同身寸之五分若灸者可灸三壯

肘以下至手小指次指本各六俞謂天井支溝陽池中渚液門關衝六穴也左右言之則十二俞也所在刺灸分壯與氣穴同法

督脈氣所發者二十八穴今少一穴　新校正云按會陽二穴為二十九穴乃剩一穴非少也少當作剩

項中央二是謂風府瘖門二穴也悉在項中餘一穴今亡風府在項上入髮際同身寸之一寸大筋內宛宛中督脈陽維之會刺可入同身寸之四分留三呼不可妄灸灸之不幸令人瘖瘖門在項髮際宛宛中去風府同身寸之一寸督脈陽維二經之會仰頭取之刺可入同身寸之四分禁不可灸灸之令人瘖　新校正云按王氏云風府瘖門悉在項中餘一穴今亡者非謂此二十八穴中亡其

一穴也王氏蓋見氣穴論大椎上兩傍各一穴亦在項之穴也今亡故云餘一穴今亡也

**髮際後中八**

謂神庭上星顖會前頂百會後頂强間腦戶八穴也其正髮際之中也神庭在髮際直鼻督脉足太陽陽明脉三經之會禁不可刺若刺之令人巔疾目失睛若灸者可灸三壯上星在顱上直鼻中央入髮際同身寸之一寸陷者中容豆顖會在上星後同身寸之一寸陷者中前頂在顖會後同身寸之一寸五分骨間陷者中百會在前頂後同身寸之一寸五分頂中央旋毛中陷容指督脉足太陽之交會後頂在百會後同身寸之一寸五分强間在後頂後同身寸之一寸五分腦戶在强間後同身寸之一寸五分督脉足太陽之會不可灸此八者並督脉氣所發也上星百會强間腦戶各刺可入同身寸之三分上星留六呼腦戶留三呼餘並刺可入同身寸之四分若灸者可灸五壯 新校正云按甲乙經腦戶不可灸骨空論注云不可妄灸

**面中三**

謂素髎水溝斷交三穴也素髎在鼻柱上端督脉氣所發刺可入同身寸之三分水溝在鼻柱下人中直脣取之督脉手陽明之會刺可入同身寸之三分留六呼若灸

者可灸三壯齗交在脣內齒上齗縫督脉任脉二經之會可逆刺之入同身寸之三分若灸者可灸二壯此三者居正面左右之中也

**大椎以下至尻尾及傍十五穴**

脊椎之間有大椎陶道身柱神道靈臺至陽筋縮中樞脊中懸樞命門陽關腰俞長强會陽十五俞也大椎在第一椎上陷者中三陽督脉之會陶道在項大椎節下間督脉足太陽之會俛而取之身柱在第三椎節下間俛而取之神道在第五椎節下間俛而取之靈臺在第六椎節下間俛而取之至陽在第七椎節下間俛而取之筋縮在第九椎節下間俛而取之中樞在第十椎節下間俛而取之脊中在第十一椎節下間俛而取之禁不可灸令人僂懸樞在第十三椎節下間伏而取之命門在第十四椎節下間伏而取之陽關在第十六椎節下間坐而取之腰俞在第二十一椎節下間長强在脊骶端督脉別絡少陰二脉所結會陽穴在陰尾骨兩傍凡此十五者並督脉氣所發腰俞長强各刺可入同身寸之二分 新校正云按甲乙經作二寸水穴論注作二分腰俞穴繆刺論注作二寸熱穴注作二寸刺熱注作二分諸注不同雖甲

二十二

乙經作二寸疑太深與其失之深不若失之淺宜從二分之說　留七呼懸樞刺可入同身寸之三分會陽刺可入同身寸之八分餘並刺可入同身寸之五分陶道神道各留五呼陶道身柱神道筋縮可灸五壯大椎可九壯餘並可三壯　新校正云按甲乙經無靈臺中樞陽關三穴

至骶下凡二十一節脊椎法也

通項骨三節即二十四節

任脈之氣所發者二十八穴

今少一穴

喉中央二

謂廉泉天突二穴也廉泉在頷下結喉上舌本下陰維任脈之會刺可入同身寸之三分留三呼若灸者可灸三壯天突在頸結喉下同身寸之四寸中央宛宛中陰維任脈之會低鍼取之刺可入同身寸之一寸留七呼若灸者可灸三壯

膺中骨陷中各一

謂旋璣華蓋紫宮玉堂膻中中庭六穴也旋璣在天突下同身寸之一寸華蓋在旋璣下同身寸之一寸紫宮玉堂膻中中庭各相去同身寸之一寸六分陷者中並任脈氣所發仰而取之各刺可入同身寸之三分若灸者可灸五壯

鳩尾下三寸胃脘五寸胃脘以下

至橫骨六寸半一新校正云詳一字疑誤腹脈法也鳩尾心前穴名也其正當心蔽骨之端言其骨垂下如鳩鳥尾形故以爲名也鳩尾下有鳩尾巨闕上脘中脘建里下脘水分齊中陰交脖胦丹田關元中極曲骨十四俞也鳩尾在臆前蔽骨下同身寸之五分任脈之別不可灸刺人無蔽骨者從歧骨際下行同身寸之一寸新校正云按甲乙經云一寸半爲鳩尾處也下次巨闕上脘中脘建里下脘水分遞相云同身寸之一寸上脘則足陽明手太陽之會中脘則手太陽太陽足陽明三脈所生也齊下禁不可刺若刺之使人齊中惡瘍潰矢出者死不治陰交在齊下同身寸之一寸任脈陰衝之會脖胦在齊中同身寸之一寸丹田三焦募也在齊下同身寸之二寸關元小腸募也在齊下同身寸之三寸足三陰任脈之會也中極在關元下一寸足三陰之會也曲骨在横骨上中極下同身寸之一寸足厥陰之會凡此十四者並任脈氣所發建里丹田並刺可入同身寸之六分留七呼新校正云按甲乙經作五分十呼上脘陰交並刺可入同身寸之八分下脘水分並刺可入同身寸之一寸中脘

脖胦並刺可入同身寸之一寸二分曲骨刺可入同身寸之一寸半留七呼餘並刺可入同身寸之一寸二分若灸者關元中脘各可灸七壯齊中中極曲骨各三壯餘並可五壯自鳩尾下至陰間並任脉主之腧脉法也　新校正云據此注云餘並刺入一寸一分關元在中與甲乙經及氣穴骨空注刺入二寸不同當從甲乙經之寸數**下陰別一**謂會陰一穴也自曲骨下至陰陰之下兩陰之間則此穴也是任脉別絡俠督脉者衝脉之會故曰下陰別一也刺可入同身寸之二寸留七呼若灸者可灸三壯　新校正云按甲乙經七呼作留三呼**目下各一**謂承泣二穴也在目下同身寸之七分上直瞳子陽蹻任脉足陽明三經之會刺可入同身寸之三分不可灸**下脣一**謂承漿穴也在頤前下脣之下足陽明脉任脉之會開口取之刺可入同身寸之二分留五呼若灸者可灸三壯　新校正云按甲乙經作留六呼**斷交一**斷交穴名也所在刺灸分壯與脉同法**衝脉氣所發者**

**二十二穴俠鳩尾外各半寸至齊寸一**謂幽門通谷陰都石關商

曲腎俞六穴左右則十二穴也幽門俠巨闕兩傍相去各同身寸之半寸陰者中下五穴各相去同身寸之一寸並衝脉足少陰二經之會各刺可入同身寸之一寸若灸者可灸五壯　新校正云按此云各刺入一寸按甲乙經云幽門通谷刺入五分

**俠齊下傍各五分至橫骨寸一腹脉法也**

謂中注髓府胞門陰關下極五穴左右則十穴也中注在肓俞下同身寸之五分上直幽門下四穴各相去同身寸之一寸並衝脉足少陰二經之會各刺可入同身寸之一寸若灸者可灸五壯

**足少陰舌下厥陰毛中急脉各一**

足少陰舌下二穴在人迎前陷中動脉前是日月本左右二也足少陰脉氣所發刺可入同身寸之四分急脉在陰髦中陰上兩傍相去同身寸之二寸半按之隱指堅然甚按則痛引上下也其左者中寒則上引少腹下引陰丸善為痛為少腹急中寒此兩脉皆厥陰之大絡通行其中故曰厥陰急脉即睪之系也可灸而不可刺病疝少腹痛即可灸　新校正云詳舌下毛中之穴甲乙經無

**手少陰各一**

謂手少陰郄穴也在腕後同身寸之半寸刺可

入三分灸三壯左右二也陰陽蹻各一陰蹻一交信穴也在足内踝上同身寸之二寸少陰前太陰後筋骨間陽蹻一謂附陽穴也附陽在足外踝上同身寸之三寸太陽前少陽後筋骨間謹取之陽蹻之郄刺可入同身寸之六分留七呼若灸者可灸三壯左右四也手足諸魚際脉氣所發者凡三百六十五穴也經之所存者多凡一十九穴此所謂氣府也然散穴俞諸經脉部分皆有之故經或不言而甲乙經經脉流注多少不同者以此

黄海紀藏黄帝内經素問卷第十五

皮部論 蜚扶沸切 䐃渠殞切 氣穴論 蔽必袂切 擿音摘 臑奴到切

氣府論 顖音信 譩譆上音衣下音喜 顳顬上如輒切下汝車切 毖音秘 頄音仇

黃海 商部之二函

天都外史潘之恒景升定

東華道人楊行恕仲如閱

紀藏二之五十六

# 黃帝内經素問卷第十六 啓玄子注

骨空論　水熱穴論

## 骨空論篇第六十

新校正云按全元起本在第二卷自灸寒熱之法已下在第六卷刺齊篇末

黃帝問曰余聞風者百病之始也以鍼治之柰何始初也

岐伯對曰風從外入令人振寒汗出頭痛身重惡

寒風中身形則腠理開密陽氣内拒寒復外勝勝拒相薄榮衛失所故如是治在風府風府
穴也在項上入髪際同身寸之一寸宛宛中督脈足太陽之會刺可入同身寸之四分若灸者可灸五壯
新校正云按風府注氣穴論氣府論中各已注與甲乙經同此注云督脈足太陽之會可灸五壯者乃是
風門熱府穴也當云督脈陽維之會留三呼不可灸乃是調其陰陽不足則補有
餘則寫用鍼之道必法天常盛寫虛補此其常也大風頸項痛刺風府風
府在上椎上椎謂大椎上入髮際同身寸之一寸大風汗出灸譩譆譩
譆在背下俠脊傍三寸所厭之令病者呼譩譆譩譆
應手譩譆穴也在肩髆内廉俠第六椎下兩傍各同身寸之三寸以手厭之令病人呼譩譆之聲則
指下動矣足太陽脈氣所發刺可入同身寸之六分留七呼若灸者可灸五壯譩譆者同取爲名爾從
風憎風刺眉頭謂攢竹穴也在眉頭陷者中脈動應手足太陽脈氣所發刺可入同身寸

之三分若灸者可灸三壯失枕在肩上橫骨間謂缺盆穴也在肩上橫骨陷者手中陽明脈氣所發刺可入同身寸之二分留七呼若灸者可灸三壯刺人深令人逆息　新校正云按氣府注作足陽明此云手陽明詳二經俱發於此故王注兩言之折使榆臂齊肘正灸脊中榆讀爲搖搖謂搖動也然失枕非獨取肩上橫骨間乃當正形灸脊中也欲而驗之則使搖動其臂屈折其肘自項之下橫齊肘端當其中間則其處也是曰陽關在第十六椎節下間督脈氣所發刺可入同身寸之五分若灸者可灸三壯　新校正云詳陽關穴甲乙經無胗絡季脇引少腹而痛脹刺譩譆胗謂俠脊兩傍空軟處也少腹齊下也腰痛不可以轉搖急引陰卵刺八髎與痛上八髎在腰尻分間八或爲九驗眞骨及中誥孔穴經正有八髎無九髎也分謂腰尻筋肉分間陷下處鼠瘻寒熱還刺寒府寒府在附厀外解營厀外骨間也屈伸之處寒氣喜中故名寒府也

黃帝……素問十六

骨解營謂深刺而必中其營也取膝上外者使之拜取足心者使之跪拜而取者使膝穴空開也跪而取之者令足心宛宛處深定也任脉者起於中極之下以上毛際循腹裏上關元至咽喉上頤循面入目新校正云按難經甲乙經無上頤循面入目六字衝脉者起於氣街並少陰之經新校正云按難經甲乙經作陽明俠齊上行至胸中而散任脉衝脉皆奇經也任脉當齊中而上行衝脉俠齊兩傍而上行然中極者謂齊下同身寸之四寸也言中極之下者言中極從少腹之內上行而外出於毛際而上非謂本起於此也關元者謂齊下同身寸之三寸也氣街者穴名也在毛際兩傍鼠鼷上同身寸之一寸也言衝脉起於氣街者亦從少腹之內與任脉並行而至於是乃循腹也何以言之鍼經曰衝脉者十二經之海與少陰之絡起於腎下出於氣街又曰衝脉任脉者皆起於胞中上循脊裏爲經絡之海其浮而外者循腹各行會於咽喉別而絡脣口血氣盛則

皮膚熱血獨盛則滲灌皮膚生毫毛由此言之則任脉衝脉從少腹之内上行至中極之下氣街之内明矣

新校正云按氣街於氣府論刺熱篇水熱穴篇刺禁論等注重文雖不同處所無別備注氣府論中

任脉爲病男子内結七疝女子帶下瘕聚衝脉爲病逆氣裏急督脉爲病脊强反折

督脉亦奇經也然任脉衝脉督脉者一源而三歧也故經或謂衝脉爲督脉也何以明之今甲乙及古經脉流注圖經以任脉循背者謂之督脉自少腹直上者謂之任脉亦謂之督脉是則以背腹陰陽別爲各目爾以任脉自胞上過帶脉貫齊而上故男子爲病内結七疝女子爲病則帶下瘕聚也以衝脉俠齊而上並少陰之經上至胷中故衝脉爲病則逆氣裏急也以督脉上循脊裏故督脉爲病則脊强反折也

督脉者起於少腹以下骨中央女子入繫庭孔

起非初起亦猶任脉衝脉起於胞中也其實乃起於骨下至於少腹則下行於腰橫骨圍之中央也繫廷孔者謂窈漏近所謂前陰穴也以其陰廷繫屬於中

三

故名之　其孔溺孔之端也　孔則窈漏也窈漏之中其上有溺孔焉端謂陰廷在此溺
孔之上端也而督脈是骨圍中央則至於是　其絡循陰器合篡間繞篡後
督脈別絡自溺孔之端分而各行下循陰器乃合篡間也所謂間者謂在前陰後陰之兩間也自兩間之
後已復分而繞篡之後　別繞臀至少陰與巨陽中絡者合少陰
上股內後廉貫脊屬腎　別謂別絡分而各行之於焦也足少陰之絡者自股內後
廉貫脊屬腎足太陽脈之外行者循滑樞絡股陽而下其中行者下貫臀至膕中與外行絡合故言至少
陰與巨陽中絡合少陰上股內後廉貫脊屬腎也　新校正云詳各行於焦疑焦字誤　與太陽
起於目內眥上額交巔上入絡腦還出別下項循肩
髆內俠脊抵腰中下循膂絡腎　接繞臀而上什也　其男子循
莖下至篡與女子等其少腹直上者貫齊中央上貫

心入喉上頤環脣上繫兩目之下中央自與太陽起於目內眥下至女子等並督脉之別絡也其直行者至尻上循脊裏內至於鼻入也自其少腹直上至兩目之下中央並任脉之行而云是督脉所繫由此言之則任脉衝脉督脉名異而同體也此生病從少腹上衝心而痛不得前後爲衝疝尋此生病正是任脉經云爲衝疝者正明督脉以別主而異目也何者若一脉一氣而無陰陽之異主則此生病者當心背俱痛豈獨衝心而爲疝乎其女子不孕癃痔遺溺嗌乾亦以衝脉任脉並自少腹上至於咽喉又以督脉循陰器合篡間繞篡後別繞臀故不孕癃痔遺溺嗌乾也所以謂之任脉者女子得之以任養也故經云此病其女子不孕也所以謂之衝脉者以其氣上衝也故經云此生病從少腹上衝心而痛也所以謂之督脉者以其督領經脉之海也由此督三脉故一源三岐經或通呼似相謬引故下文曰督脉生病治督脉治在骨上甚者在齊下營此亦正任脉之分也

四

衝任督三脉異名同體亦明矣骨上謂腰横骨上毛際中曲骨穴也任脉足厥陰之會刺可入同身寸之一寸半若灸者可灸三壯齊下謂齊直下同身寸之一寸陰交穴任脉陰衝之會刺可入同身寸之八分若灸者可灸五壯**其上氣有音者治其喉中央在缺盆中者**中謂缺盆兩間之中天突穴在頸結喉下同身寸之四寸中央宛宛中陰維任脉之會低鍼取之刺可入同身寸之一寸留七呼若灸者可灸三壯**其病上衝喉者治其漸漸者上俠頤也**陽明之脉漸上頤而環脣故以俠頤名爲漸也是謂大迎大迎在曲頷前骨同身寸之一寸三分陷中動脉足陽明脉氣所發刺可入同身寸之三分留七呼若灸者可灸三壯**蹇膝伸不屈治其楗**楗膝謂膝痛屈伸蹇難也楗楗謂髀輔骨上横骨下股外之中側立搖動取之筋動應手**坐而膝痛治其機**髖骨兩傍相接處**立而暑解治其骸關**暑熱也若膝痛立而膝骨解中熱者治其骸關骸關謂膝解也一經云起而引解言膝痛起立痛引

膝骨解之中也暑引二字其義則異起立二字其意頗同膝痛痛及拇指治其膕膕謂膝解之後曲脚之中委中穴背面取之脉動應手足太陽脉之所入刺可入同身寸之五分留七呼若灸者可灸三壯坐而膝痛如物隱者治其關關在膕上楗之後背立按以動摇筋應手膝痛不可屈伸治其背内謂大杼穴也所在灸刺分壯與氣穴同法連䯒若折治陽明中俞髎若膝痛不可屈伸連䯒痛如折者則鍼陽明脉中俞髎也是則正取三里穴也若別治巨陽少陰滎若痛而膝如別離者則治足太陽少陰之滎也足太陽滎通谷也在足小指外側本節前陷者中刺可入同身寸之二分留五呼若灸者可三壯足少陰滎然谷也在足内踝前起大骨下陷者中刺可入同身寸之三分留三呼若灸者可灸三壯淫濼脛痠不能久立治少陽之維新校正云按甲乙經外踝上五寸乃足少陽之絡此云維者字之誤也在外上五寸淫濼謂似酸痛而無力也三十一云

四寸中誥圖經外踝上四寸無穴五寸是光明穴也足少陽之絡刺可入同身寸之七分留十呼若灸者可灸五壯　新校正云按甲乙經云刺入六分留七呼輔骨上橫骨下爲楗俠髖爲機膝解爲骸關俠膝之骨爲連骸骸下爲輔輔上爲膕膕上爲關頭橫骨爲枕由是則謂膝輔骨上腰髖骨下爲楗楗上爲機膝外爲骸關楗後爲關關下爲膕膕下爲輔骨輔骨上爲連骸連骸者是骸骨相連接處也頭上之橫骨爲枕骨水俞五十七穴者凡上五行行五伏莬上兩行行五左右各一行行五踝上各一行行六穴所在刺灸分壯具水熱穴論中此皆是骨空故氣穴篇内與此重言爾髓空在腦後三分在顱際銳骨之下是謂風府通腦中也一在齗基下當頤下骨陷中有穴容豆一在項後中復骨下謂瘖門穴也在項髮際宛宛中入系舌本督脉中誥名下頤

陽維之會仰頭取之刺可入同身寸之四分禁不可灸**一在脊骨上空在風府上**上謂腦戶穴也在枕骨上大羽後同身寸之一寸五分宛宛中督脈足太陽之會此別腦之戶不可妄灸灸之不幸令人瘖刺可入同身寸之三分留三呼　新校正云按甲乙經大羽者強間之別名氣府注云若灸者可灸五壯**脊骨下空在尻骨下空**不應主療經闕其名　新校正云按甲乙經長強在脊骶端正在尻骨下王氏云不應主療經闕其名得非誤乎**數髓空在面俠鼻**謂顴髎等穴經不一一指陳其處小小者爾**或骨空在口下當兩肩**謂大迎穴也所在刺灸分壯與前俠頰同法**兩髆骨空在髆中之陽**近肩髃穴經無名**臂骨空在臂陽去踝四寸兩骨空之間**在支溝上同身寸之一寸是謂通間　新校正云按甲乙經支溝上一寸名三陽絡通間豈其別名歟**股骨上空在股陽出上膝四寸**在陰市上伏菟穴下在承捷也**骭骨空在輔**

骨之上端謂犢鼻穴也在膝髕下骭骨上俠解大筋中足陽明脉氣所發刺可入同身寸之六分若灸者可灸三壯耳股際骨空在毛中動下經闕尻骨空在髀骨之後相去四寸是謂尻骨八髎穴也扁骨有滲理湊無髓孔易髓無空扁骨謂尻間扁戾骨也其骨上有滲灌文理歸湊之無別髓孔也易亦也骨有孔則髓有孔骨若無孔髓亦無孔也灸寒熱之法先灸項大椎以年爲壯數如患人之年數次灸橛骨以年爲壯數尾窮謂之橛骨視背俞陷者灸之背胂骨際有陷處也舉臂肩上陷者灸之肩髃穴也在肩端兩骨間手陽明蹻脉之會刺可入同身寸之六分留六呼若灸者可灸三壯兩季脇之間灸之京門穴腎募也在髂骨與腰中季脇本俠脊刺可入同身寸之三分留七呼若灸者可灸三壯外踝上絶骨之端灸之陽輔穴也在足外踝上輔骨前絶骨之端如前前同身寸之三分

所去丘虚七寸足少陽脉之所行也刺可入同身寸之五分留七呼若灸者可灸三壯　新校正云按甲乙經云在外踝上四寸

足小指次指間灸之

俠谿穴也在足小指次指岐骨間本節前陷者中足少陽脉之所流也刺可入同身寸之三分留三呼若灸者可灸三壯　新校正云按甲乙經流當作留字

腨下陷脉灸之

承筋穴也在腨中央陷者中足太陽脉氣所發也禁不可刺若灸者可灸三壯　新校正云按刺腰痛篇注云腨中央如外陷中者

外踝後灸之

崑崙穴也在足外踝後跟骨上陷者中細脉動應手足太陽脉之所行也刺可入同身寸之五分留十呼若灸者可灸三壯

缺盆骨上切之堅痛如筋者灸之

經闕其名當隨其所有而灸之

膺中陷骨間灸之

天突穴也所在灸刺分壯與前缺盆中者同法

掌束骨下灸之

陽池穴也在手表腕上陷者中手少陽脉之所過也刺可入同身寸之二分留六呼若灸者可灸三壯

齊下關元三寸灸之

正在齊下同身寸之三寸也足三陰任脉

七

之會刺可入同身寸之二分留七呼若灸者可灸三壯　新校正云按氣府注云刺可入一寸二分灸者三壯**毛際動脈灸之**以脈動應手爲處即氣衝穴也**膝下三寸分間灸之**犢鼻穴也在膝下同身寸之三寸䯒骨外廉兩筋肉分間足陽明脈之所入也刺可入同身寸之一寸留七呼若灸者可灸三壯**足陽明跗上動脈灸之**衝陽穴也在足跗上同身寸之五寸骨間動脈足陽明脈之所過也刺可入同身寸之三分留十呼若灸者可灸三壯　新校正云按甲乙經及全元起本足陽明下有灸之二字并跗上動脈是二穴今王氏去灸之二字則見二穴今於注中却存灸之二字以闕疑之**巔上一灸之**百會穴也在頂中央旋毛中陷容指督脈足太陽脈之交會刺可入同身寸之三分若灸者可灸五壯**犬所齧之處灸之三壯即以犬傷病法灸之**犬傷而發寒熱者即以犬傷法三壯灸之**凡當灸二十九處傷食灸之**傷食爲病亦發寒熱故灸　新校正云詳足陽明不別灸則有二十八處

疑王氏去上文灸之二字者非不已者必視其經之過於陽者數刺其俞而藥之

## 水熱穴論篇第六十一

新校正云按全元起本在第八卷

黃帝問曰少陰何以主腎腎何以主水岐伯對曰腎者至陰也至陰者盛水也肺者太陰也少陰者冬脉也故其本在腎其末在肺皆積水也陰者謂寒也冬月至寒腎氣合應故云腎者至陰也水王於冬故云至陰者盛水也腎少陰脉從腎上貫肝鬲入肺中故云其本在腎其末在肺也腎氣上逆則水氣客於肺中故云皆積水也帝曰腎何以能聚水而生病岐伯曰腎者胃之關也關門不利故聚水而從其類也關者所以司出入也腎主下焦膀胱爲府主其分注關竅二陰故腎氣化則二陰通二陰

閟則胃塡滿故云腎者胃之關也關閉則水積水積則氣停氣停則水生水生則氣溢氣水同類故曰關閉不利聚水而從其類也靈樞經曰下焦溢爲水此之謂也上下溢於皮膚故爲胕腫胕腫者聚水而生病也上謂肺下謂腎肺腎俱溢故聚水於腹中而生病也帝曰諸水皆生於腎乎岐伯曰腎者牝藏也牝陰也亦主陰位故云牝藏地氣上者屬於腎而生水液也故曰至陰勇而勞甚則腎汗出腎汗出逢於風內不得入於藏府外不得越於皮膚客於玄府行於皮裏傳爲胕腫本之於腎名曰風水勇而勞甚謂力房也勞勇汗出則玄府開汗出逢風則玄府復閉玄府閉已則餘汗未出內伏皮膚傳化爲水從風而水故名風水所謂玄府者汗空也汗液色玄從空而出以汗聚於裏故謂之玄府府聚也帝曰水俞五十七處

者是何主也歧伯曰腎俞五十七穴積陰之所聚也水所從出入也尻上五行行五者此腎俞背部之俞凡有五行當其中者督脉氣所發次兩傍四行皆足太陽脉氣也故水病下爲胕腫大腹上爲喘呼水下居於腎則腹至足而胕腫上入於肺則喘息賁急而大呼也不得臥者標本俱病標本者肺爲標腎爲本如此者是肺腎俱水爲病也故肺爲喘乎腎爲水腫肺爲逆不得臥肺爲喘呼氣逆不得臥者以其主呼吸故也腎爲水腫者以其主水故也分爲相輸俱受者水氣之所留也分其居處以名之則是氣相輸應本其俱受病氣則皆是水所留也伏菟上各二行行五者此腎之街也街謂道也腹部正俞凡有五行俠齊兩傍則腎藏足少陰脉及衝脉氣所發次兩傍則胃府足陽明脉氣所發此四行穴則伏菟之上也三陰之所交結於脚也踝

九

上各一行行六者此腎脉之下行也名曰太衝腎脉與衝脉並下行循足合而盛大故曰太衝凡五十七穴者皆藏之陰絡水之所客也經所謂五十七者然尻上五行行五則背脊當中行督脉氣所發者脊中懸樞命門腰俞長強當其處也次俠督脉兩傍足太陽脉氣所發者有大腸俞小腸俞膀胱俞中膂内俞白環俞當其處也又次外俠兩傍足太陽脉氣所發者有胃倉肓門志室胞肓秩邊當其處也伏菟上各二行行五者腹部正俞俠中行任脉兩傍衝脉足少陰之會者有中注四滿氣穴大赫横骨當其處也次俠衝脉足少陰兩傍足陽明脉氣所發者有外陵大巨水道歸來氣衝當其處也踝上各一行行六者足内踝之上有足少陰陰蹻脉並循腨上行足少陰脉有太衝復溜陰谷三穴陰蹻脉有照海交信築賓三穴陰蹻既足少陰脉之別亦可通而主之兼此數之猶少一穴脊中在第十一椎節下間俛而取之刺可入同身寸之五分不可灸令人傴僂懸樞在第十三椎節下間伏而取之刺可入同身寸之三分若灸者可灸三壯命門在

第十四椎節下間伏而取之刺可入同身寸之五分若灸者可灸三壯腰俞在第二十一椎節下間刺可入同身寸之二分　新校正云按甲乙經及繆刺論注并熱穴注俱云刺入二寸而刺熱注氣府注并此注作二分宜從二分之說留七呼若灸者可灸三壯長強在脊骶端督脉別絡少陰所結刺可入同身寸之二分留七呼若灸者可灸三壯此五穴者並督脉氣所發也　新校正云詳王氏云少一穴按氣府論注十二椎節下有陽關一穴若過數陽關則不少矣次俠督脉兩傍大腸俞在第十六椎下俠督脉兩傍去督脉各同身寸之一寸半刺可入同身寸之三分留六呼若灸者可灸三壯小腸俞在第十八椎下兩傍相去及刺灸分壯法如大腸俞膀胱俞在第十九椎下兩傍相去及刺灸分壯法如大腸俞中胎內俞在第二十椎下兩傍相去及刺灸分壯法如大腸俞俠脊胎肺起肉留十呼自環俞在第二十一椎下兩傍相去如大腸俞伏而取之刺可入同身寸之五分若灸者可灸三壯　新校正云按甲乙經云刺可入入分不可灸此五穴者並足太陽脉氣所發所謂腎俞者則此也又次外兩傍胃倉在第十二椎下兩傍

十

相去各同身寸之三寸刺可入同身寸之五分若灸
者可灸三壯肓門在第十三椎下兩傍相去及刺灸
分壯法如胃倉志室在第十四椎下兩傍相去及刺
灸分壯法如胃倉正坐取之胞肓在第十九椎下兩
傍相去及刺灸分壯法如胃倉伏而取之秩邊在第
二十一椎下兩傍相去及刺灸分壯法如胃倉伏而
取之此五穴者並足太陽脉氣所發也犬伏菟上兩
行中注在齊下同身寸之五分兩傍相去任脉各同
身寸之五分 新校正云按甲乙經同氣府注云俠
中行方一寸文異而義同四滿在中注下同身寸之
一寸氣穴在四滿下同身寸之一寸大赫在氣穴下
同身寸之一寸橫骨在大赫下同身寸之一寸各橫
相去同身寸之一寸並衝脉足少陰之會刺可入同
身寸之一寸若灸者可灸五壯次外兩傍穴外陵在
齊下同身寸之一寸 新校正云按氣府注云外
陵在天樞下一寸與此正同兩傍去衝脉各同身寸
之一寸半大巨在外陵下同身寸之一寸水道在太
巨下同身寸之三寸歸來在水道下同身寸之三寸
氣街在歸來下 新校正云按氣府注刺熱注熱穴
注云在䐜齊下橫骨兩端鼠鼷上一寸刺禁注云在

腰在俠齊兩傍相去四寸鼠僕上一寸動脈應手骨空注云在毛際兩傍鼠鼷上諸注不同今備録之鼠鼷上同身寸之一寸各横相去同身寸之二寸此五穴者並足陽明脈氣所發水道刺可入同身寸之二半寸若灸者可灸五壯氣衝刺可入同身寸之三分留七呼若灸者可灸三壯餘三穴並刺可入同身寸之八分若灸者並可五壯所謂骨之衝者則此也踝上各一行行六者大鍾在足内踝後衝中 新校正云按甲乙經云跟後衝中刺瘧注刺腰痛注作跟後衝中動脈此云内踝後此注非足少陰絡別走太陽者刺可入同身寸之二分留三呼若灸者可灸三壯復溜在内踝上同身寸之二寸陷者中足少陰脈之所行也刺可入同身寸之三分留三呼若灸者可灸五壯照海在内踝下刺可入同身寸之四分留六呼若灸者可灸三壯交信在内踝上同身寸之二寸少陰前太陰後筋骨間陰蹻之郄刺可入同身寸之四分留五呼若灸者可灸三壯築賓在内踝上腨分中陰維之郄刺可入同身寸之三分若灸者可灸五壯陰谷在膝下内輔骨之後大筋之下小筋之上按之應手屈膝而得之足少陰脈之所入也刺可入同身

十一

寸之四分若灸者可灸三壯所謂腎經之下行名曰太衝者則此也帝曰春取絡脉分肉何也岐伯曰春者木始治肝氣始生肝氣急其風疾經脉常深其氣少不能深入故取絡脉分肉間帝曰夏取盛經分腠何也岐伯曰夏者火始治心氣始長脉瘦氣弱陽氣留溢新校正云按別本留一作流熱熏分腠内至於經故取盛經分腠絕膚而病去者邪居淺也絕謂絕破皮膚即出也所謂盛經者陽脉也帝曰秋取經俞何也岐伯曰秋者金始治肺將收殺三陰已升故漸將收殺金將勝火陽氣在合金王火衰故一云金將勝火陰氣初勝濕氣及體以漸於雨濕霧露故一云濕氣及體陰氣未盛未能深入故取俞以寫陰邪

取合以虛陽邪陽氣始衰故取於合新校正云按皇甫士安云是謂始秋之治變帝曰冬取井滎何也岐伯曰冬者水始治腎方閉陽氣衰少陰氣堅盛巨陽伏沈陽脈乃去去謂下去故取井以下陰逆取滎以實陽氣新校正云按全元起本實作遺甲乙經千金方作通故曰冬取井滎春不鼽衄新校正云按皇甫士安云是謂末冬之治變此之謂也新校正云按此與四時刺逆從論及診要經終論義頗不同與九卷之義相通

帝曰夫子言治熱病五十九俞余論其意未能領別其處願聞其處因聞其意岐伯曰頭上五行行五者以越諸陽之熱逆也頭上五行者當中行謂上星顖會前頂百會後頂次兩傍謂五處承光通天絡却玉枕又次兩傍謂臨泣目窗正營承靈腦空也上星在顱上直鼻中央入髮際同

身寸之一寸陷者中容豆刺可入同身寸之三分顖會在上星後同身寸之一寸陷者中刺可入同身寸之四分前項在顖會後同身寸之一寸五分骨間陷者中刺如顖會法百會在前項後同身寸之一寸五分頂中央旋毛中陷容指督脉足太陽脉之交會刺如上星法後頂在百會後同身寸之二寸五分枕骨上刺如顖會法然是五者皆督脉氣所發也上星留六呼若灸者並可灸五壯次兩傍穴五處在上星兩傍同身寸之一寸五分承光在五處後同身寸之一寸通天在承光後同身寸之一寸五分絡却在通天後同身寸之一寸五分玉枕在絡却後同身寸之七分然是五者並足太陽脉氣所發刺可入同身寸之三分五處通天各留七呼絡却留五呼玉枕留三呼若灸者可灸三壯 新校正云按甲乙經承光不灸玉枕刺入二分又刺兩傍臨泣在頭直目上入髮際同身寸之五分足太陽少陽陽維三脉之會目窓正營遝相去同身寸之一寸承靈腦空地相去同身寸之一寸五分然是五者並足少陽陽維二脉之會腦空一穴刺可入同身寸之四分餘並可刺入同身寸之三分臨泣留七呼若灸者可灸五壯 大杼

膺俞缺盆背俞此八者以寫胸中之熱也大杼在項第一椎下兩傍相去各同身寸之一寸半陷者中督脉别絡手足太陽三脉氣之會刺可入同身寸之三分留七呼若者者可灸五壯新校正云按甲乙經并氣穴注作一壯刺瘧注刺熱注作五壯膺俞者膺中之俞也正名中府在胸中行兩傍相去同身寸之六寸雲門下一寸乳上三肋間動脉應手陷者中仰而取之手足太陰脉之會刺可入同身寸之三分留五呼若灸者可灸五壯缺盆在肩上横骨陷者中手陽明脉氣所發刺可入同身寸之二分留七呼若灸者者可灸三壯背俞即風門熱府俞也在第二椎下兩傍各同身寸之一寸三分督脉足太陽之會刺可入同身寸之五分留七呼若灸者可灸五壯今中誥孔穴圖經雖不名之既曰風門熱府即治熱之背俞也新校正云按王氏注刺熱論云背俞未詳何處注此指名風門熱府注氣穴論以太杼爲背俞三經不同者蓋亦疑之者也氣衝三里巨虚上下廉此八者以寫胃中之熱也氣街在腹臍下横骨兩端鼠鼷上同身寸之一

寸動脉應手足陽明脉氣所發刺可入同身寸之三分留七呼若灸者可灸三壯　新校正云按氣街諸注不同具前水穴注中三里在膝下同身寸之三寸骭外廉兩筋肉分間足陽明脉之所入也刺可入同身寸之一寸留一呼若灸者可灸三壯巨虛上廉足陽明於大腸合在三里下同身寸之三寸足陽明脉氣所發刺可入同身寸八分若灸者可灸三壯巨虛下廉足陽明與小腸合在上廉下同身寸之三寸足陽明脉氣所發刺可入同身寸之三分若灸者可灸三壯也

雲門髃骨委中髓空此八者以寫四支之熱也雲門在巨骨下胸中行兩傍相去同身寸之六寸動脉應手足太陰脉氣所發　新校正云按甲乙經同氣穴注作手太陰刺熱注亦作手太陰舉臂取之刺可入同身寸之七分若灸者可灸五壯　驗今中誥孔穴圖經無髃骨穴有肩髃穴穴在肩端兩骨間手陽明蹻脉之會刺可入同身寸之六分留六呼若灸者可灸三壯委中在足膝後屈處膕中央約文中動脉足太陽脉之所入也刺可入同身寸之五分留七呼若灸者可灸三壯　按今中誥孔穴圖經云腰俞穴一

各髓空在脊中第二十一椎節下注汗不出足清不仁督脉氣所發也刺可入同身寸之二寸留七呼若灸者可灸三壯　新校正云詳腰俞刺入二寸甲乙作二分以具前水穴注中也

五藏俞傍五此十者以寫五藏之熱也

俞傍五者謂魄戶神堂魂門意舍志室五穴俠兩傍各相去同身寸之三寸並足太陽脉氣所發也魄戶在三椎下兩傍正坐取之刺可入同身寸之五分若灸者可灸五壯神堂在第五椎下兩傍刺可入同身寸之三分若灸者可灸五壯魂門在第九椎下兩傍正坐取之刺可入同身寸之五分若灸者可灸三壯意舍在第十一椎下兩傍正坐取之刺可入同身寸之五分若灸者可灸三壯志室在第十四椎下兩傍正坐取之刺可入同身寸之五分若灸者可灸五壯也

凡此五十九穴者皆熱之左右也帝曰人傷於寒而傳爲熱何也岐伯曰夫寒盛則生熱也

寒氣外凝陽氣內鬱腠理堅緻元府閉封緻則氣不宣通封則濕氣內結中外相薄寒盛熱生故人傷於寒轉而爲熱汗之而愈則

黃海　素問十六

外凝內鬱之理可知
此乃新病數日者也

# 黃海紀藏黃帝內經素問卷第十六

骨空論　膊音博　楗音健　齧若結切　水熱穴論　菟音兔　閟音秘

溜力救切　躧音奚　緻馳二切

天都外史潘之恒景升定
徠園居士陰有瀾汝本校

紀藏二之五十七

黄帝内經素問卷第十七 啓玄子注

調經論

調經論篇第六十二 新校正云：按全元起本在第一卷

黄帝問曰：余聞刺法言，有餘寫之，不足補之。何謂有餘？何謂不足？岐伯對曰：有餘有五，不足亦有五。帝欲何問？帝曰：願盡聞之。岐伯曰：神有餘有不足，氣有餘有不足血有餘有不足形有餘有不足志有餘有不足凡此十者其氣不等也神屬心氣屬肺血屬肝形屬脾志屬腎以各有所宗故不等也帝曰人有精氣津液四支九竅五藏十六部三百六十五節乃生百病百病之生皆有虛實今夫子乃言有餘有五不足亦有五何以生之乎鍼經曰兩神相薄合而成形常先身生是謂精上焦開發宣五穀味熏膚充身澤毛若霧露之溉是謂氣腠理發泄汗出湊理是謂津液之滲於空竅留而不行者爲液也十六部者謂手足二九竅九五藏五合爲十六部也三百六十五節者非謂骨節是神氣出入之處也鍼經曰所謂節之交三百六十五會皆神氣出入遊行之所非骨節也言人身所有則多所舉則少病生之數何以論之岐伯曰皆生於五藏也謂五神藏也夫心藏神肺藏氣肝藏血脾藏肉腎藏志而

此成形言所以病皆生於五藏者何哉以內藏五神而成形也志意通內連骨髓而成身形五藏志意者通言五神之大凡也骨髓者通言表裏之成化也言五神通泰骨髓化成身形既立乃五藏互相爲有矣新校正云按甲乙經無五藏二字五藏之道皆出於經隧以行血氣血氣不和百病乃變化而生是故守經隧焉隧潛道也經脈伏行而不見故謂之經隧焉血氣者人之神邪侵之則血氣不正血氣不正故變化而百病乃生矣然經脈者所以決死生處百病調虛實故守經隧焉　新校正云按甲乙經經隧作經渠義各通帝曰神有餘不足何如岐伯曰神有餘則笑不休神不足則悲心之藏也鍼經曰心藏脈脈舍神心氣虛則悲實則笑不休也悲一爲憂誤也　新校正云詳王注云悲一爲憂誤也按甲乙經及太素并全元起注本並作憂皇甫士安云心虛則悲悲則憂心實則笑笑則喜夫心之與肺脾之與心互相成也故喜發於心而成

於肺思發於脾而成於心一過其節則二藏俱傷楊上善云脾之憂在心變動也肺之憂在肺之志是則肺主秋憂爲正也心主於夏變而生憂也血氣未并五藏安定邪客於形洒淅起於毫毛未入於經絡也故命曰神之微并謂并合也未與邪合故曰未并也洒淅寒皃也始起於毫毛尚在於小絡神之微病故命曰神之微也新校正云按甲乙經洒淅作淒厥太素作洫泝楊上善云洫毛孔也水逆流曰泝謂邪氣入於腠理如水逆流於洫帝曰補寫柰何歧伯曰神有餘則寫其小絡之血出血勿之深斥無中其大經神氣乃平邪入小絡故可寫其小絡之脉出其血勿深推鍼鍼深則傷肉也以邪居小絡故不欲令鍼中大經也絡血既出神氣自平斥推也小絡孫絡也鍼經曰經脉爲裏支而橫者爲絡絡之別者爲孫絡孫絡平謂平調也 新校正云詳此注引鍼經曰與三部九候論注兩引之在彼云靈樞而此曰鍼經則王氏之意指靈樞爲鍼經也按今素問

注中引鍼經者多靈樞之文但以靈樞今不全故未得盡知也神不足者視其虛絡按而致之刺而利之無出其血無泄其氣以通其經神氣乃平但通經脈令其和利抑按虛絡令其氣致以神不足故不欲出血及泄氣也新校正云按甲乙經按作切利作和帝曰刺微奈何覆前初起於毫毛未入於經絡者岐伯曰按摩勿釋著鍼勿斥移氣於不足神氣乃得復按摩其病處手不釋散著鍼於病處亦不推之使其人神氣內朝於鍼移其人神氣令自充足則微病自去神氣乃得復常　新校正云按甲乙經及太素云移氣於足無不字楊上善云按摩使氣至於踵也帝曰善有餘不足奈何岐伯曰氣有餘則喘欬上氣不足則息利少氣肺之藏也肺藏氣息不利則喘鍼經曰肺氣虛則鼻息利少氣實則喘喝胷憑仰息也血氣未并五藏安定皮膚微病命曰白氣

微泄。肺合皮，其色白，故皮膚微病，命曰白氣微泄。帝曰：補寫奈何？岐伯曰：氣有餘則寫其經隧，無傷其經，無出其血，無泄其氣；不足則補其經隧，無出其氣。氣謂榮氣也。鍼寫若傷其經，則血出而榮氣泄，故不欲出血泄氣，但寫其衛氣而已。鍼補則又宜謹閉穴俞，然其衛氣亦不欲泄之。新校正云：按楊上善云：經隧者，手太陰之別，從手太陰走手陽明，乃是手太陰向手陽明之道，欲道藏府陰陽，故補寫皆從正經別走之絡，寫其陰經別走之路，不得傷其正經也者。帝曰：刺微奈何？覆前白氣微泄。岐伯曰：按摩勿釋，出鍼視之，曰我將深之，適人必革，精氣自伏，邪氣散亂，無所休息，氣泄腠理，眞氣乃相得。亦謂按摩其病處也。革，皮也。我將深之，適人必革者，謂其深而淺刺之也。如是脇從，則人懷懼，色故精氣潛伏也。以其調適於皮，精氣潛伏，邪無所據，故亂散而無所休息，發泄於腠理也。邪氣既泄，眞

氣乃與皮湊相得矣　新校正云按楊上善云華跂
也夫人聞樂至則身心忻悅悅開痛及體情必跂異忻
悅則百體俱縱跂華則情
志必拒拒則邪氣消伏　帝曰善血有餘不足柰何
岐伯曰血有餘則怒不足則恐　肝之藏也鍼經曰肝
藏血肝氣虛則恐實
則怒　新校正云按全元起本
恐作悲甲乙經及太素並同　血氣未并五藏安定
孫絡水溢則經有留血　絡有邪盛則入於經故云
孫絡水溢則經有留血　帝
曰補寫柰何岐伯曰血有餘則寫其盛經出其血不
足則視其虛經內鍼其脉中久留而視　新校正云按
甲乙經云久
留之血至
太素同　脉大疾出其鍼無令血泄　脉盛滿則血有
餘故出之經氣
虛則血不足故無令血泄也久留疾出是
謂補之鍼解論曰徐而疾則實義與此同　帝曰刺留
血柰何岐伯曰視其血絡刺出其血無令惡血得入

四

於經以成其疾血絡滿者刺按出之則惡色之血不得入於經脈帝曰善形有餘不足柰何岐伯曰形有餘則腹脹涇溲不利不足則四支不用脾之藏也鍼經曰脾氣虛則四支不用五藏不安實則腹脹涇溲不利涇大便溲小便也新校正云按楊上善云涇作經婦人月經也血氣未并五藏安定肌肉蠕動命曰微風邪薄肉分衛氣不通陽氣内鼓故肉蠕動新校正云按全元起本及甲乙經蠕作溢太素作濡帝曰補寫柰何岐伯曰形有餘則寫其陽經不足則補其陽絡並胃之經絡帝曰刺微柰何岐伯曰取分肉間無中其經無傷其絡衛氣得復邪氣乃索衛氣者所以溫分肉而充皮膚肥腠理而司開闔故肉蠕動即取分肉間但開肉分以出其邪故無中其經無傷其絡衛氣復聚而邪氣盡索散盡也帝曰善志有餘不足

奈何歧伯曰志有餘則腹脹飱泄不足則厥腎之藏也鍼經曰腎藏精精舍志腎氣虛則厥實則脹脹謂脹起厥謂逆行上衝也足少陰脉下行今氣不足故隨衝脉逆行而上衝也血氣未并五藏安定骨節有動腎合骨故骨有邪薄則骨節殷動或骨節之中如有物鼓爲之也帝曰補寫奈何歧伯曰志有餘則寫然筋血者新校正云按甲乙經及太素云寫然筋血者出其血湯上善云然經當是然谷下筋再詳諸處引然谷者多云然谷之前血者疑少骨之二字前字誤作筋字不足則補其復溜然謂然谷足少陰榮也在內踝之前大骨之下陷者中血絡盛則泄之其刺可入同身寸之三分留三呼若灸者可灸三壯復溜足少陰經也在內踝上同身寸之二寸陷者中刺可入同身寸之三分留三呼若灸者可灸五壯帝曰刺未并奈何歧伯曰即取之無中其經邪所乃能立虛不求穴俞而直取居邪之處故云即取之新校正云按

甲乙經邪所作以去其邪帝曰善余已聞虛實之形不知其何以
生岐伯曰氣血以并陰陽相傾氣亂於衛血逆於經
血氣離居一實一虛衛行脉外故氣亂於衛血行經内故血逆於經血氣不和故一
虛一實血并於陰氣并於陽故爲驚狂氣并於陽則陽氣外盛故爲驚
狂血并於陽氣并於陰乃爲炅中氣并於陰則陽氣内盛故爲熱中炅
熱也血并於上氣并於下心煩悗善怒血并於下氣并
於上亂而喜忘上謂鬲上下謂鬲下帝曰血并於陰氣并於陽
如是血氣離居何者爲實何者爲虛岐伯曰血氣者
喜溫而惡寒寒則泣不能流溫則消而去之泣謂如雪在水
中凝住而不行去也是故氣之所并爲血虛血之所并爲氣虛

氣并於血則血少故血虛血并於氣則氣少故氣虛帝曰人之所有者血與氣耳今夫子乃言血并爲虛氣并爲虛是無實乎岐伯曰有者爲實無者爲虛氣并於血則血无血并於氣則氣无故氣并則無血血并則無氣今血與氣相失故爲虛焉氣并於血則血失其氣血并於氣則氣失其血故曰血與氣相失絡之與孫脈俱輸於經血與氣并則爲實焉血之與氣并走於上則爲大厥厥則暴死氣復反則生不反則死帝曰實者何道從來虛者何道從去虛實之要願聞其故岐伯曰夫陰與陽皆有俞會陽注於陰陰滿之外陰陽匀平以充其形九候若一命曰平人平人謂平和之人夫邪之生也或生

於陰或生於陽其生於陽者得之風雨寒暑其生於陰者得之飲食居處陰陽喜怒帝曰風雨之傷人柰何岐伯曰風雨之傷人也先客於皮膚傳入於孫脉孫脉滿則傳入於絡脉絡脉滿則輸於大經脉血氣與邪并客於分腠之間其脉堅大故曰實實者外堅充滿不可按之按之則痛帝曰寒濕之傷人柰何岐伯曰寒濕之中人也皮膚不收新校正云按全元起云不收不仁也甲乙經及太素云皮膚收無不字肌肉堅緊榮血泣衛氣去故曰虛虛者聶辟氣不足按之則氣足以溫之故快然而不痛聶謂聶皺辟謂辟疊也　新校正云按甲乙經作攝辟太素作攝辟帝曰善陰之生實

柰何實謂邪氣盛也歧伯曰喜怒不節則陰氣上逆上逆則下虛下虛則陽氣走之故曰實矣新校正云按經云喜怒不節則陰氣上逆疑剩喜字帝曰陰之生虛柰何虛謂精氣奪也歧伯曰喜則氣下悲則氣消消則脉虛空因寒飲食寒氣熏滿新校正云按甲乙經熏滿作動藏則血泣氣去故曰虛矣帝曰經言陽虛則外寒陰虛則內熱陽盛則外熱陰盛則內寒余已聞之矣不知其所由然也經言謂上古經言也歧伯曰陽受氣於上焦以溫皮膚分肉之間令寒氣在外則上焦不通上焦不通則寒氣獨留於外故寒慄慄謂振慄也帝曰陰虛生內熱柰何歧伯曰有所勞倦形氣衰少穀氣不

盛上焦不行下脘不通新校正云按甲乙經作下焦不通胃氣熱熱氣熏胷中故內熱甚用其力致勞倦也貪役不食故穀氣不盛也帝曰陽盛生外熱柰何岐伯曰上焦不通利則皮膚緻密腠理閉塞玄府不通新校正云按甲乙經及太素无玄府二字衛氣不得泄越故外熱外傷寒毒內薄諸陽寒外盛則皮膚收皮膚收則腠理密故衛氣稸聚无所流行矣寒氣外薄陽氣內爭積火內燔故生外熱也帝曰陰盛生內寒柰何岐伯曰厥氣上逆寒氣積於胷中而不寫不寫則溫氣去寒獨留則血凝泣凝則脉不通新校正云按甲乙經作腠理不通其脉盛大以濇故中寒溫氣謂陽氣也陰逆內滿則陽氣去於皮外也帝曰陰與陽并血氣以并病形以成刺之柰何岐伯曰刺此者

取之經隧取血於營取氣於衛用形哉因四時多少高下營主血陰氣也衛主氣陽氣也夫行鍼之道必先知形之長短骨之廣狹循三備法通計身形以施分寸故曰形用也四時多少高下具在下篇帝曰血氣以并病形以成陰陽相傾補寫柰何岐伯曰寫實者氣盛乃內鍼鍼與氣俱內以開其門如利其戶鍼與氣俱出精氣不傷邪氣乃下外門不閉以出其疾搖大其道如利其路是謂大寫必切而出大氣乃屈言欲開其穴而泄其氣也切謂急也言急出其鍼也鍼解論曰疾出徐則虛者疾出鍼而徐按之一大氣謂大邪氣也屈謂退屈也帝曰補虛柰何岐伯曰持鍼勿置以定其意候呼內鍼氣出鍼入鍼空四塞精無從去方實而疾出鍼氣入鍼

出熱不得還閉塞其門邪氣布散精氣乃得存動氣候時新校正云按甲乙經作動無後時近氣不失遠氣乃來是謂追之言但密閉穴俞勿令其氣散泄也近氣謂已至之氣遠氣謂未至之氣也欲動經氣而爲補補者皆必候水刻氣之所在而刺之是謂得時而調之追言補也鍼經曰追而濟之安得無實則此謂也帝曰夫子言虛實者有十生於五藏五藏五脉耳夫十二經脉皆生其病新校正云按甲乙經云皆生百病太素同今夫子獨言五藏夫十二經脉者皆絡三百六十五節節有病必被經脉經脉之病皆有虛實何以合之岐伯曰五藏者故得六府與爲表裏經絡支節各生虛實其病所居隨而調之從其左右經氣支節而調之病在脉調之血脉者血之府脉

實血實脉虛血虛由此脉病而調之血也新校正云按全元起本及甲乙經云病在血調之脉病
在血調之絡血病則絡脉易故調之於絡也病在氣調之衛衛主氣故氣病
而調之衛也病在肉調之分肉候寒熱而取之病在筋調之筋適緩
急而刺熨之病在骨調之骨察輕重而調之燔鍼劫刺其下及與
急者調筋法也筋急則燒鍼而劫刺之病在骨焠鍼藥熨調骨法也焠鍼火鍼
也病不知所痛兩蹻爲上兩蹻謂陰陽蹻脉陰蹻之脉出於照海陽蹻之脉出
於申脉申脉在足外踝下陷者中容爪甲新校正云按刺腰痛注云在踝下五分刺可入同身寸之三
分留六呼若灸者可灸三壯照海在足內踝下刺可入同身寸之四分留六呼若灸者可灸三壯身
形有痛九候莫病則繆刺之莫病謂無病也繆刺者刺絡脉左痛刺右右痛
刺左痛在於左而右脉病者巨刺之巨刺者刺經脉左痛刺右右痛刺

左必謹察其九候鍼道備矣



黄海紀藏黄帝内經素問卷第十七

調經論隧音遂飧音孫燔音煩

黃海 商部之二函

天都外史潘之恒景升定

澹研居士羅萬爵君庸閱

紀藏二之五十八

黃帝内經素問卷第十八 啓玄子次注

繆刺論 四時刺逆從論

標本病傳論

繆刺論篇第六十三 新校正云按全元起本在第二卷

黃帝問曰余聞繆刺未得其意何謂繆刺 繆刺言所刺之穴應用如紀繆紀綱也 岐伯對曰夫邪之客於形也必先舍於皮

毛留而不去入舍於孫脉留而不去入舍於絡脉留而不去入舍於經脉内連五藏散於腸胃陰陽俱感五藏乃傷此邪之從皮毛而入極於五藏之次也如此則治其經焉今邪客於皮毛入舍於孫絡留而不去閉塞不通不得入於經流溢於大絡而生奇病也病在血絡是謂奇邪新校正云按全元起云大絡十五絡也夫邪客大絡者左注右右注左上下左右與經相干而布於四末其氣無常處不入於經俞命曰繆刺四末謂四支也帝曰願聞繆刺以左取右以右取左奈何其與巨刺何以別之岐伯曰邪客於經左盛則右病右盛則左病亦有移易者

新校正云按甲乙經作病易且移左痛未已而右脉先病如此者必巨刺之必中其經非絡脉也先病者謂彼痛未止而此先病以承之故絡病者其痛與經脉繆處故命曰繆刺絡謂正經之傍支非正别也亦兼公孫飛揚等之别絡也新校正云按王氏云非正别也按本論邪客足太陰絡令人腰痛注引從髀合陽明上絡嗌貫舌中乃太陰之正也亦是兼脉之正安得謂之作正别也帝曰願聞繆刺奈何取之何如岐伯曰邪客於足少陰之絡令人卒心痛暴脹胷脇支滿以其絡支别者並正經從腎上貫肝鬲走於心包故邪客之則病如是無積者刺然骨之前出血如食頃而已然骨之前然谷穴也在足内踝前起大骨下陷者中足少陰滎也刺可入同身寸之三分留三呼若灸者可灸三壯刺此多見血令人立饑欲食不已左取右右取左言痛在左取之右痛在右

取之左餘如此例病新發者取五日已素有此病而新發先刺之五日乃盡已
邪客於手少陽之絡令人喉痺舌卷口乾心煩臂外廉痛手不及頭以其脈循手表出臂外上肩入缺盆布膻中散絡心包其支者從膻中上出缺盆上項又心主其舌故病如是刺手中指次指爪甲上去端如韭葉各一痏謂關衝穴少陽之井也刺可入同身寸之一分留三呼若灸者可灸三壯左右手皆刺之故言各一痏痏瘡也　新校正云按甲乙經關衝穴出手小指次指之端今言中指者誤也壯者立已老者有頃已左取右右取左此新病數日已
邪客於足厥陰之絡令人卒疝暴痛以其絡去内踝上同身寸之五寸別走少陽其支別者循脛上睾結於莖故令人卒疝暴痛睾陰丸也刺足大指爪甲上與肉交者各一痏謂大敦穴足大指之端去爪甲角如韭葉厥陰之井也刺可入

同身寸之三分留十呼若灸者可灸三壯男子立已女子有頃已左取右右取左邪客於足太陽之絡令人頭項肩痛以其經之正者從腦出別下項支別者從髆內左右別下又其絡自足上行循背上頭故頭項肩痛也新校正云按甲乙經云其支者從巔入絡腦還出別下項王氏云經之正者正當作支刺足小指爪甲上與肉交者各一痏立已謂至陰穴太陽之井也刺可入同身寸之一分留五呼若灸者可灸三壯新校正云按甲乙經云在足小指外側去爪甲角如韭葉不已刺外踝下三痏左取右右取左如食頃已謂金門穴足太陽郄也在外踝下刺可入同身寸之三分若灸者可灸三壯邪客於手陽明之絡令人氣滿胷中喘息而支胠胷中熱以其經自肩端入缺盆絡肺其支別者從缺盆中直而上頸故病如是刺手大指次指爪甲上去端如韭葉各

一痏左取右右取左如食頃已 謂商陽穴手陽明之井也刺可入同身寸之一分留一呼若灸者可灸一壯 新校正云按甲乙經云商陽在手大指次指內側去爪甲角如韭葉

邪客於臂掌之間不可得屈刺其踝後 新校正云按全元起云是人手之本節踝也 先以指按之痛乃刺之以月死生為數月生一日一痏二日二痏十五日十五痏十六日十四痏 隨日數也月半已前謂之生月半以後謂之死虧滿而異也

邪客於足陽蹻之脉令人目痛從內眥始 以其脉起於足上行至頭而屬目內眥故病令人目痛從內眥始也何以明之八十一難經曰陽蹻脉者起于跟中循外踝上行入風池甲乙經曰陰蹻脉入鼽屬目內眥合於太陽陽蹻而上行尋此則至于目內眥也 刺外踝之下半寸所各二痏 謂申脉穴陽蹻之所生也在外踝下陷者中容爪甲刺可入同身寸之三分留六呼若灸者可灸三

壯。新校正云詳血脈痛注云外踝下五分左刺右右刺左如行十里頃

而已人有所墮墜惡血留內腹中滿脹不得前後先飲利藥此上傷厥陰之脈下傷少陰之絡刺足內踝之下然骨之前血脈出血此少陰之絡也新校正云詳血脈出血脈字疑是絡字刺足跗上動脈謂衝陽穴胃之原也刺可入同身寸之三分留十呼若灸者可灸三壯主腹大不嗜食以腹脹滿故取之不已刺三毛上各一痏見血立已左刺右右刺左謂大敦穴厥陰之井也善悲驚不樂刺如右方善悲驚不樂亦如上法刺之

邪客於手陽明之絡令人耳聾時不聞音以其經支者從缺盆上頭貫頰又其絡支別者入耳會於宗脈故病令人耳聾時不聞聲刺手大指次指爪甲上去端如韭葉各一痏立聞亦同

前商陽穴不已刺中指爪甲上與肉交者立聞謂中衝穴手心主之井也在手中指之端去爪甲如韭葉陷者中刺可入同身寸之一分留三呼若灸者可灸三壯古經脫簡無絡可尋之恐是刺小指爪甲上與肉交者也何以言之下文云手少陰絡會于耳中也若小指之端是謂少衝手少陰之井刺可入同身寸之一分留一呼若灸者可灸一壯　新校正云按王氏云恐是小指爪甲上少衝穴按甲乙經手心主之正上循喉嚨出耳後合少陽完骨之下如是則安得不刺中衝而疑爲少衝也其不時聞者不可刺也不時聞者絡氣已絕故不可刺耳中生風者亦刺之如此數左刺右右刺左凡痺往來行無常處者在分肉間痛而刺之以月死生爲數用針者隨氣盛衰以爲痏數針過其日數則脫氣不及日數則氣不寫左刺右右刺左病已止不已復刺之如法

言所以約月死生爲數者何以隨氣之盛衰也月生一日一痏二日二痏漸多之十五日十五痏十六日十四痏漸少之知是刺之則無過數無不及也邪客於足陽明之經令人鼽衄上齒寒以其脉起於鼻交頞中下循鼻外入上齒中還出俠口環脣下交承漿卻循頤後下廉出大迎循頰車上耳前故病令人鼽衄上齒寒也復以其脉左右交於面部故舉經脉之病以明繆處之類故下文云　新校正云按全元起本與甲乙經陽明之經作陽明之絡刺足中指次指爪甲上與肉交者各一痏左刺右右刺左中當爲大亦傳寫中大之誤也據靈樞經孔穴圖經中指次指爪甲上無穴當言側大指次指爪甲上乃厲兌穴陽明之井不當更有次指二字也厲兌者刺可入同身寸之一分留一呼若灸者可灸一壯　新校正云按甲乙經云刺足中指爪甲上無次指二字蓋以大指次指爲中指義與王注同下文云足陽明中指爪甲上亦謂此穴也厲兌在足大指次指

五

之端去爪甲角如韭葉邪客於足少陽之絡令人脇痛不得息欬而汗出以其脉支別者從目銳眥下大迎合手少陽於䪼下加頰車下頸合缺盆以下胷中貫鬲絡肝膽循脇故令人脇痛欬而汗出刺足小指次指爪甲上與肉交者各一痏謂竅陰穴少陽之井也刺可入同身寸之一分留一呼若灸者可灸三壯　新校正云按甲乙經竅陰在足小指次指之端去爪甲角如韭葉不得息立已汗出立止欬者溫衣飲食一日已左刺右右刺左病立已不已復刺如法邪客於足少陰之絡令人嗌痛不可內食無故善怒氣上走賁上以其經支別者從肺出絡心注胷中及其正經從腎上貫肝鬲入肺中循喉嚨俠舌本故病令人嗌乾痛不可內食無故善怒氣上走賁上也賁謂氣奔也　新校正云詳王注以賁上為氣奔者非按難經胃為賁門楊玄操云賁鬲也是氣上走鬲上也經既云氣上走

按得更以貴爲济上之與耶刺足下中央之脉各三痏凡六刺盡已左刺右右刺左謂勇泉穴少陰之井也在足心陷者中屈足踡指宛宛中刺可入同身寸之三分留三呼若灸者可灸三壯嗌中腫不能內唾時不能出唾者刺然骨之前出血立已左刺右右刺左亦足少陰之絡也以其絡並大經喉嚨故兩刺之此二十九字本錯簡在邪客手足少陰太陰足陽明之絡前今遷于此　新校正云詳王注以其絡並大經循喉嚨差互按甲乙經足少陰之絡並經上走心包少陰之經循喉嚨令王氏之注經與絡交互當以甲乙經爲正也邪客於足太陰之絡令人腰痛引少腹控䏘不可以仰息足太陰之絡從髀合陽明上貫尻骨中與厥陰少陽結於下髎而循尻骨內入腹上絡嗌貫舌中故腰痛則引少腹控於䏘中也䏘謂季脇下之空軟處也受邪氣則絡拘急故不可以仰伸而喘息也刺腰痛篇中無息字　新校正云詳王注云足太陰之絡

六

按甲乙經乃太陰之正非絡也王氏謂之絡者未詳其旨刺腰尻之解兩胂之上是腰俞以月死生為痏數發鍼立已左刺右右刺左腰尻骨間曰解當中有腰俞刺可入同身寸之二寸新校正云按氣府論注作二分刺熱論注作二分水穴篇注作二分熱穴篇注作二寸甲乙經作二寸留七呼上與經同中誥孔穴經云左取右右取左穴當中不應爾也次腰下俠尻有骨空各四皆主腰痛下髎主與經同是足太陰厥陰少陽所結刺可入同身寸之二寸留十呼若灸者可灸三壯胂謂兩髁胂也腰俞髁胂皆當取之也　新校正云按此邪客足太陰之絡并刺法一項已見刺腰痛篇中彼注甚詳此特多是腰俞三字耳別按全元起本舊無此三字王氏頗知腰俞無左右取之理而注之而不知全元起本舊無邪客於足太陽之絡令人拘攣背急引脇而痛以其經從髁內左右別下貫胂合膕中故病令人拘攣背急引脇而痛　新校正云按全元起本及甲乙經引脇而痛下更云內引心而痛刺之從

項始數脊椎俠脊疾按之應手如痛刺之傍三痏立已從項始數脊椎者謂從大椎數之至第二椎兩傍各同身寸之一寸五分內循脊兩傍按之有痛應手則邪客之處也隨痛應手深淺即而刺之邪客在脊骨兩傍故言刺之傍也邪客於足少陽之絡令人留於樞中痛髀不可舉以其經出氣街繞髦際橫入髀厭中故痛令人留於髀樞後痛解不可舉也樞謂髀樞也刺樞中以毫鍼寒則久留鍼以月死生爲數立已髀樞之後則環銚穴也正在髀樞後故言刺髀樞後也環銚者足少陽脉氣所發刺可入同身寸之一寸留二十呼若灸者可灸三壯毫鍼者第七鍼也新校正云按甲乙經環銚在髀樞中氣穴論云在兩髀厭分中此經云刺樞中而王氏以謂髀樞之後者誤也治諸經刺之所過者不病則繆刺之王言也經不病則邪在絡故繆刺之若經所過有病是則經病不當繆刺矣耳聾刺手陽明不已刺其

七

通脉出耳前者手陽明謂前手大指次指去端如韭葉者也是謂商陽據中誥孔穴圖經手陽明脉中商陽合谷陽谿徧歷四穴並主耳聾今經所指謂前商陽不謂此合谷等穴也耳前通脉手陽明脉正當聽會之分刺入同身寸之四分若灸者可灸三壯齒齲刺手陽明不已刺其脉入齒中立已據甲乙流注圖經手陽明脉中商陽二間三間合谷陽谿徧歷溫溜七穴並主齒痛手陽明脉貫頰入下齒中足陽明脉循鼻外入上齒中也邪客於五藏之間其病也脉引而痛時來時止視其病繆刺之於手足爪甲上各刺其井左取右右取左視其脉出其血間日一刺一刺不已五刺已有血脉者則刺之如此數繆傳引上齒齒脣寒痛視其手背脉血者去之若病繆傳而引上齒齒脣寒痛者刺手背陽明絡也足陽明中指爪甲上一痏手大指次指爪甲上各一

痏立已左取右右取左謂第二指厲兌穴也手大指次指謂商陽穴手陽明井也鍼經曰齒痛不惡清飲取足陽明惡清飲取手陽明新校正云詳前文邪客足陽明刺中指次指爪甲上是誤刺次指二字當如此只言中指爪甲上乃是也邪客于手足少陰太陰足陽明之絡此五絡皆會於耳中上絡左角手少陰真心脈足少陰腎脈手太陰肺脈足太陰脾脈足陽明胃脈此五絡皆會于耳中而出絡左額角也五絡俱竭令人身脈皆動而形無知也其狀若尸或曰尸厥言其卒冒悶而如死尸身脈猶如常人而動也然陰氣盛於上則下氣熏上而邪氣逆邪氣逆則陽氣亂陽氣亂則五絡閉結而不通故其狀若尸也以是從厥而生故曰尸厥刺其足大指內側爪甲上去端如韭葉謂隱白穴足太陰之井也刺可入同身寸之一分留三呼若灸者可灸三壯後刺足心謂湧泉穴足少陰之井也刺同前取湧泉穴法後刺

黃海 一 素問十八

足中指爪甲上各一痏謂第二指足陽明之井也刺同前取厲兌穴法後刺手大指內側去端如韭葉謂少商穴手太陰之井也刺可入同身寸之一分留三呼若灸者可灸三壯後刺手心主謂中衝穴手心主之井也刺可入同身寸之一分留三呼若灸者可灸一壯新校正云按甲乙經不刺手心主詳此五絡之數亦不及手心主而此刺之是有六絡未會王冰相隨注之不爲明辨之旨也少陰銳骨之端各一痏立已謂神門穴在掌後銳骨之端陰者中手少陰之俞也刺可入同身寸之三分留三呼若灸者可灸三壯不已以竹管吹其兩耳言使氣入耳中內助五絡令氣復通也當內管入耳以手密擫之勿令氣泄而極吹之氣蹷然從絡脈通也新校正云按陶隱居云吹其左耳極三度復吹其右耳三度也鬄其左角之髮方一寸燔治飲以美酒一杯不能飲者灌之立已左角之髮是五絡血之餘故鬄之燔治飲之以美酒也酒者所以行

藥勢又炎上而內走於心心主脉故以美酒服之凡刺之數先視其經脉切而從之審其虛實而調之不調者經刺之有痛而經不病者繆刺之因視其皮部有血絡者盡取之此繆刺之數也

四時刺逆從論篇第六十四新校正云按厥陰有餘至筋急目痛全元起本在第六卷春氣在經脉至筋骨不全元起本在第一卷

厥陰有餘病陰痺痺謂痛也陰謂寒也有餘謂厥陰氣盛滿故陰發于外而爲寒痺新校正云詳王氏以痺爲痛未通不足病生熱痺陰不足則陽有餘故爲熱痺滑則病狐疝風濇則病少腹積氣厥陰脉循股陰入髦中環陰器抵少腹又其絡支別者循脛上睪結於莖故爲狐疝少腹積氣也新校正云按楊上善云狐夜不得尿日出方得

人之所病與狐同故曰狐疝一曰狐疝謂三焦孤府爲疝故曰孤疝

少陰有餘病皮痹隱軫不足病肺痹腎水逆連於肺母故也足少陰脉從腎上貫肝鬲入肺中故有餘病皮痹隱軫不足病肺痹也

滑則病肺風疝濇則病積溲血以其正經入肺貫腎絡膀胱故爲肺疝及積溲血也

太陰有餘病肉痹寒中不足病脾痹大陰之脉脾主肉故如是

滑則病脾風疝濇則病積心腹時滿脉屬脾絡胃其支別者復從胃別上鬲注心中故爲脾疝心腹時滿也

陽明有餘病脉痹身時熱不足病心痹胃有餘則上歸于心不足則心下痹故爲是

滑則病心風疝濇則病積時善驚心主之脉起于胷中出屬心包下鬲歷絡三焦故爲心疝時善驚

太陽有餘病骨痹身重不足病腎痹太陽與少陰爲表裏故有餘不足皆病歸于腎也

滑則病腎風疝濇則病積善時

巔疾太陽之脉交於巔上入絡腦下循膂絡腎故爲腎風及巔病也少陽有餘病筋痺脇滿不足病肝痺少陽與厥陰爲表裏故病歸于肝滑則病肝風疝濇則病積時筋急目痛肝主筋故時筋急厥陰之脉上出額與督脉會于巔其支別者從目系下頰裏故目痛是故春氣在經脉夏氣在孫絡長夏氣在肌肉秋氣在皮膚冬氣在骨髓中帝曰余願聞其故岐伯曰春者天氣始開地氣始泄凍解冰釋水行經通故人氣在脉夏者經滿氣溢入孫絡受血皮膚充實長夏者經絡皆盛內溢肌中秋者天氣始收腠理閉塞皮膚引急引謂牽引以縮急也冬者蓋藏血氣在中內著骨髓通於五藏是故邪氣者常隨四時之氣

血而入客也至其變化不可爲度然必從其經氣辟除其邪除其邪則亂氣不生得氣而調故不亂帝曰逆四時而生亂氣奈何岐伯曰春刺絡脉血氣外溢令人少氣血氣溢于外則中不足故少氣新校正云按自春刺絡脉至令人目不明與診要經終論義同文異彼註甚詳於此彼分四時此分五時然此有長夏刺肌肉之分而逐時各闕刺秋分之事疑此肌肉之分即彼秋皮膚之分也春刺肌肉血氣環逆令人上氣血逆氣上故上氣新校正云按經闕春刺秋分春刺筋骨血氣内著令人腹脹内著不散故脹夏刺經脉血氣乃竭令人解㑊血氣竭少故解㑊然不可名之也解㑊謂寒不寒熱不熱壯不壯弱不弱故不可名之也夏刺肌肉血氣内却令人善恐却閉也血氣内閉則陽氣不通故善恐夏刺筋骨血氣上逆令

人善怒血氣上逆則怒氣相應故善怒新校正云按經闕夏刺秋分秋刺經脉血氣上逆令人善忘血氣上逆滿于肺中故善忘秋刺絡脉氣不外行新校正云按別本作血氣不行全元起本作氣不衛外大素同令人臥不欲動以虛甚故新校正云按經闕秋刺長夏分秋刺筋骨血氣內散令人寒慄血氣內散則中氣虛故寒慄冬刺經脉血氣皆脫令人目不明以血氣無所營故也冬刺絡脉內氣外泄留爲大痺冬刺肌肉陽氣竭絕令人善忘陽氣不壯至春而竭故善忘新校正云按經闕冬刺秋分凡此四時刺者大逆之病新校正云按全元起本作六經之病不可不從也反之則生亂氣相淫病焉淫不次也不次而行如浸淫相染而生病也故刺不知四時之經病之所生以從爲逆正氣內亂與

精相薄必審九候正氣不亂精氣不轉不轉謂不逆轉也

帝曰善刺五藏中心一日死其動爲噫診要經終論曰中心者環死刺禁論曰一日死其動爲噫中肝五日死其動爲語診要經終論闕而不論刺禁論曰中肝五日死其動爲語新校正云按甲乙經語作欠中肺三日死其動爲欬診要經終論曰中肺五日死刺禁論曰中肺三日死其動爲欬中腎六日死新校正云按甲乙經作三日死其動爲嚏欠診要經終論曰中腎七日死刺禁論曰中腎六日死其動爲嚏新校正云按甲乙經無欠字中脾十日死新校正云按甲乙經作十五日其動爲吞診要經終論曰中脾五日死刺禁論曰中脾十日死其動爲吞然此三論皆岐伯之言而死日動變不同傳之誤也刺傷人五藏必死其動則依其藏之所變候知其死也變謂氣動變也中心下至此並爲逆從重文也

標本病傳論篇第六十五 新校正云按全元起本在第二卷皮部論篇前

黃帝問曰病有標本刺有逆從奈何岐伯對曰凡刺之方必別陰陽前後相應逆從得施標本相移故曰有其在標而求之於標有其在本而求之於本有其在本而求之於標有其在標而求之於本故治有取標而得者有取本而得者有逆取而得者有從取而得者 得病之情知治大體則逆從皆可施必中焉 故知逆與從正行無問知標本者萬舉萬當 道不疑惑識既深明則無問於人正行皆當 不知標本是謂妄行 識猶褊淺道未高深舉且見違故行多妄 夫陰陽逆從標本之為道也小而大言一而知百病之害 著之至也言別陰陽知逆

順法明著見精微觀其所舉則小尋其所利則大以斯明著故言一而知百病之害少而多淺而博可以言一而知百也言少可以貫多舉淺可以料大者何法之明故非聖人之道孰能至于是耶故學之者猶可以言一而知百病也博大也以淺而知深察近而知遠言標與本易而勿及雖事極深玄人非咫尺略以淺近而悉貫之然標本之道雖易可爲言而世人識見無能及者治反爲逆治得爲從先病而後逆者治其本先逆而後病者治其本先寒而後生病者治其本先病而後生寒者治其本先熱而後生病者治其本先熱而後生中滿者治其標先病而後泄者治其本先泄而後生他病者治其本必且調之乃治其他病先病而後先中滿者治其標先中滿而

後煩心者治其本。人有客氣，有同氣。新校正云：按全元起本同作固。小大不利治其標，小大利治其本。本，先病；標，後病。必謹察之。病發而有餘，本而標之，先治其本，後治其標；病發而不足，標而本之，先治其標，後治其本。本而標之，謂有先病，復有後病也，以其有餘，故先治其本，後治其標也。標而本之，謂先發輕微緩者，後發重大急者，以其不足，故先治其標，後治其本也。謹察間甚，以意調之，間，謂多也；甚，謂少也。多，謂多形證而輕易；少，謂少形證而重難也。以意調之，謂審量標本不足有餘，非謂捨法而以意妄為也。間者并行，甚者獨行。先小大不利而後生病者，治其本。并，謂他脈共受邪氣而合病也；獨，謂一經受病而無異氣相參也。并甚則相傳，傳急則亦死。夫病傳者，心病先心痛，藏真通於心，故心先痛。一日而欬，心火勝金，傳於肺也。肺在變動為欬，故欬。三日

十三

脇支痛肺金勝木傳于肝也次其張循脇肋故如是五日閉塞不通身痛
體重肝木勝土傳於脾也脾性安鎮木氣乘之故閉塞不通身痛體重三日不已死
以勝相伐唯弱是從五藏四傷豈其能久故爲即死冬夜半夏日中謂正子午之時也或
言冬夏有異非也晝夜之半事甚昭然　新校正云
按靈樞經夫氣入藏病先發于心一日而之肺三日
而之肝五日而之脾三日不已死冬夜半夏日中甲
乙經曰病先發于心心痛一日之肺而欬五日之肝
脇支痛五日之脾閉塞不通身病體重三日不已死
冬夜半夏日中詳素問言其病靈樞言其藏甲乙經
及并素問靈樞二經之
文而病與藏兼舉之
肺病喘欬藏與高於肺而主息故喘欬也三
日而脇支滿痛肺傳于肝一日身重體痛肝傳於脾五日而脹自傳於府
十日不已死冬日入夏日出孟冬之中日入於申申之八刻三分仲
冬之中日入於申之七刻三分季冬之中日入於申
與孟月等孟夏之中日出于寅之八刻一分仲夏之

中日出于寅卜刻三分季夏之中日出於寅與孟夏等也肝病頭目眩脇支滿藏真
散于肝脈內連目脇故如是三日體重身痛肝傳於脾五日而脹自傳於府
三日腰脊少腹痛脛痠謂胃傳於腎以其脈起於足循腨內出膕內廉上股內後
廉貫脊屬腎絡膀胱故如是也腰為腎之府故腰痛三日不已死冬日入新校
正云按甲乙經作日中夏早食日入早晏如冬法也早食謂早於食時則卯正之時也脾
病身痛體重藏真濡於脾而主肌肉故爾一日而脹自傳於府二日少
腹腰脊痛脛痠謂傳於腎三日背䏚筋痛小便閉自傳於府及之
䏚也十日不已死冬人定夏晏食人定謂申後二十五刻晏食謂寅後二十
五刻腎病少腹腰脊痛䯒痠藏真下于腎故如是三日背䏚筋痛
小便閉自傳於府之䏚膀胱是新校正云按靈樞經云自傳於府及之䏚也三日腹

十四

脹 膀胱傳於小腸 新校正云按甲乙經云三日上之心心脹 三日兩脇支痛 府傳於藏 新校正云按靈樞經云三日之小腸三日上之心今云兩脇支痛是小腸府傳心藏而發痛也 三日不已死冬大晨夏晏晡 大晨謂寅後九刻大明之時也晏晡謂申後九刻向昏之時也 胃病脹滿 以其脈循腹故如是 五日少腹腰脊痛胻痠 胃傳於腎 三日背䏚筋痛小便閉 自傳於府及之䏚也 五日身體 膀胱水府傳於脾也 新校正云按靈樞經及甲乙經各云五日上之心是膀胱傳心為相勝而身體重今王氏傳脾者誤也 六日不已死冬夜半後夏日昳 夜半後謂子後八刻丑正時也日昳謂午後八刻未正時也 膀胱病小便閉 以其為津液之府故爾 五日少腹脹腰脊痛胻痠 自歸於藏 一日腹脹 腎復傳於小腸 一日身體痛 小腸傳於脾 新校正云按靈樞經云一日上之心是府傳於藏也甲乙經作之脾與而

注同二日不巳死冬雞鳴夏下晡雞鳴謂早雞鳴丑正之分也下晡謂日下於晡時申之後五刻也諸病以次是相傳如是者皆有死期不可刺五藏相移皆如此有緩傳者有急傳者緩者或一歲二歲三歲而死其次或三月若六月而死急者一日二日三日四日或五六日而死則此類也尋此病傳之法皆五行之氣考其日數理不相應夫以五行爲紀以不勝之數傳於所勝者謂火傳于金當云一日金傳於木當云二日木傳於土當云四日土傳於水當云三日水傳於火當云五日也若以巳勝之數傳於不勝者則木三日傳於土土五日傳於水水一日傳於火火二日傳於金金四日傳於水經之傳日似法三陰三陽之氣玉機眞藏論曰五藏相通移皆有次不治三月若六月若三日若六日傳而當死此與同也雖爾猶當臨病詳視日數方悉是非爾問一藏止新校正云按甲乙經無止字及至三四藏者乃可刺也問一藏止者謂隔過前一藏而不更傳也則謂木傳土土傳水水傳火火傳金金傳木而止皆間隔

一藏也及至三四藏者皆謂至前第三第四藏也諸至三藏者皆是其已不勝之氣也至四藏者皆至已所生之父母也不勝則不能爲害於彼所生則父子無尅伐之期氣順以行故刺之可矣

黃海紀藏黃帝内經素問卷第十八

天都外史潘之恒景升定
澹研居士羅萬爵君庸閲

紀藏二之五十九

# 黃帝内經素問卷第十九 啓玄子次注

天元紀大論　五運行大論

六微旨大論

## 天元紀大論篇第六十六

黃帝問曰：天有五行御五位，以生寒暑燥濕風；人有五藏化五氣，以生喜怒思憂恐。御謂臨御，化謂化生也。天眞之氣，無所不

周器象雖除參應一也新校正云按陰陽應象大論云喜怒悲憂恐二論不同者思者脾也四藏皆受成焉悲者勝怒也二論所以互相成也

論言五運相襲而皆治之終朞之日周而復始余已知之矣願聞其與三陰三陽之候奈何合之論謂六節藏象論也運謂五行應天之五運各周三百六十五日而爲紀者也故曰終朞之日周而復始也以六合五數未參同故問之也鬼臾區稽首再拜對曰昭乎哉問也夫五運陰陽者天地之道也萬物之綱紀變化之父母生殺之本始神明之府也可不通乎道謂化生之道綱紀謂生長化成收藏之綱紀也父母謂萬物形之先也本始謂生殺皆因而有之也夫有形稟氣而不爲五運陰陽之所攝者未之有也所以造化不極能爲萬物生化之元始者何哉以其是神明之府故也然合散不測生化無窮非神明運爲無能爾也新校正云詳陰陽者至神明之府

也與陰陽應象大論同而兩論之注頗異故物生謂之化物極謂之變陰陽不測謂之神神用無方謂之聖所謂化變聖神之道也化施化也變散易也神無期也聖無思也氣之施化故曰生氣之散易故曰極無期稟候故曰神無思測量故曰聖由化與變故萬物無能逃五運陰陽由聖與神故衆妙無能出幽玄之理深乎妙用不可得而稱之新校正云按六微旨大論云物之生從於化物之極由乎變變化之相薄成敗之所由也又五常政大論云氣始而生化氣散而有形氣布而蕃育氣終而象變其致一也夫變化之爲用也應萬化之用也在天爲玄玄遠也天道玄遠變化無窮傳曰天道遠人道邇在人爲道道謂妙用之道也經術政化非道不成在地爲化化謂生化也生萬物者地也非土氣孕育則形質不成化生五味金石草木根葉華實酸苦甘淡辛鹹皆化氣所生隨時而有道生智智通妙用唯道所生玄生神玄遠幽深故生神也神之爲用觸遇玄通契物化成無不應也

神在天為風風者教之始天之使也天之號令也在地為木東方之化在天為熱應火為用在地為火南方之化在天為濕應土為用在地為土中央之化在天為燥應金為用在地為金西方之化在天為寒應水為用在地為水北方之化神之為用如上五化木為風所生火為熱所熾金為燥所發水為寒所資土為濕所全蓋初因而立成也雖初因之以化成卒因之以敗散爾豈五行之獨有是哉凡因所因而成立者悉因所因而散落耳新校正云詳在天為玄至此則與陰陽應象大論及五運行大論文重注頗異故在天為氣在地成形氣謂風熱濕燥寒形謂木火土金水形氣相感而化生萬物矣此造化生成之大紀然天地者萬物之上下也天覆地載上下相臨萬物化生無遺略也由是故萬物自生自長自化自成自盈自虛自復自變也夫變者何謂生之氣極本而更始化也孔子曰曲成萬物而不遺左右者陰陽之道

路也天有六氣御下地有五行奉上當歲者爲上主司天承歲者爲下主司地不當歲者二氣居右北行轉之二氣居左南行轉之金木水火運北面正之常左爲右右爲左則左者南行右者北行而反也新校正云詳上下左右之說義具五運行大論中水火者陰陽之徵兆也徵信也驗也兆先也以水火之寒熱彰信陰陽之先兆也金木者生成之終始也木主發生應春春爲生化之始金主收斂應秋秋爲成實之終終始不息其化常行故萬物生長化成收藏自久新校正云按陰陽應象大論曰天地者萬物之上下也陰陽者血氣之男女左右者陰陽之道路水火者陰陽之徵兆陰陽者萬物之能始也與此論相出入也氣有多少形有盛衰上下相召而損益彰矣氣有多少謂天之陰陽三等多少不同秩也形有盛衰謂五運之氣有太過不及也由是少多衰盛天地相召而陰陽損益昭然彰著可見也新校正云詳陰陽三等之義具下文注中帝曰願聞五運之主時也何如時四時也鬼

**臾區曰五氣運行各終朞日非獨主時也**一運之日終三百六十五日四分度之一乃易之非主一時當其王相囚死而爲絶法也氣交之内迢然而別有之也

**帝曰請聞其所謂也鬼臾區曰臣積考太始天元册文曰**天元册所以記天眞元氣運行之紀也自神農之世鬼臾區十世祖始誦而行之此太古占候靈文洎乎伏羲之時巳鐫諸玉版命曰册文太古靈文故曰太始天元册也　新校正云詳今世有天元玉册或者以謂即此太始天先册文非是

**太虚廖廓肇基化元**太虚謂空玄之境眞氣之所充神明之宫府也眞氣精微無遠不至故能爲生化之本始運氣之眞元矣肇始也基本也

**萬物資始五運終天**五運謂木火土金水運也終天謂一歲三百六十五日四分度之一也終始更代周而復始也言五運更統於太虚四時隨部而遷復六氣分居而異主萬物因之以化生非曰自然其誰能始故曰萬物資始易曰大哉乾元萬物資始乃統天雲行雨施品物流形孔子曰天何言哉四

將行焉百物生焉此其義也**布氣眞靈總統坤元**太虛眞氣無所不至也氣齊生有故稟氣含靈者抱眞氣以生焉總統坤元言天元氣常司地氣化生之道也易曰至哉坤元萬物資生乃順承天也**九星懸朗七耀周旋**九星上古之時也上古世質人淳歸眞反朴九星懸朗五運齊宣中古道德稍衰標星藏曜故計星之見者七焉九星謂天蓬天內天衝天輔天禽天心天任天柱天英此蓋從標而爲始遁甲式法今猶用焉七曜謂日月五星今外蕃具以此曆爲舉動吉凶之信也周謂周天之度旋謂左循天度而行五星之行猶各有進退高下小大矣**曰陰曰陽曰柔曰剛**陰陽天道也柔剛地道也天以陽生陰長地以柔化剛成也易曰立天之道曰陰與陽立地之道曰柔與剛此之謂也**幽顯既位寒暑弛張**幽顯既位言人神各得其所寒暑弛張言陰陽不失其宜也人神各守所居無相干犯陰陽不失其序物得其宜天地之道且然人神之理亦猶也　新校正云按至眞要大論云幽明何如岐伯曰兩陰交盡故曰幽兩陽合明故曰明幽

明之配寒暑之異也生生化化品物咸章上生謂生之有情有識之類也下生謂生之無情無識之類也上化謂形容彰顯者也下化謂蔽匿形容者也有情有識彰顯形容天氣主之無情無識蔽匿形容地氣主之稟元靈氣之所化育爾易曰天地絪緼萬物化醇斯之謂歟臣斯十世此之謂也傳習斯文至鬼臾區十世于茲不敢失墜帝曰善何謂氣有多少形有盛衰鬼臾區曰陰陽之氣各有多少故曰三陰三陽也由氣有多少故隨其升降分爲三別也新校正云按至真要大論云陰陽之三也何謂歧伯曰氣有多少異用王冰云太陰爲正陰太陽爲正陽次少者爲少陰次少者爲少陽又次爲陽明又次爲厥陰形有盛衰謂五形之治各有太過不及也太過有餘也不及不足也氣至不足太過迎之氣至太過不足隨之天地之氣虧盈如此故云形有盛衰也故其始也有餘而往不足隨之不足而往有餘從

**之知迎知隨氣可與期**言虧盈無常互有勝負爾始天氣始于甲地氣始于子子甲相合命曰歲立此之謂也則始甲子之歲三百六十五日所稟之氣當不足也次而推之終六甲也故有餘已則不足不足已則有餘亦有歲運非有餘非不足者蓋以同天地之化也若餘已復餘少已復少則天地之道變常而災害作苛疾生矣　新校正云按六微旨大論云木運臨卯火運臨午土運臨四季金運臨酉水運臨子所謂歲會氣之平也又按五常政大論云委和之紀上角與正角同上商與正商同上宮與正宮同伏明之紀上商與正商同卑監之紀上宮與正宮同上角與正角同從革之紀上商與正商同上角與正角同涸流之紀上宮與正宮同赫曦之紀上羽與正徵同堅成之紀上徵與正商同又六元正紀大論云不及而加同歲會已前諸歲並為正歲氣之平也今王注以同天之化為非有餘不足者非也

**應天為天符承歲為歲直三合為治**應天謂木運之歲上見厥陰火運之歲上見少陽少陰土運之歲上見太陰金運之歲上見陽明水

五

運之歲上見太陽此五者天氣下降如合符運故曰應天為天符也承歲謂木運之歲歲當于卯火運之歲歲當于午土運之歲歲當辰戌丑未金運之歲歲當于酉水運之歲歲當于子此五者歲之所直故曰承歲為歲直也三合謂火運之歲上見少陰年辰臨午土運之歲上見太陰年辰臨丑未金運之歲上見陽明年辰臨酉此三者天氣運氣與年辰俱會故云三合為治也歲直亦曰歲會三合亦為天符六微旨大論曰天符歲會曰太乙天符謂天運與歲俱會也新校正云按天符歲會之詳具六微旨大論中又詳火運上少陰年辰臨午即戊午歲也土運上太陰年辰臨丑未即己丑己未歲也金運上陽明年辰臨酉即乙酉歲也

帝曰上下相召奈何鬼臾區曰寒暑燥濕風火天之陰陽也三陰三陽上奉之太陽為寒少陽為暑陽明為燥太陰為濕厥陰為風少陰為火皆其元在天故曰天之陰陽也木火土金水火地之陰陽也生長化收藏下應之木初氣也火二氣也相火三氣也土四氣也金五氣

也木終氣也以其在地應天故云下應也氣在地故曰地之陰陽也　新校正云按六微旨大論曰地理之應六節氣位何如岐伯曰顯明之右君火之位退行一步相火治之復行一步土氣治之復行一步金氣治之復行一步水氣治之復行一步木氣治之此即木火土金水火地之陰陽之義也

天以陽生陰長地以陽殺陰藏　生長者天之道藏殺者地之道天陽主生故以陽生陰長地陰主殺故以陽殺陰藏天地雖高下不同而各有陰陽之運用也　新校正云詳此經與陰陽應象大論文重法頗異

天有陰陽地亦有陰陽　天有陰故能下降地有陽故能上騰是以各有陰陽也陰陽交泰故化變由之成也

木火土金水火地之陰陽也生長化收藏故陽中有陰陰中有陽　陰陽之氣極則過亢故各兼之陰陽應象大論曰寒極生熱熱極生寒又曰重陰必陽重陽必陰言氣極則變也故陽中兼陰陰中兼陽易之卦離中虛坎中實此其義象也

所以欲知天地之陰陽者應天之氣

動而不息故五歲而右遷應地之氣靜而守位故六朞而環會天有六氣地有五位天以六氣臨地地以五位承天天蓋以天氣不加君火故也以六加五則五歲而餘一氣故遷一位若以五承六則常六歲乃備盡天元之氣故六年而環會所謂周而復始也地氣左行往而不返天氣東轉常自火運數五歲巳其次氣正當君火氣之上法不加臨則右遷君火氣上以臨相火之上故曰五歲而右遷也由斯動靜上下相臨而天地萬物之情變化之機可見矣動靜相召上下相臨陰陽相錯而變由生也天地之道變化之徵其由是矣孔子曰天地設位而易行乎其中此之謂也　新校正云按五運行大論云上下相遘寒暑相臨氣相得則和不相得則病又云上者右行下者左行左右周天餘而復會帝曰上下周紀其有數乎鬼臾區曰天以六爲節地以五爲制周天氣者六朞爲一備終地紀者五歲爲一周六節謂六

氣之分五制謂五位之分位應一歲氣統一年故五歲爲一周六年爲一備備謂備歷天氣周謂周行地位所以地位六而言五者天氣不臨君火故也 君火以明相火以位 君火在右位立名於君位不立歲氣故天之六氣不偶其氣以行君火之政守位而奉天之命以宣行火令爾以名奉天故曰君火以名守位禀命故云相火以位 五六相合而七百二十氣爲一紀凡三十歲千四百四十氣凡六十歲而爲一周不及太過斯乃見矣 歷法一氣十五日因而乘之積七百二十氣卽三十年積千四百四十氣卽六十年也經云有餘而往不足隨之不足而往有餘從之故六十年中不及太過斯皆見矣 新校正云按六節藏象論云五日謂之候三候謂之氣六氣謂之時四時謂之歲而各從其主治焉五運相襲而皆治之終朞之日周而復始時立氣布如環無端候亦同法故曰不知年之所加氣之盛衰虛實之所起不可爲工矣 帝曰夫子之言上終天氣下畢地紀

可謂悉矣余願聞而藏之上以治民下以治身使百姓昭著上下和親德澤下流子孫無憂傳之後世無有終時可得聞乎安不忘危存不忘亡大聖之至教也求民之瘼恤民之隱大聖之深仁也鬼臾區曰至數之機迫迮以微其來可見其往可追敬之者昌慢之者亡無道行私必得天殃謂傳非其人授於情狎及寄求名利者也謹奉天道請言眞要申誓戒於君王乃明言天道至眞之要旨也帝曰善言始者必會於終善言近者必知其遠數術明著應用不差故故遠近於言始終無謬是則至數極而道不惑所謂明矣願夫子推而次之令有條理簡而不匱久而不絕易用難忘爲之綱紀至數之要願盡聞之簡省要也匱乏之

也久遠也要樞細也鬼臾區曰昭乎哉問明乎哉道如鼓之應桴響之應聲也桴鼓椎也響應聲也臣聞之甲巳之歲土運統之乙庚之歲金運統之丙辛之歲水運統之丁壬之歲木運統之戊癸之歲火運統之太始天地初分之時陰陽析位之際天分五氣地列五行五行定位布政於四方五氣分流散支于十干當是黃氣橫於甲巳白氣橫於乙庚黑氣橫於丙辛青氣橫於丁壬赤氣橫於戊癸故甲巳應土運乙庚應金運丙辛應水運丁壬應木運戊癸應火運太古聖人望氣以書天冊賢者謹奉以紀天元下論支義備矣新校正云詳運有太過不及平氣甲庚丙壬戊主太過乙辛丁癸巳主不及大法如此取平氣之法其說不一具如諸篇帝曰其於三陰三陽合之奈何鬼臾區曰子午之歲上見少陰丑未之歲上見太陰寅申之歲上見少陽卯酉

之歲上見陽明辰戌之歲上見太陽巳亥之歲上見厥陰少陰所謂標也厥陰所謂終也標謂上首也終謂當三甲六甲之終　新校正云詳午未寅酉戌亥之歲爲正化正司化令之實子丑申卯辰巳之歲爲對化對司化令之虛此其大法也　厥陰之上風氣主之少陰之上熱氣主之太陰之上濕氣主之少陽之上相火主之陽明之上燥氣主之太陽之上寒氣主之所謂本也是謂六元三陰三陽爲標寒暑燥濕風火爲本故云所謂本也天眞元氣分爲六化以統坤元生成之用徵其應用則六化不同本其所生則正是眞元之一氣故曰六元也　新校正云按別本六元作天元也　帝曰光乎哉道明乎哉論請著之玉版藏之金匱署曰天元紀

# 五運行大論篇第六十七

黃帝坐明堂始正天綱臨觀八極考建五常明堂布政宮也八極八方目極之所也考謂考校建謂建立也五常謂五氣行天地之中者也端居正氣以候天和請天師而問之曰論言天地之動靜神明爲之紀陰陽之升降寒暑彰其兆新校正云詳論謂陰陽應象大論及氣交變大論文彼云陰陽之往復寒暑彰其兆余聞五運之數於夫子夫子之所言正五氣之各主歲爾首甲定運余因論之鬼臾區曰土主甲巳金主乙庚水主丙辛木主丁壬火主戊癸子午之上少陰主之丑未之上太陰主之寅申之上少陽主之卯酉之上陽明主之辰戌之上太陽主之巳亥

之上厥陰主之不合陰陽其故何也首甲謂六甲之初則甲子年也

岐伯曰是明道也此天地之陰陽也上古聖人仰觀天象以正陰陽夫陰陽之道非不昭然而人昧宗源迷其本始則百端疑議從是而生黃帝恐至理眞宗便因誣廢慾念黎庶故啓問曰天師知道出從眞必非謬迷故對上曰是明道也此天地之陰陽也陰陽法曰甲巳合乙庚合丙辛合丁壬合戊癸合蓋取聖人仰觀天象之義不然則十干之位各在一方徵其離合事亦寥闊嗚呼遠哉百姓日用而不知爾故太上立言曰吾言甚易知甚易行天下莫能知莫能行此其類也　新校正云詳金主乙庚者乙者庚之柔庚者乙之剛大而言之陰與陽小而言之夫與婦是剛柔之事也餘並如此

夫數之可數者人中之陰陽也然所合數之可得者也夫陰陽者數之可十推之可百數之可千推之可萬天地陰陽者不可以數推以象之謂也言智識偏

淺不見原由雖所指彌遠其知彌近得其元始桴鼓非遥帝曰願聞其所始也岐伯曰昭乎哉問也臣覽太始天元冊文丹天之氣經于牛女戊分黅天之氣經于心尾己分蒼天之氣經于危室柳鬼素天之氣經于亢氐昴畢玄天之氣經于張翼婁胃所謂戊己分者奎壁角軫則天地之門戶也戊土屬乾己土屬巽遁甲經曰六戊爲天門六己爲地戶晨暮占雨以西北東南義取此雨爲土用濕氣生之故此占焉夫候之所始道之所生不可不通也帝曰善論言天地者萬物之上下左右者陰陽之道路未知其所謂也論謂天元紀及陰陽應象論也岐伯曰所謂上下者歲上下見陰陽之所在也左右者諸上見厥陰左少

陰右太陽見少陰左太陰右厥陰見太陰左少陽右少陰見少陽左陽明右太陰見陽明左太陽右少陽見太陽左厥陰右陽明所謂面北而命其位言其見也面向北而言之也上南也下北也左西也右東也帝曰何謂下岐伯曰厥陰在上則少陽在下左陽明右太陰少陰在上則陽明在下左太陽右少陽太陰在上則太陽在下左厥陰右陽明少陽在上則厥陰在下左少陰右太陽陽明在上則少陰在下左太陰右厥陰太陽在上則太陰在下左少陽右少陰所謂面南而命其位言其見也主歲者位在南故面北而言其左右在下者位在北故面南而言其左右也上天位也下地位也面

南左東也右西也上下異而左右殊也上下相遘寒暑相臨氣相得則和不相得則病木火相臨金水相臨水木相臨火土相臨土金相臨爲相得也上木相臨土水相臨水火相臨火金相臨金木相臨爲不相得也上臨下爲順下臨上爲逆逆亦欝抑而病生土臨相火君火之類者也帝曰氣相得而病者何也岐伯曰以下臨上不當位也六位相臨假令土臨火火臨木木臨水水臨金金臨土皆爲以下臨上不當位也父子之義子爲下父爲上以子臨父不亦逆乎帝曰動靜何如言天地之行左右也岐伯曰上者右行下者左行左右周天餘而復會也上天也下地也周天謂天周地五行之位也天垂六氣地布五行天順地而左迴地承天而東轉木運之後天氣常餘餘氣不加於君火却退一步加臨相火之上是以每五歲已退一位而右遷故曰左右周天餘而復會會遇也合也言天地之道常五歲畢則以餘氣遷加復與五行座位再相會合而爲歲法也周

天謂天周地位非周天之六氣也帝曰余聞鬼臾區曰應地者靜今夫子乃言下者左行不知其所謂也願聞何以生之乎詰異也　新校正云按鬼臾區言應地者靜見天元紀大論中岐伯曰天地動靜五行遷復雖鬼臾區其上候而已猶不能徧明不能徧明無求備也夫變化之用天垂象地成形七曜緯虛五行麗地地者所以載生成之形類也虛者所以列應天之精氣也形精之動猶根本之與枝葉也仰觀其象雖遠可知也觀五星之東轉則地體左行之理昭然可知也麗著也有形之物未有不依據物而得全者也帝曰地之爲下否乎言轉不居爲下乎爲否乎岐伯曰地爲人之下太虛之中者也言人之所居可謂下矣徵其至理則是太虛之中一物爾

易曰坤厚載物德合無疆此之謂也帝曰馮乎言太虛無礙地體何馮而止住岐伯曰大氣舉之也大氣謂造化之氣任持太虛者也所以太虛不屈地久天長者蓋由造化之氣任持之也氣化而變不任持之則太虛之器亦敗壞矣夫落葉飛空不疾而下爲其乘氣故勢不得速焉凡之有形處地之上者皆有生化之氣任持之也然器有大小不同壞有遲速之異及至氣不任持則大小之壞一也燥以乾之暑以蒸之風以動之濕以潤之寒以堅之火以溫之故風寒在下燥熱在上濕氣在中火遊行其間寒暑六入故令虛而生化也地體之中凡有六入一曰燥二曰暑三曰風四曰濕五月寒六月火受燥故乾性生焉受暑故蒸性生焉受風故動性生焉受濕故潤性生焉受寒故堅性生焉受火故溫性生焉此謂天之六氣也故燥勝則地乾暑勝則地熱風勝則地動濕勝則地泥寒勝則地裂

火勝則地固矣六氣之用 帝曰天地之氣何以候之岐伯曰天地之氣勝復之作不形於診也言平氣及勝復皆以形證觀察不以診知也 脈法曰天地之變無以脈診此之謂也天地之氣不以位故不當以脈知之 帝曰間氣何如岐伯曰隨氣所在期於左右於左右尺寸四部分位承之以知應與不應過與不過 帝曰期之奈何岐伯曰從其氣則和違其氣則病謂當沈不沈當浮不浮當濇不濇當鈎不鈎當弦不弦當大不大之類也 新校正云按至真要大論云厥陰之至其脈弦少陰之至其脈鈎太陰之至其脈沈少陽之至大而浮陽明之至短而濇太陰之至大而長至而和則平至而甚則病至而反則病至而不至者病未至而至者病陰陽逆者危 不當其位者病見于他位也 迭移其位者病謂左見右脈右見左脈氣差錯故病 失守其位者危已見於他鄉本

宮見賊殺之氣故病危**尺寸反者死**子午卯酉四歲有之反謂歲當陰在寸脉而反見於尺歲當陽在左而脉反見于寸尺寸俱乃謂反也若尺獨然或寸獨然是不應氣非反者也**陰陽交者死**寅申巳亥丑未辰戌八年有之交謂歲當陰在右脉反見左歲當陽在左脉反見右左右交見是謂交若左獨然或右獨然是不應氣非交也**先立其年以知其氣左右應見然後乃可以言死生之逆順**經言歲氣備矣新校正云詳此備六元正紀大論中**帝曰寒暑燥濕風火在人合之奈何其於萬物何以化生**合謂中外相應生謂承化而生化謂成立衆象也**岐伯曰東方生風**東者日之初風者教之始天之使也所以發號施令故生自東方也景霽山昏蒼埃際合崖谷若一嵓岫之風也黃白昏埃晚空如堵獨見天垂川澤之風也加以黃黑白埃承下山澤之猛風也**風生木**陽升風鼓草木敷榮故曰風生木也此和氣之生化也若風氣施化則飄揚敷折其爲變

極則木拔草除也運乘丁卯丁丑丁亥丁酉丁未丁巳之歲則風化不足若乘壬申壬午壬辰壬寅壬子壬戌之歲則風化有餘於萬物也　新校正云詳王注以丁壬分運之有餘不足或者以丁卯丁亥丁巳壬申壬寅五歲爲天符同天符正歲會非有餘不足爲平木運以王注爲非是不知大統也必欲細分雖除此五歲亦未爲盡下文火土金水運等並同此　**木生酸**萬物味酸者皆始自木氣之生化也**酸生肝**酸味入胃生養於肝藏**肝生筋**酸味入肝自肝藏布筋化生成于筋膜也**筋生心**酸氣榮養筋膜畢已自筋流化入乃于心**其在天爲玄**玄玄冥也丑之終東方白寅之初天色反黑太虛皆闇在天爲玄象可見　新校正云詳在天爲玄至化生氣七句通言六氣五行生化之大法非東方獨有之也而王注玄謂丑之終寅之初天色黑則專言在東方不兼諸方此注未通**在人爲道**正理之道生養之政化也**在地爲化**化生化也有生化而後有萬物萬物無非化氣以生成者也**化生五味**金玉土石草木菜果根莖枝葉花殼實核無識之類皆地

化生也**道生智**智正智也慮遠也知正則不疑于事慮遠則不涉於危以道處之理符於智靈樞經曰因慮而處物謂之智**玄生神**神用無方深微莫測迹見形隱物鮮能期由是則玄冥之中神明棲據隱而不見玄生神明也**化生氣**飛走蚑行鱗介毛倮羽五類變化內屬神機雖爲五味所荄然其生稟則異故又曰化生氣也此上七句通言六氣五行生化之大法非東方獨有之也新校正云按陰陽應象大論及天元紀大論無化生氣一句**神在天爲風**鳴紊啓坼風之化也振拉摧拔風之用也歲屬厥陰在上則風化于天歲厥陰在下則風行於地**在地爲木**長短曲直木之體也幹舉機發木之用也**在體爲筋**維結束絡筋之體也繻縱卷舒筋之用也**在氣爲柔**木化宣發風化所行則物體柔耎**在藏爲肝**肝有二布葉一小葉如木甲拆之象也各有支絡脉遊中以宣發陽和之氣魂之宮也爲將軍之官謀慮出焉乘丁歲則肝藏及經絡先受邪而爲病也膽府同**其性爲暄**暄溫也肝木之性也**其德爲和**敷布和氣於萬物木

之德也　新校正云按氣交變大論云其德敷和

**其用為動** 風搖而動無風則萬類皆靜　新校正云按木之用為動火太過之政亦為動蓋火木之主暴速故俱為動

**其色為蒼** 有形之類乘木之化則外色皆見薄青之色今東方之地草木之上色皆蒼遇丁歲則蒼物兼白及黃色不純也

**其化為榮** 榮美色也四時之中物見華榮顏色鮮麗者皆木化之所生也　新校正云按氣交變大論云其化生榮

**其蟲毛** 萬物發生如毛在皮

**其政為散** 發散生氣於萬物　新校正云按氣交變大論云其政舒啓詳木之政散平木之政發散木太過之政散土不及之氣散金之用散落木之災散落所以為散之異有六而散之義惟二一謂發散之散是木之氣也二謂散落之散是金之氣所為也

**其令宣發** 陽和之氣舒而散也

**其變摧拉** 摧拔成者也　新校正云按氣交變大論云其變振發

**其眚為隕** 隕墜也大風暴起草泯木墜　新校正云按氣交變大論云其災散落

**其味為酸** 夫物之化之變而有酸味者皆木氣之所成敗也今東方之野生味多酸

其志爲怒怒直聲也怒所以威物怒傷肝凡物之用極皆自傷也怒發於肝而反傷肝藏悲勝怒悲發而怒止勝之信也新校正云詳五志悲悲當爲憂蓋憂傷意悲傷魂故云悲勝怒也風傷肝亦由風之折木也風生于木而反折之用極而發新校正云按陰陽應象大論云風傷筋燥勝風風自木生燥爲金化風餘則制之以燥肝盛則治之以凉凉清所行金之氣也酸傷筋酸寫肝氣寫甚則傷其氣靈樞經曰酸走筋筋病無多食酸以此爾走筋謂宣行其氣速疾也氣血肉骨同新校正云詳注云靈樞經云乃是素問宣明五氣篇文按甲乙經以此爲素問王云靈樞經者誤也辛勝酸辛金味故勝木之酸酸餘則勝之以辛也南方生熱陽盛所生相火君火之政也太虛昬翳其若輕塵山川悉然熱之氣也大明不彰其色如丹鬱熱之氣也若行雲暴升從然葉積乍盈乍縮崖谷之熱也熱生火熱甚之氣火運盛明故曰熱生火火者盛陽之生化也熱氣施化則炎暑鬱燠其爲變極則燔灼銷融運乗癸酉癸未癸巳癸卯癸丑癸亥歲則熱化不足若

十五

乘戊辰戊寅戊子戊戌戊申戊午歲則熱化有餘火有君火相火故曰熱生火又云火也火生苦
物之味苦者皆始自火之生化也甘物遇火體焦則苦苦從火化其可徵也苦生心苦物入胃
化入於心故諸癸歲則苦化少諸戊歲則苦化多心生血苦味自心化已則布化生血脉血
生脾苦味營血已自血流化生養脾也其在天爲熱亦神化氣也暄暑鬱蒸熱之化
也炎赫沸騰熱之用也歲屬少陰少陽在上則熱化於天在下則熱行于地在地爲火光顯
炳明火之體也燔焚燒然火之用也在體爲脉流行血氣脉之體也壅泄虛實脉之用也絡脉
融屈在氣爲息息長也在藏爲心心形如未敷蓮花中有九空以導引天真之氣
神之宇也爲君主之官神明出焉乘癸歲則心與經絡受邪而爲病小腸府亦然其性爲暑
暑熱也心之氣性也其德爲顯明顯見象定而可取火之德也新校正云按氣交變大論云其
德彰顯其用爲躁火性躁動不專定也其色爲赤生化之物乘火化者悉表備赬

丹之色今南方之地草木之上皆兼赤色乘癸歲則赤色之物兼黑及白也 其化爲茂 茂蕃盛也 新校正云按氣交變大論云其化蕃茂 其蟲羽 參差長短象火之形 其政爲明 明曜彰見無所蔽匿火之政也 新校正云按氣交變大論云其政明曜又按火之政明水之氣明水火異而明同者火之明明于外水之明明于內明雖同而實異也 其令鬱蒸 鬱盛也蒸熱也言盛熱氣如蒸也 新校正云詳注謂鬱爲盛其義未安按王水注五常政大論云鬱謂鬱燠不舒暢也當如此解 其變炎爍 熱甚炎赫爍石流金火之極變也 新校正云按氣交變大論云其變銷爍 其眚燔焫 燔焫山川旋及屋宇火之災也 新校正云按氣交變大論云其災燔焫 其味爲苦 物之化之變而有苦味者皆火氣之所合散也今南方之野生物多苦 其志爲善 喜悅樂也悅以和志 喜傷心 言其過也喜發於心而反傷心亦由風之折木也過則氣竭故見傷也 恐勝喜 恐至則喜樂皆泯勝喜之理目擊道存恐則水之氣也 熱傷氣 天熱則氣

十六

伏不見人熱則氣促喘急熱之傷氣理亦可徵此皆謂大熱也小熱之氣猶生諸氣也陰陽應象大論云壯火散氣少火生氣此其義也**寒勝熱**寒勝則熱退陰盛則陽衰制熱以寒是求勝也**苦傷氣**大凡如此爾苦之傷氣以其燥也苦加以熱則傷尤甚也何以明之飲酒氣促多則喘急此其信也苦寒之物偏服歲久益火滋甚亦傷氣也暫以方治乃同少火反生氣也 新校正云詳此論所傷之旨有三東方曰風傷肝酸傷筋中央曰濕傷肉甘傷脾西方曰燥傷皮毛是自傷者也南方曰熱傷氣苦傷氣北方曰寒傷血鹹傷血是傷己所勝也西方曰熱傷皮毛是被勝傷己也凡此五方所傷之例有三若太素則俱云自傷焉**鹹勝苦**潤得鹹而解物理昭然火苦之勝制以水鹹**中央生濕**中央土也高山土濕泉出地中水源山隈雲生岩谷則其象也夫性内蘊動而爲用則雨降雲騰中央生濕不遠信矣故歷候記土潤溽暑於六月謂是也**濕生土**濕氣内蘊土體乃全濕則土生乾則土死死則庶類凋喪生則萬物滋榮此濕氣之化爾濕氣施化則土宅而雲騰雨降其爲變極則驟注土

崩也運乘己巳己卯己丑己亥己酉己未之歲則濕化不足乘甲子甲戌甲申甲午甲辰甲寅之歲則濕化有餘也

**土生甘**物之味甘者皆始自土之生化也**甘生脾**甘物入胃先入於脾故諸己歲則甘少化諸甲歲甘多化**脾生肉**甘味入脾自脾藏布化長生脂肉**肉生肺**甘氣營肉已自肉流化乃生養肺藏也**其在天為濕**言神化也柔潤重澤濕之化也埃鬱雲雨濕之用也歲屬太陰在上則濕化於天太陰在下則濕化於地**在地為土**敦靜安鎮聚散復形羣品以生土之體也含垢居穢靜而下民為變化母土之德也　新校正云詳注云靜而下民為土之德下民之義恐字誤也**在體為肉**覆裹筋骨氣發其間肉之用也疏密不時中外否閉肉之動也**在氣為充**土氣施化則萬象盈**在藏為脾**形象馬蹄內包胃脘象土形也經絡之氣交歸于中以營運真靈之氣意之舍也為倉廩之官化物出焉乘己歲則脾及經絡受邪而為病　新校正云詳肝心肺腎四藏注各言府同獨此注下言胃府同者剩文也**其性靜兼**兼謂兼寒熱暄

七

凉之氣也白虎通曰脾之為言并也謂四氣并之也其德為濡濡濕潤澤土之德也新校正云按氣交變大論云其德溽蒸其用為化化謂兼諸四化并已為五化所謂風化熱化燥化寒化周萬物而為生長化成收藏也其色為黃物乘土化則表見黅黃之色今中央之地草木之上皆兼黃色乘巳歲則黃黑之物兼蒼及黑其化為盈盈滿也土化所及則萬物盈滿新校正云按氣交變大論云其化豐備其蟲倮倮露皮革無毛介也其政為謐謐靜也土性安靜新校正云按氣交變大論云其政安靜詳土之政謐水太過其政謐者蓋水太過而土下承之故其政亦謐其令雲雨濕氣布化之所成其變動注動反靜也地之動則土失性風搖不安注雨久下也久則垣岸復為土矣新校正云按氣交變大論云其變驟注其眚淫潰淫久雨也潰土崩潰也新校正云按氣交變大論云其災霖潰其味為甘物之化之變而有甘味者皆土化之所終始也今中原之地物味多甘淡其志為思思以成務新校正云

按靈樞經云因志而存變謂之思**思傷脾**思勞於智過則傷脾**怒勝思**怒則不思忿而忘禍則勝可知矣思甚不解以怒制之調性之道也**濕傷肉**濕甚為水水盈則腫水下去已形肉已消傷肉之驗近可知矣**風勝濕**風木氣故勝土濕濕甚則制之以風**甘傷脾**過節也新校正云按陰陽應象大論云甘傷肉**酸勝甘**甘餘則制之以酸所以救脾氣也**西方生燥**陽氣已降陰氣復升氣爽風勁故生燥也夫巖谷青埃川源蒼翠烟浮草木遠望氤氳此金氣所生燥之化也夜起白露輕如微霧遐邇一色星月皎如此萬物陰成亦金氣所生白露之氣也太虛埃昏氣鬱黃黑視不見遠無風自行從陰之陽如雲如霧此殺氣也亦金氣所生霜之氣也山谷川澤濁昏如霧氣鬱蓬勃慘然戚然咫尺不分此殺氣將用亦金氣所生運之氣也天雨大霖和氣西起雲卷陽曜太虛廓清燥生西方義可徵也若西風大起木偃雲騰是為燥與濕爭氣不勝也故當復雨然西風雨晴天之常氣假有東風雨止必有西風復雨因雨而乃自晴觀是之為則氣有往復動有燥濕變化之象不

同其用矣由此則天地之氣以和爲勝暴發奔驟氣所不勝則多爲復也燥生金氣勁風切金鳴聲遠燥生之信視聽可知此則燥化能令萬物堅定也燥之施化於物如是其爲變極則天地悽慘肅殺氣行人悉畏之草木凋落運乘乙丑乙卯乙巳乙未乙酉乙亥之歲則燥化不足乘庚子庚寅庚辰庚午庚申庚戌之歲則燥化有餘歲氣不同生化異也金生辛物之有辛味者皆始自金化之所成也辛生肺辛物入胃先入於肺故諸乙歲則辛少化諸庚歲則辛多化肺生皮毛辛味入胃自肺藏布化生皮毛也皮毛生腎辛氣自入皮毛乃流化生氣入腎藏也其在天爲燥神化也霧露清勁燥之化也肅殺凋零燥之用也歲屬陽明在上則燥化于天陽明在下則躁行于地者也在地爲金從革堅剛金之體也鋒劒銛束金之用也新校正云按別本銛作括在體爲皮毛柔韌包裹皮毛之體也滲泄津液皮毛之用也在氣爲成物乘金化則呈成在藏爲肺肺之形似人肩二布布葉數小葉中有二十四空行列以

分布諸藏濁之氣主藏鬼也爲相傳之官治節出爲秉乙歲則肺與經絡受邪而爲病也大腸府亦然**其性爲涼**涼清也肺之性也**其德爲淸**金以清涼爲德化新校正云按氣交變大論云其德清潔**其用爲固**固堅定也**其色爲白**物秉金化則表彰縞素之色兮西方之野草木之上色皆兼白秉乙歲則白色之物兼赤及蒼也**其化爲斂**斂收也金化流行則佛體堅斂新校正云按氣交變大論云其化緊斂詳金之化爲斂而本不及之氣亦斂者蓋木不及而金勝之故爲斂也**其蟲介**介甲也外被介甲金堅之象也**其政爲勁**勁前銳也新校正云按氣交變大論云其政勁切**其令霧露**涼氣化生**其變肅殺**天地慘淒人所不喜則其氣也**其眚蒼落**青乾而凋落**其味爲辛**夫物之化之變而有辛味者皆金氣之所離合也今西方之野草本多辛**其志爲憂**憂慮也思也新校正云詳主注以憂爲思害於義按本論思爲脾之志憂爲肺之志是憂非思明矣又靈樞經曰愁憂則閉塞而不行又云愁

十九

憂而不解則傷意若是則憂者愁也非思也

**憂傷肺**愁憂則氣閉塞而不行肺藏氣故憂傷肺

**喜勝憂**神悅則喜故喜勝憂

**熱傷皮毛**火有二別故此再舉熱傷之形證也火氣薄爍則物焦乾故熱氣燥則皮毛傷也

**寒勝熱**以陽消陰故寒勝熱新校正云按太素作燥傷皮毛熱勝燥

**辛傷皮毛**過節也辛熱又甚焉

**苦勝辛**苦火味故勝金之辛

**北方生寒**陽氣伏陰氣升政布而大行故寒生也太虛澄淨黑氣浮空天色黯然高空之寒氣也若氣似散麻本末皆黑微見川澤之寒氣也太虛清白空猶雪映遐邇一色山谷之寒氣也太虛白昏火明不翳如霧雨氣遐邇肅然北望色玄凝雰夜落此水氣所生寒之化也太虛凝陰白埃昏翳天地一色遠視不分此寒濕凝結雪之將至也地裂水冰河渠乾涸枯澤浮鹹木歛土堅是土勝水水不得自清水所生寒之用也

**寒生水**寒資陰化水所由生此寒氣之生化爾寒氣施化則水冰雪雰其為變極則水涸冰堅運乘丙寅丙子丙戌丙申丙午丙辰之歲則寒化大行乘辛未辛巳辛卯辛丑辛亥辛酉之歲則寒化

少

**水生鹹**物之有鹹味者皆始自水化之所成結也水澤枯涸鹵鹹乃蓄滄海味鹹鹽從水化則鹹因水產其事炳然煎水味鹹近而可見**鹹生腎**鹹物入胃先歸於腎故諸丙歲鹹物多化諸辛歲鹹物少化**腎生骨髓**鹹味入腎自腎藏布化生養骨髓也**髓生肝**鹹氣自生骨髓乃流化生氣入肝藏也**其在天為寒**神化也凝慘冰雪寒之化也凜冽霜雹寒之用也歲屬太陽太陽在上則寒化於天太陽在下則寒行於地**在地為水**陰氣布化流於地中則為水泉澄澈流衍水之體也漂蕩沒溺水之用也**在體為骨**強幹堅勁骨之體也包裹髓腦骨之用也**在氣為堅**柔耎之物遇寒則堅寒之化也**在藏為腎**腎藏有二形如豇豆相並而曲附於膂筋外有脂裹裏白表黑主藏精也為作強之官伎巧出焉乘辛歲則腎藏及經絡受邪而為病膀胱府同**其性為凜**凜寒也腎之性也**其德為寒**水以寒為德化新校正云按氣交變大論其德淒滄**其用為**本闕**其色為黑**物稟水成則表被玄黑之色今

二十

北方之野草木之上色皆兼黑乘辛歲則黑色之物兼黃及赤也新校正云按氣交變大論云其化淸謐詳水之化爲肅而金之政太過者爲肅平金之政勁肅金之變肅殺者何也蓋水之化肅者肅靜也金之政肅者肅殺也文雖同而事異者也**其化爲肅**肅靜也**其蟲鱗**鱗謂魚蛇之族類**其政爲靜**水性澄澈而淸靜新校正云按氣交變大論云其政凝肅詳水之政爲靜而平土之政安靜土太過之政亦爲靜土不及之政亦爲靜定水土異而靜同者非同也水之靜淸淨也土之靜安靜也**其令**本闕**其變凝冽**寒甚故致是新校正云按氣交變大論云其變凜冽**其眚冰雹**非時而有及暴過也新校正云按氣交變大論云其災冰雪霜雹**其味爲鹹**夫物之化之變而有鹹味者皆水化之所凝散也今北方川澤地多鹹鹵**其志爲恐**恐以遠禍**恐傷腎**恐甚動中則傷腎靈樞經曰恐懼而不解則傷精腎藏精故精傷而傷及於腎也**思勝恐**思見禍機故無憂恐思一作憂非也**寒傷血**明勝心也寒甚血凝故傷血也**燥**

勝寒寒化則水積燥用則物堅燥與寒兼故相勝也天地之化物理之常也鹹傷血味過於鹹則咽乾引飲傷血之義斷可知矣甘勝鹹渴飲甘泉咽乾自已甘爲土味故勝水鹹新校正云詳自上岐伯曰至此與陰陽應象大論同小有增損而注頗異五氣更立各有所先當其歲時氣乃先也非其位則邪當其位則正先立運然後知非位與當位者也帝曰病生之變何如岐伯曰氣相得則微不相得則甚木居火位火居土位土居金位金居水位水居木位木居君位如是者爲相得又木居水位水居金位金居土位土居火位火居木位如是者雖爲相得終以子僣居父母之位下陵其上猶爲小逆也木居金土位火居金水位土居水木位金居火木位水居火土位如是者爲不相得故病甚也皆先立運氣及司天之氣則氣之所在相得與不相得可知矣帝曰主歲何如岐伯曰氣有餘則制己所勝而侮所不勝其不及則己所

不勝侮而乘之已所勝輕而侮之木餘則制土輕忽於金以金氣不爭故木恃其餘而欺侮也又木少金勝土反侮木以木不及故土妄凌之也四氣卒同侮謂而凌忽之也侮反受邪或以已强盛或遇彼衰微不度卑弱妄行凌忽雖侮而求勝故終必受邪侮而受邪寡於畏也受邪各謂受已不勝之邪也然捨已宮觀適他鄉邪外強中乾邪盛眞弱寡於畏由是納邪故曰寡於畏也新校正云按六節藏象論曰未至而至此謂太過則薄所不勝而來所勝命曰氣淫至而不至此謂不及則所勝妄行而所生受病所不勝而薄之命曰氣迫即此之義也

帝曰善

# 六微旨大論篇第六十八

黄帝問曰嗚呼遠哉天之道也如迎浮雲若視深淵視深淵尚可測迎浮雲莫知其極深淵静瀅而澄澈故視之可測其深淺浮雲飄泊而合散故迎之莫詣其邊涯言蒼天之象如淵可視乎鱗介運化之道猶雲莫測其去留六氣深微其於運化當知是驗矣 新校正云詳此文與疏五過論文重夫子數言謹奉天道余聞而藏之心私異之不知其所謂也願夫子溢志盡言其事令終不滅久而不絶天之道可得聞乎運化生成之道也岐伯稽首再拜對曰明乎哉問天之道也此因天之序盛衰之時也帝曰願聞天道六六之節盛衰何也六六之節經已答問天師未敷其旨故重問之岐伯曰上下有

位左右有紀上下謂司天地之氣二也餘左右四氣在歲之左右也故少陽之右陽明治之陽明之右太陽治之太陽之右厥陰治之厥陰之右少陰治之少陰之右太陰治之太陰之右少陽治之此所謂氣之標蓋南面而待也標末也聖人南面而立以閱氣之至也故曰因天之序盛衰之時移光定位正立而待此之謂也移光謂日移光定位謂面南觀氣正立觀歲數氣之至則氣可待之也少陽之上火氣治之中見厥陰少陽南方火故上見火氣治之與厥陰合故中見厥陰也陽明之上燥氣治之中見太陰陽明西方金故上燥氣治之與太陰合故燥之下中見太陰也太陽之上寒氣治之中見少陰太陽北方水故上寒氣治之與少陰合故寒氣之下中見少陰也　新校正云按六元正紀大論云

太陽所至爲寒生中爲温與此義同厥陰之上風氣治之中見少陽厥陰東方木故上風氣治之與少陽合故風氣之下中見少陽也少陰之上熱氣治之中見太陽少陽東南方君火故上熱氣治之與太陽合故熱氣之下中見太陽也新校正云按六元正紀大論云少陰所至爲熱生中爲寒與此義同太陰之上濕氣治之中見陽明太陰西南方土故上濕氣治之與陽明合故濕氣之下中見陽明也所謂本也本之下中之見也見之下氣之標也本謂元氣也氣則爲主則文言著矣新校正云詳注云文言著矣疑誤本標不同氣應異象本者應之元標者病之始病生形用求之標方施其用求之本標本不同求之中見法萬全新校正云按至眞要大論云六氣標本不同氣有從本者有標本者有不從標本者少陽太陰從本少陰太陽從本從標陽明厥陰不從標本從乎中故從本者化生於本從標本者有標本之化從中者以中氣爲化帝曰其有至

二十二

而至有至而不至有至而太過何也皆謂天之六氣也初之氣起於立春前十五日餘二三四五終氣次至而分治六十日餘八十七刻半岐伯曰至而至者和至而不至來氣不及也未至而至來氣有餘也時至而氣至和平之應此則爲平歲也假令甲子歲氣有餘於癸亥歲未當至之期先時而至也乙丑歲氣不足於甲子歲當至之期後時而至也故曰來氣不及來氣有餘也言初氣之至期如此歲氣有餘六氣之至皆先時歲氣不及六氣之至皆後時先時後至後時先至各差十三日而應也　新校正云按金匱要略云有未至而至有至而不至有至而不去有至而太過冬至之後得甲子夜半少陽起少陰之時陽始生天得溫和以未得甲子天因溫和此爲未至而至也以得甲子而天未溫和此爲至而不至以得甲子而天寒不解此爲至而不去以得甲子而天溫如盛夏時此爲至而太過此亦論氣應之一端也帝曰至而不至未至而至如何言太過不及歲當至晚至早之時應也

岐伯曰：應則順，否則逆，逆則變生，變則病。當期爲應，愆時爲否。天地之氣生化不息，無止礙也。不應有而有，應有而不有，是造化之氣失常。失常則氣變，變常則氣血紛撓而爲病也。天地變而失常，則萬物皆病。帝曰：善。請言其應。岐伯曰：物生其應也，氣脉其應也。物之生榮有常時，脉之至有常期。有餘歲早，不及歲晚，皆依期至也。帝曰：善。願聞地理之應六節氣位何如？岐伯曰：顯明之右，君火之位也；君火之右，退行一步，相火治之；日出謂之顯明，則卯地氣分春也。自春分後六十日有奇，斗建卯正至于巳正，君火位也。自斗建巳正至未之中，三之氣分，相火治之，所謂少陽也。君火之位，所謂少陰，熱之分也，天度至此，暄淑大行，居熱之分，不行炎暑，君之德也。少陽居之爲僭逆，大熱早行，疫癘乃生；陽明居之爲温凉不時；太陽居之爲寒雨間熱；厥陰居之爲風濕，雨生羽蟲；少陰居之爲天下疵疫，以其得位，君令宣行故也；太陰居之爲時雨。火有二位故以君火爲六氣之始也相火則夏至日前後各三十日也少陽之分火之位也天度至此炎熱大行少陽居之爲熱暴至草萎河乾炎亢濕化晚布陽明居之爲涼氣間發大陽居之爲寒氣間至熱爭冰雹厥陰居之爲風勝太行雨生羽蟲少陰居之爲大暑炎亢太陰居之爲雲雨雷電退謂南面視之在位之右也一步凡六十日又八十七刻半餘氣同法

【復行一步土氣治之】雨之分也

即秋分前六十日而有奇斗建未正至酉之中四之氣也天度至此雲雨大行濕蒸乃作少陽居之爲炎熱沸騰雲雨雷雹陽明居之爲清雨霧露太陽居之爲寒雨害物厥陰居之爲暴風雨摧拉雨生倮蟲少陰居之爲寒熱氣反用山澤浮雲暴雨溽蒸太陰居之爲大雨霪霪

【復行一步金氣治之】燥之分也

即秋分後六十日而有奇自斗建酉正至亥之中五之氣也天度至此萬物皆燥少陽居之爲溫清更正萬物乃榮陽明居之爲大涼燥疾太陽居之爲早寒厥陰居之爲涼風大行雨生介蟲少陰居之爲秋濕熱病時行太陰居之爲時雨沈陰

【復行一步水氣治之】寒之分也

即冬至日前後各三十日自斗建亥至丑之中六之氣也天度至此寒氣大行少陽居之爲冬溫蟄蟲不藏流水不冰陽明居之爲燥寒勁切太陽居之爲大寒凝冽厥陰居之爲寒風飄揚雨生鱗蟲少陰居之爲蟄蟲出見流水不冰太陰虱居之爲凝陰寒雪地氣濕也**復行一步木氣治之**之分也即春分前六十日而有奇也自斗建丑正至卯之中初之氣也天度至此風氣乃行天地神明號令之始也天之使也少陽居之爲溫疫至陽明居之爲清風霧露朦昧太陽居之爲寒風切冽霜雪水冰厥陰居之爲大風發榮雨生毛蟲少陰居之爲熱風傷人時氣流行太陰居之爲風雨凝陰不散**復行一步君火治之**熱之分也復春分始也自斗建卯正至巳之中二之氣也凡此六位終紀一年六六三百六十日六八四百八十刻六七四十二刻其餘半刻積而爲三約終三百六十五度也餘奇細分率之可也**相火之下水氣治之**熱盛水承條蔓柔弱湊潤衍溢水象可見新校正云按六元正紀大論云少陽所至爲火生終爲蒸溽則水承之義可見又云少陽所至爲飄風燔

二十五

燎霜凝亦下承之水氣也**水位之下土氣承之**寒甚物堅水冰流涸土象斯見承下明矣　新校正云按六元正紀大論云太陽所至爲寒雪冰雹白埃則土氣承之之義也**土位之下風氣承之**疾風之後時雨乃零是則濕爲風吹化而爲雨　新校正云按六元正紀大論云太陰所至爲濕生終爲注雨則土位之下風氣承之而爲雨也又云太陰所至爲雷霆驟注烈風則風承之義也**風位之下金氣承之**風動氣清萬物皆燥金承木下其象昭然　新校正云按六元正紀大論云厥陰所至爲風生終爲肅則金承之之義可見又云厥陰所至爲飄怒大涼亦金承之義也**金位之下火氣承之**鍛金生熱則火流金乘火之上理無妄也　新校正云按六元正紀大論云陽明所至爲散落溫則火乘之義也**君火之下陰精承之**君火之位大熱不行蓋爲陰精制承其下也諸以所勝之氣乘於下者皆折其標盛此天地造化之大體爾　新校正云按六元正紀大論云少陰所至爲熱生中爲寒則陰承之義可知又云少陰所至爲大暄寒亦

其義也又按六元正紀云水發而雹雪土發而飄驟木發而毀折金發而清明火發而曛昧何氣使然曰氣有多少發有微甚微者當其氣甚者兼其下徵其下氣而見可知也所謂徵其下者即此六承氣也

帝曰何也岐伯曰亢則害承迺制制則生化外列盛衰害則敗亂生化大病亢過極也物惡其極帝曰盛衰何如岐伯曰非其位則邪當其位則正邪則變甚正則微帝曰何謂當位岐伯曰木運臨卯火運臨午土運臨四季金運臨酉水運臨子所謂歲會氣之平也非太過非不及是謂平運主歲也平歲之氣物生脈應皆必合期無先後也　新校正云詳木運臨卯丁卯歲也火運臨午戊午歲也土運臨四季甲辰甲戌己丑己未歲也金運臨酉乙酉歲也水運臨子丙子歲也內戊午己巳己未乙酉又爲太乙天符

帝曰非位何如岐伯曰歲不與會也

不與本辰相逢會也帝曰土運之歲上見太陰火運之歲上見少陽少陰少陰少陽皆火氣金運之歲上見陽明木運之歲上見厥陰水運之歲上見太陽奈何岐伯曰天之與會也天氣與運氣相逢會也新校正云詳土運之歲上見太陰己丑己未也火運之歲上見少陽戊寅戊申也上見少陰戊子戊午也金運之歲上見陽明乙卯乙酉也木運之歲上見厥陰丁巳丁亥也上見水運之歲上見太陽丙辰丙戌內己丑己未戊午乙酉又爲太乙天符按六元正紀大論云太過而同天化者三不及而同天化者亦三戊子戊午太徵上臨少陰戊寅戊申太徵上臨少陽丙辰丙戌太羽上臨太陽如是者三丁巳丁亥少角上臨厥陰乙卯乙酉少商上臨陽明己丑己未少宮上臨太陰如是者三臨者太過不及者皆曰天符故天元冊曰天符天符歲會何如岐伯曰太一天符之會也是謂三合一者天會二者歲會三者運會也六元紀大論曰三

令爲治此之謂也　新校正云按太一天符之詳其天元紀大論註中　帝曰：其貴賤何如？岐伯曰：天符爲執法，歲位爲行令，太一天符爲貴人。執法猶相輔，行令猶方伯，貴人猶君主。帝曰：邪之中也奈何？岐伯曰：中執法者，其病速而危；執法官人之繩準，自爲邪僻，故病速而危。中行令者，其病徐而特；方伯無執法之權，故無速害，病但執持而已。中貴人者，其病暴而死。義無凌犯，故病則暴而死。帝曰：位之易也何如？岐伯曰：君位臣則順，臣位君則逆。逆則其病近，其害速；順則其病遠，其害微。所謂二火也。相火居君火，是臣位居君位，故逆也；君火居相火，是君居臣位，君臨臣位，故順也。遠謂里遠，近謂里近也。帝曰：善。願聞其步何如？岐伯曰：所謂步者，六十度而有奇，奇謂八十七刻又十分刻之五也。故二十四步積盈百刻而成日也此言天度之餘也夫言周天之度者三百六十五度四分度之一也二十四步正四歲也四分度之一二十五刻也四歲氣乘積已盈百刻故成一日度一日也帝曰六氣應五行之變何如岐伯曰位有終始氣有初中上下不同求之亦異也位地位也氣天氣也氣與位互有差移故氣之初天用事氣之中地主之地主則氣流于地天用則氣騰於天初與中皆分天步而率刻爾初中各三十日餘四十三刻四分刻之三也帝曰求之奈何岐伯曰天氣始於甲地氣始於子子甲相合命曰歲立謹候其時氣可與期子甲相合命曰歲立則甲子歲也謹候水刻早晏則六氣悉可與期爾帝曰願聞其歲六氣始終早晏何如岐伯曰明乎哉問也甲子之歲初之氣天數始於水下一刻常起于平明寅初一刻艮

中之南也　新校正云按戊辰壬申丙子庚辰甲申
戊子壬辰丙申庚子甲辰戊申壬子丙辰庚申歲同
此所謂辰申子歲氣會同陰陽法以是爲三合終於八十七刻半子正之中夜之半也
外十二刻半入于二氣之初諸餘刻同入也二之氣始於八十七刻六分
子中之左也終於七十五刻戌之後四刻也外二十五刻入次三氣之初率三之
氣始於七十六刻亥初之一刻終於六十二刻半酉正之中也外
三十七刻半差入後四之氣始於六十二刻六分酉中之北終於五
十刻未後之四刻也外五十刻差入後五之氣始於五十一刻申初之一
刻終於三十七刻半午正之中晝之半也外六十二刻半差入後六之氣
始於三十七刻六分午中之酉終於二十五刻辰正之後四刻外七
十五刻差入後所謂初六天之數也天地之數二十四氣乃大會而同故命此曰初

二十八

六天數也乙丑歲初之氣天數始於二十六刻巳初之一刻新校正云按巳巳癸酉丁丑辛巳乙酉巳丑癸巳丁酉辛丑乙巳巳酉癸丑丁巳辛酉歲同所謂巳酉丑歲氣會同也終於一十二刻半卯正之中二之氣始於一十二刻六分卯中之南終於水下百刻丑後之四刻三之氣始於一刻又寅初之一刻終於八十七刻半子正之中四之氣始於八十七刻六分子中正東終於七十五刻戌後之四刻五之氣始於七十六刻亥初之一刻終於六十二刻半酉正之中六之氣始於六十二刻六分酉中之北終於五十刻未後之四刻所謂六二天之數也一六爲初六二六爲六二名次也丙寅歲初之氣天數始於五十一刻申初之一刻新校正云按庚午甲戌戊寅壬午丙戌庚寅甲午戊戌壬寅丙午庚

戊甲寅戊午壬戌戊歲同此所謂寅午戌歲氣會同終於三十七刻半午正之中二之氣始於三十七刻六分午中之西終於二十五刻辰後之四刻三之氣始於二十六刻巳初之一刻終於一十二刻半卯正之中四之氣始於一十二刻六分卯中之南終於水下百刻丑後之四刻五之氣始於一刻寅初之一刻終於八十七刻半子正之中六之氣始於八十七刻六分子中之左終於七十五刻戌後之四刻所謂六三天之數也丁卯歲初之氣天數始於七十六刻亥初之一刻新校正云按辛未乙亥巳卯癸未丁亥辛卯乙未巳亥癸卯丁未辛亥乙卯巳未癸亥歲同此所謂卯未亥歲氣會同終於六十二刻半酉正之中二之氣始於六十二刻六分酉中之北終於五十刻未後

二十九

之四刻　三之氣始於五十一刻申初之二刻終於三十七刻半午正之中四之氣始於三十七刻六分午中之西終於二十五刻辰後之四刻五之氣始於二十六刻巳初之一刻終於一十二刻半卯正之中六之氣始於一十二刻六分卯中之南終於水下百刻丑後之四刻所謂六四天之數也次戊辰歲初之氣復始於一刻常如是無已周而復始始自甲子年終於癸亥歲常以四歲爲一小周一十五周爲一大周以辰命歲則氣可與期帝曰願聞其歲候何如岐伯曰悉乎哉問也日行一周天氣始於一刻甲子歲也日行再周天氣始於二十六刻乙丑歲也日行三周天氣始於五十一刻丙寅歲也日行四周天氣始於

七十六刻丁卯歲也日行五周天氣復始於一刻戊辰歲也餘五十五歲循環周而復始矣所謂一紀也法以四年為一紀循環不已餘三歲一會同故有三合也是故寅午戌歲氣會同卯未亥歲氣會同辰申子歲氣會同巳酉丑歲氣會同終而復始陰陽法以是為三合者緣其氣會同也不爾則各在一方義無由合帝曰願聞其用也岐伯曰言天者求之本言地者求之位言人者求之氣交本謂天六氣寒暑燥濕風火也三陰三陽由是生化故云本所謂六元者也位謂金木火土水君火也天地之氣上下相交人之所處者也帝曰何謂氣交岐伯曰上下之位氣交之中人之居也自天之下地之上則二氣交合之分也人居地上故氣交合之中人之居也是以化生變易皆在氣交之中故曰天樞之上天氣主之天樞之下

地氣主之氣交之分人氣從之萬物由之此之謂也天樞當齊之兩傍也所謂身半矣伸臂指天則天樞正當身之半也三分折之上分應天下分應地中分應氣交天地之氣交合之際所遇寒暑燥濕風氣勝復之變之化故人氣從之萬物生化悉由而合散也

帝曰何謂初中岐伯曰初凡三十度而有奇中氣同法奇謂三十日餘四十三刻又四十分刻之三十也初中相合則六十日餘八十七刻半也以各餘四十分刻之三十故云中氣同法也

帝曰初中何也岐伯曰所以分天地也以是知氣高下生人病主之也

帝曰願卒聞之岐伯曰初者地氣也中者天氣也氣之初天用事天用事則地氣上騰於太虛之內氣之中地氣主之地氣主則天氣下降于有質之中

帝曰其升降何如岐伯曰氣之升降天地之更用也升謂上升降謂下降升極則降降極則升升降不已故彰天地之更

用也

帝曰：願聞其用何如？岐伯曰：升已而降，降者謂天；降已而升，升者謂地。氣之初，地氣升；氣之中，天氣降。升已而降，以下彰天氣之下流；降已而升，以上表地氣之上應。天氣下降，地氣上騰，天地交合，泰之象也。易曰：天地交泰。是以天地之氣升降，常以三十日半下上，下上不已，故萬物生化，無有休息，而各得其所也。天氣下降，氣流于地；地氣上升，氣騰於天。故高下相召，升降相因，而變作矣。氣有勝復，故變生也。新校正云：按六元正紀大論云：天地之氣，盈虛何如？曰：天氣不足，地氣隨之；地氣不足，天氣從之；運居其中而常先也。惡所不勝，歸所和同，隨運歸從而生其病也。故上勝則天氣降而下，下勝則地氣遷而上，多少而差其分，微者小差，甚者大差，甚則位易氣交，易則大變生而病作矣。

帝曰：善。寒濕相遘，燥熱相臨，風火相值，其有聞乎？岐伯曰：氣有勝復，勝復之作，有德有化，有用有變變則邪氣居之夫撫掌成聲沃火生滯物之交合象出其間蔚類交合亦由是矣天地交合則八風鼓拆六氣交馳於其間故氣不能正者反成邪氣帝曰何謂邪乎邪者不正之目也天氣勝復則寒暑燥濕風火六氣互爲邪也岐伯曰夫物之生從於化物之極由乎變變化之相薄成敗之所由也夫氣之有生化也不見其形不知其情莫測其所起莫究其所止而萬物自生自化近成無極是謂天和見其象彰其動震烈剛暴飄泊驟卒拉堅摧殘摺拆鼓慄是謂邪氣故物之生也靜而化成其毀也躁而變革是以生從於化極由乎變變化不息則成敗之由常在生有涯分者言有終始爾新校正云按天元紀大論云物生謂之化物極謂之變也故氣有往復用有遲速四者之有而化而變風之來也天地易位寒暑移方水火易處當動用時氣之遲速往復故不常在雖不可究識意端然微甚之用而爲化爲變風所由來也人氣不勝因而感之故病生焉風匪求勝於人

也
帝曰遲速往復風所由生而化而變故因盛衰之變耳成敗倚伏遊乎中何也夫倚伏者禍福之萌也有禍者福之所依也有福者禍之所伏也由是故禍福互爲倚伏物盛則衰樂極則哀是福之極故爲禍所倚否極之泰未濟之濟是禍之極故爲福所伏然吉凶成敗目擊道存不可以終自然之理故無尤也岐伯曰成敗倚伏生乎動動而不已則變作矣動靜之理氣有常運其微也爲物之化其甚也爲物之變化流於物故物得之以生變行於物故物得之以死由是成敗倚伏生于動之微甚遲速爾豈唯氣獨有是哉人在氣中養生之道進退之用當皆然也　新校正云按至真要大論云陰陽之氣清靜則化生治動則苛疾起此之謂也帝曰有期乎岐伯曰不生不化靜之期也人之期可見者二也天地之期不可見也夫二可見者一曰生之終也其二曰變易與土同體然後捨小生化歸於大化以死後猶化變未已故可見者二也天地終極人壽有分長短

不相及故人見之者鮮矣帝曰不生化乎言亦有不生不化者乎岐伯曰出入廢則神機化滅升降息則氣立孤危出入謂喘息也升降謂化氣也夫毛羽倮鱗介及飛走蚑行皆生氣根于身中以神爲動靜之主故曰神機也然金玉土石鎔埏草木皆生氣根於外假氣以成立主持故曰氣立也五常政大論曰根于中者命曰神機神去則機息根于外者命曰氣立氣止則化絕此之謂也故無是四者則神機與氣立者生死皆絕新校正云按易云本乎天者親上本乎地者親下周禮大宗伯有天産地産大司徒云動物植物即此神機氣立之謂也故非出入則無以生長壯老已非升降則無以生長化收藏夫自東自西自南自北者假出入息以爲化主因物以全質者陰陽升降之氣以作生源若非此道則無能致是十者也是以升降出入無器不有包藏生氣者皆謂生化之器觸物然矣夫竅橫者皆有出入去來之氣竅豎者皆有陰陽升降之氣往復於中何以明之則壁

窻戶牖兩面伺之皆承來氣衝擊於人是則出入氣也夫陽升則井寒陰升則水煖以物投井及葉墜空中翩翩不疾皆升氣所礙也虛管溉滿捻上懸之水固不泄爲無升氣而不能降也空瓶小口頓溉不入爲氣不入而不能入也由是觀之升無所不降無所不升無出則不入無入則不出夫羣品之中皆出入升降不失常守而云非化者未之有也有識無識有情無情去出入已升降而云存者未之有也故曰升降出入無器不有

**故器者生化之宇器散則分之生化息矣**

器謂天地及諸身也宇謂屋宇也身形包藏府藏受納神靈與天地同故皆名器也諸身者小生化之器宇太虛者廣生化之器宇也生化之器自有小大

**故無不出入無不升降**

眞生假立形器者無不有此二者

**化有小大期有遠近**

近者不見遠謂遠者無涯遠者無常見近而歎有其涯矣既近遠不同期合散殊時節郎有無交競異見常乖及至分散之時則近遠同歸於一變

**四者之有而貴常守**

四者

謂出入升降也有出入升降則爲常守有出無入有入無出有升無降有降無升則非生之氣也若非胎息道成居常而生則未之有屏出入息泯升降氣而能存其生化者故貴常守**反常則災害至矣**出入升降生化之元生故不可無之反常之道則神去其室生之微絕非災害而何哉**故曰無形無患此之謂也**夫喜逐悅色畏難懼禍外惡風寒暑濕內繁饑飽愛欲皆以形無所隱故常嬰患累於人間也若便想慕滋蔓嗜慾無厭外附權門內豐情僞則動以牢網坐招燔焫欲思釋縛其可得乎是以身爲患階爾老子曰吾所以有大患者爲吾有身及吾無身吾有何患此之謂也夫身形與大虛釋然消散復未知生化之氣爲有而聚耶爲無而滅乎**帝曰善有不生不化乎**言人有逃陰陽免生化而不生不化無始無終同太虛自然者乎**岐伯曰悉乎哉問也與道合同惟眞人也**眞人之身隱見莫測出入天地內外順道至眞以生其爲小也入於無間其爲大也過虛空界不與道如一其孰能爾乎**帝曰善**

天元紀大論鐫子泉切五運行大論憑扶冰切礙音艾倮音蓏

眚所景切樅音摠鬖慈濫切溽音辱黅音今銛音括疢音敕六微旨大論

霪音淫霔音注涸胡各切蚑音祁挻式連反

黃海紀藏黃帝内經素問卷第十九

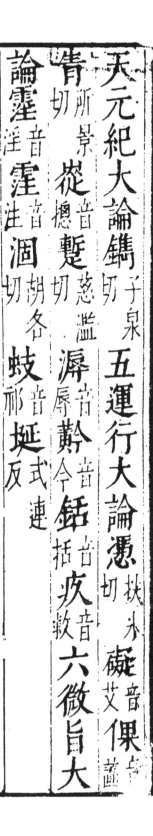

黄海商部之二函

天都外史潘之恒景升定

鄭圃居士梁廷棟无它閲

紀藏二之六十

黄帝内經素問卷第二十　啓玄子次註

氣交變大論　五常政大論

氣交變大論篇第六十九新校正云：詳此論專明氣交之變，乃五運太過不及德化政令災變勝復爲病之事

黄帝問曰：五運更治，上應天朞，陰陽往復，寒暑迎隨，真邪相薄，内外分離，六經波蕩，五氣傾移，太過不及

專勝兼并願言其始而有常名可得聞乎朞三百六十五日四分日之一也專勝謂五運主歲大過也兼并謂主歲之不及也常名謂布化於太虛人身參應病之形診也 新校正云按天元紀大論云五運相襲而皆治之終朞之日周而復始又云五氣運行各終朞日太始天元冊文曰萬物資始五運終天即五運更治上應天朞之義也岐伯稽首再拜對曰昭乎哉問也是明道也此上帝所貴先師傳之臣雖不敏往聞其旨言非已心之生知備聞先人往古受傳之遺旨也帝曰余聞得其人不教是謂失道傳非其人慢泄天寶余誠非德未足以受至道然而衆子哀其不終願夫子保於無窮流於無極余司其事則而行之奈何至道者非傳之難非知之艱行之難聖人愍念蒼生周居永壽故屈身降志請受於天師太上貴德故後已先人苟非其

人則道無虛授黃帝欲仁慈惠遠博愛流行尊道下身拯乎黎庶乃曰余司其事則而行之也岐伯曰請遂言之也上經曰夫道者上知天文下知地理中知人事可以長久此之謂也夫道者大無不包細無不入故天文地理人事咸遲新校正云詳夫道者一節與著至教論文重帝曰何謂也岐伯曰本氣位也位天者天文也位地者地理也通於人氣之變化者人事也故太過者先天不及者後天所謂治化而人應之也三陰三陽司天司地以表定陰陽生化之紀是謂位天位地也五運居中司人氣之變化故曰通於人氣也先天後天謂生化氣之變化所主時也太過歲化先時至不及歲化後時至帝曰五運之化太過何如太過謂歲氣有餘也新校正云詳太過五化具五常政大論中岐伯曰歲木太過風氣流行脾土受邪木餘

故土氣甲屈民病飧泄食減體重煩冤腸鳴腹支滿上應歲星飧泄謂食不化而下出也脾虛故食減體重煩冤腸鳴腹支滿也歲木氣太盛歲星光明逆守星屬分皆災也　新校正云按藏氣法時論云脾虛則腹滿腸鳴飧泄食不化甚則忽忽善怒眩冒巔疾凌犯太甚則過於金故自病　新校正二云按玉機眞藏論云肝脈太過則令人喜怒忽忽眩冒巔疾爲肝實而然則此病不獨木太過遇金自病肝實亦自病也化氣不政生氣獨治雲物飛動草木不寧甚而搖落反脇痛而吐甚衝陽絶者死不治上應太白星諸壬歲也木餘土抑故不能布政於萬物也生氣木氣也太過故獨治而生化也風不務德非分而勢則太虛之中雲物飛動草木不寧動而不止金則勝之故甚則草木搖落也脇反痛木乘土也衝陽胃脈也木氣勝而土氣乃絶故死也金復而太白逆守屬星者危也其災之發害於東方人之內應則先害於脾後傷肝也書曰滿招損此其類

也　新校正云詳此太過五化言星之例有三木與土運先言歲鎮後言勝巳之星火與金運先言熒惑太白次言勝巳之星後再言熒惑太白水運先言辰星次言鎮星後再言辰星兼見巳勝之心也

歲火太過炎暑流行金肺受邪火不以德則邪害於金若以德行則政和平也民病瘧少氣欬喘血溢血泄注下嗌燥耳聾中熱肩背熱上應熒惑星少氣謂氣少不足以息也血泄謂血利便血也血溢謂血上出於七竅也注下謂水利也中熱謂胸心之中也背謂胸中之府肩接近之故胸心中及肩背熱也火氣太盛則熒惑光芒逆臨宿屬分皆灾也　新校正云詳火盛而剋金寒熱交爭故爲瘧按藏氣法時論云肺病者欬喘肺虛者少氣不能報息耳聾嗌乾甚則胸中痛脅支滿脅痛膺背肩胛間痛兩臂內痛新校正云按藏氣法時論云心病者胸中痛脅支滿脅下痛膺背肩胛間痛兩臂內痛身熱骨痛而爲浸淫火無德令縱熱害金水爲復讐故火

三

白病新校正云按玉機眞藏論云心脉太過則令人身熱而膚痛爲浸淫此云骨痛者誤也收氣不行長氣獨明雨水霜寒今詳水字當作冰上應辰星金氣退避火氣獨行水氣折之故雨零冰雹及徧降霜寒而殺物也水復於火天象應之辰星逆凌乃寒災於物也占辰星者常在日之前後三十度其災發之當至南方在人之應則內先傷肺後反傷心　新校正云按五常政大論雨水霜寒作雨冰霜雹上臨少陰少陽火燔焫冰泉涸物焦槁新校正云按五常政大論云赫曦之紀上徵而收氣後又六元正紀大論云戊子戊午太徵上臨少陰戊寅戊申太徵上臨少陽臨者太過不及皆曰天符病反譫妄狂越欬喘息鳴下甚血溢泄不已太淵絕者死不治上應熒惑星諸戊歲也戊午戊子歲少陰上臨戊寅戊申歲少陽上臨是謂天符之歲也太淵肺脉也火勝而金絕故死火既太過又火熱上臨兩火相合故形斯候熒惑逆犯宿屬皆危　新校正云詳戊辰戊戌歲上

見太陽是謂天刑運故當盛而不得盛則火化減半非太過又非不及也

歲土太過雨濕流行腎水受邪

土無德乃爾

民病腹痛清厥意不樂體重煩冤上應鎮星

腹痛謂太腹小腹痛也清厥謂足逆冷也意不樂如有隱憂也土來刑水象應之鎮星逆犯宿屬則災　新校正云按藏氣法時論云腎病者身重腎虛者大腹小腹痛清厥意不樂

甚則肌肉萎足痿不收行善瘈脚下痛飲發中滿食減四支不舉

脾主肌肉外應四支又其脉起於足中指之端循核骨內側斜出絡跗故病如是　新校正云按藏氣法時論云脾病者身重善飢肉痿足不收行善瘈脚下痛又王機眞藏論云脾太過則令人四支不舉

變生得位

新校正云詳太過五化獨此言變生得位者舉一而四氣可知也又以土王時月難知故此詳言之也

藏氣伏化氣獨治之泉涌河衍涸澤生魚風雨太至土崩潰鱗見于陸病腹滿溏

泄腸鳴反下甚而大谿絶者死不治上應歲星諸甲歲也得位謂季月也藏水氣也化土氣也化太過故水藏伏匿而化氣獨治土勝木復故風雨大至水泉涌漸渠溢乾澤生魚濕既甚矣風又鼓之故土崩潰土崩潰謂垣頽岸仆山落地入也河溢泉漏枯澤水滋鱗物豊盛故見于陸地也大谿腎脉也土勝而水絶故死木來折土天象逆臨加其宿屬正可憂也　新校正云按藏氣法時論云脾虛則腹滿腸鳴飧泄食不化也歲金太過燥氣流行肝木受邪金暴虐乃爾民病兩脇下少腹痛目赤痛眥瘍耳無所聞兩脇謂兩乳之下脇之下也小腹謂臍下兩傍髎骨內也目赤謂白睛色赤也痛謂滲痛也眥謂四際瞼睫之本也肅殺而甚則體重煩寃胸痛引背兩脇滿且痛引少腹上應太白星金氣已過肅殺又甚木氣內畏感而病生金盛應天太白明大加臨宿屬心受災害　新校正云按藏氣法時論云肝病者兩脇下痛引少腹肝虛則目

䀮䀮無所見耳無所聞又玉機真藏論云肝脉不及則令人胸痛引背下則兩脇胠滿也甚則喘欬逆氣肩背痛尻陰股膝髀腨䯒足皆病上應熒惑星火氣復之自生病也天象示應在熒惑逆加守宿屬則可憂也　新校正云按藏氣法時論云肺病者喘欬逆氣肩背痛汗出尻陰股膝髀腨䯒足皆痛收氣峻生氣下草木斂蒼乾凋隕病反暴痛胠脇不可反側新校正云詳此云反暴痛不言何所痛者按至真要大論云心脇暴痛不可反側則此乃心脇暴痛也欬逆甚而血溢太衝絕者死不治上應太白星諸庚歲也金氣峻虐木氣被刑火未來復則如是也歟謂巳生枝葉斂附其身也太衝肝脉也金勝而木絕故死當是之候太白應之逆守星屬病皆危也　新校正云按庚子庚午庚寅庚申歲上見少陰少陽司天是謂天刑運金化減半故當盛而不得盛非太過又非不及也歲水太過寒氣流行邪害心火水不務德暴虐乃然

民病身熱煩心躁悸陰厥上下中寒譫妄心痛寒氣早至上應辰星悸心跳動也譫亂語也妄妄見聞也天氣水盛辰星瑩明加其宿屬災乃至新校正云按陰厥在後金不及復則陰厥有注甚則腹大脛腫喘欬寢汗出憎風新校正云按藏氣法時論云腎病者腹大脛腫喘欬身重寢汗出憎風再詳太過五化木言化氣不政生氣獨治火言收氣不行長氣獨明土言藏氣伏長氣獨治金言收氣峻生氣下木當言藏氣乃盛長氣失政今獨亡者闕文也大雨至埃霧朦鬱上應鎮星水盛不已爲土所乘故彰斯候埃霧朦鬱土之氣腎之脈從足下上行入腹從腎上貫肝鬲入肺中循喉嚨故生是病腎爲陰故寢則汗出而憎風也欲寢汗出郎其病也夫土氣勝折水之強故鎮星明盛昭其應也上臨太陽雨冰雪霜不時降濕氣變物新校正云按五常政大論云流衍之紀上羽而長氣不化又六元正紀太論云丙辰丙戌太羽上臨太陽臨者太過不及皆曰天符病

反腹滿腸鳴溏泄食不化新校正云按藏氣法時論云脾虛則腹滿腸鳴飱泄食不化渴而妄冒神門絕者死不治上應熒惑辰星謂丙歲也丙辰丙戌歲太陽上臨是謂天符之歲也寒氣太甚故雨化爲冰雪雨冰則雹也霜不時降彰其寒也土復其水則大雨霖霪濕氣內深故物皆濕變神門心脉也水勝而火絕故死水盛太甚則熒惑滅曜辰星明瑩加以逆守宿屬則危亡也　新校正云詳太過五獨記水火之上臨者火臨火水臨水爲天符故也火臨水爲逆水臨木爲順火臨土爲順水臨土爲運勝天火臨金爲天刑運水臨金爲逆更不詳出也又此獨言土應熒惑辰星舉此一例餘從而可知也帝曰善其不及何如謂政化少也　新校正云詳不及五化具五常政大論中岐伯曰悉乎哉問也歲木不及燥迺大行清冷時至加之薄寒是謂燥氣燥金氣也生氣失應草木晚榮後時之謂失應也肅殺而甚則剛木辟著悉萎蒼乾上

應太白星天地淒滄日見朦昧謂雨非雨謂晴非晴人意慘然氣象凝斂是爲肅殺甚也剛勁硬也辟著謂辟著枝莖乾而不落也柔耎也蒼青也柔木之葉青色不變而乾卷也木氣不及金氣乘之太白之明光芒而照其空也民病中清胠脇痛少腹痛腸鳴溏泄涼雨時至上應太白星新校正云按不及五化民病證中上應之星皆言運星失色畏星加臨宿屬爲災此獨言畏星不言運星者經文闕也當云上應太白星歲星其穀蒼金氣乘木肝之病也乘此氣者腸中自鳴而溏泄者即無胠脇少腹之痛疾也微者善之甚者止之遇夏之氣亦自止也過秋之氣而復有之凉雨時至謂應時而至也金土齊化故凉雨俱行火氣來復則夏雨少金氣勝木太白臨之加其宿屬分其災也金勝畢歲火氣不復則蒼色之穀不成實也新校正云詳中清胠脇痛少腹痛爲金乘木肝病之狀腸鳴溏泄乃脾病之證蓋以木少脾土無畏侮反受邪之故也上臨陽明生氣失政草木再榮化氣迺急上應太白鎮

星其主蒼早諸丁歲也丁卯丁酉歲陽明上臨是謂天刑之歲也金氣承天下勝於木故生氣失政草木再榮生氣失政故木華晚成金氣抑木故秋夏始榮結實成熟以化氣急速故晚結成熟也金氣勝木天應同之故太白之見光芒明盛木氣既少土氣無制故化氣生長急速木少金勝天氣應之故鎮星太白潤而明也蒼色之物又早凋落木少金乘故也　新校正云按不及五化獨紀木上臨陽明土上臨厥陰水上臨太陰不紀木上臨厥陰土上臨太陰金上臨陽明者經之旨各記其甚者也故於太過運中只言火臨火水臨水此不及運中只言木臨金土臨木水臨土故不言厥陰臨木太陰臨土陽明臨金也

復則炎暑流火濕性燥柔脆草木焦槁下體再生華實齊化病寒熱瘡瘍疿胗癰痤上應熒惑太白其穀白堅火氣復金夏生大熱故萬物濕性時變爲燥流火爍物故柔脆草木及蔓延之類皆上乾死而下體再生若辛熱之草死不再生也小熱者死少大熱者死多火大復已土氣間至則雨降

其酸苦甘鹹性寒之物乃再發生新闢之與先緒者齊承化而成熟火復其金太白減曜熒惑上應則益光芒加其宿屬則皆災也以火反復故曰白堅之穀秀而不實白露早降收殺氣行寒雨害物蟲食甘黃脾土受邪赤氣後化心氣晚治上勝肺金白氣迺屈其穀不成欬而鼽上應熒惑太白星陽明上臨金自用事故白露早降寒涼大至則收殺氣行以太陽居土濕之位寒濕相合故寒雨害物少於成實金行伐木假途於土子居母內蟲之象也故甘物黃物蟲蠹食之清氣先勝熱氣後復復已乃勝故火赤之氣後生化也赤後化謂草木赤華及赤實者皆後時而再榮秀也其五藏則心氣晚王勝於肺心勝於肺則金之白氣乃屈退也金穀稻也鼽鼻中水出也金爲火勝天象應同故太白芒減熒惑益明歲火不及寒迺大行長政不用物榮而不凝慘而甚則陽氣不化迺折榮美上應辰星火少水勝故寒迺大行長

政不用則物容卑下火氣既少水氣洪盛天象出見辰星益明民病胸中痛脇支滿兩脇痛膺背肩胛間及兩臂內痛新校正云詳此證與火太過甚則反病之狀同傍見藏氣法時論鬱冒朦昧心痛暴瘖胸腹大脇下與腰背相引而痛新校正云按藏氣法時論云心虛則胸腹大脇下與腰背相引而痛甚則屈不能伸髖髀如別上應熒惑辰星其穀丹諸癸歲也患以其脉行於是也火氣不行寒氣禁固髖髀如別屈不得伸水行乘火故熒惑芒減丹穀不成辰星臨其宿屬之分則皆災也復則埃鬱大雨且至黑氣迺辱病鶩溏腹滿食飲不下寒中腸鳴泄注腹痛暴攣痿痺足不任身上應鎮星辰星玄穀不成埃鬱雲雨土之用也復寒之氣必以濕濕氣內淫則生腹疾身重故如是也黑氣水氣也辱屈辱也鶩鴨也土復於水故鎮星明潤臨犯宿屬則民

八

受病災矣歲土不及風迺大行化氣不令草木茂榮飄揚而甚秀而不實上應歲星木無德也木氣專行故化氣不令生氣獨擅故草木茂榮飄揚而甚是木不以德土氣薄少故物實不成不實甚秕惡也土不及木乘之故歲星之見潤而明也民病飧泄霍亂體重腹痛筋骨繇復肌肉瞤酸善怒藏氣舉事蟄蟲早附咸病寒中上應歲星鎮星其穀黅諸巳歲也風客於胃故病如是土氣不及水與齊化故藏氣舉事蟄蟲早附於陽氣之所人皆病中寒之疾也繇搖也筋骨搖動巳復常則巳繇復也土抑不伸若歲星臨宿屬則皆災也　新校正云詳此文云筋骨繇復王氏雖注義不可解按至眞要大論云筋骨繇併疑此復字併字之誤也復則收政嚴峻名木蒼凋胸脇暴痛下引少腹善大息蟲食甘黃氣客於脾黅穀迺減民食少失味蒼穀迺損

金氣復木故名木蒼凋金入於土母懷子也故甘物黄物蟲食其中金入土中故氣客於脾金氣大來與土佐復故斲減實穀不成也上應太白歲星太白芒盛歲減明也一經少此六字缺文耳上臨厥陰流水不冰蟄蟲來見藏氣不用白廼不復上應歲星民廼康巳亥巳巳歲厥陰上臨其歲少陽在泉火司于地故蟄蟲來見流水不冰也金不得復故歲星之象如常民康不病新校正云詳木不及上臨陽明水不及上臨太陰俱後言復此先言復而後舉上臨之候者蓋白廼不復嫌於此年有復也歲金不及炎火廼行生氣廼用長氣專勝庶物以茂燥爍以行上應熒惑星火不務德而襲金危炎火既流則夏生大熱生氣舉用故庶物蕃茂燥爍氣至物不勝之爍勝之爍石流金涸泉焦草山澤燔爍雨乃不降炎火大盛天象應之熒惑之見而大明也民病肩背瞀重鼽嚏血便注下收氣廼後上應太白星其

穀堅芒諸乙歲也晉謂閔也受熱邪故生是病收金氣也火先勝故收氣後火氣勝金金不能盛若熒惑逆守宿屬之分皆受病新校正云詳其穀堅芒白色可見故不云其穀白也經云上應太白以前後例相照經脫熒惑二字及詳王注言熒惑逆守之事益知經中之闕也復則寒雨暴至廼零冰雹霜雪殺物陰厥且格陽反上行頭腦戶痛延及囟頂發熱上應辰星新校正云詳不及之運剋我者行勝我者之子來復當來復之後勝星減曜復星明大此只言上應辰星而不言熒惑者闕文也當云上應辰星熒惑丹穀不成民病口瘡甚則心痛寒氣折火則見冰雹霜雪冰雹先傷而霜雪後損皆寒氣之常也其災害廼傷於赤化也諸不及而爲勝所犯子氣復之者皆歸其方也陰厥謂寒逆也格至也亦拒也水行折火以救困金天象應之辰星明瑩赤色之穀爲霜雹損之歲水不及濕廼大行長氣反用其化廼速暑雨數至上應鎮

星濕大行謂數雨也化速謂物早成也火濕齊化故暑雨數至乘水不及而土勝之鎮星之象增益光明逆凌留犯其又甚矣民病腹滿身重濡泄寒瘍流水腰股痛發膕腨股膝不便煩冤足痿清厥脚下痛甚則跗腫藏氣不政腎氣不衡上應辰星其穀秬藏氣不能由其政令故腎氣不能內致和平衡平也辰星之應當減其明或遇鎮星臨屬宿者乃災新校正云詳經云上應辰星注言鎮星以前後例相校此經闕鎮星二字上臨太陰則大寒數舉蟄蟲早藏地積堅氷陽光不治民病寒疾於下甚則腹滿浮腫上應鎮星新校正云詳木不及上臨陽明上應太白鎮星此獨言鎮星而不言熒惑者文闕也蓋水不及而又上臨太陰則鎮星明盛以應土氣專盛水既益弱則熒惑無畏而明大其主黅穀諸辛歲也辛丑辛未歲上臨太陰太陽在泉故大寒數舉也土氣專盛故鎮星益明黅穀

十

應天歲成也復則大風暴發草偃木零生長不鮮面色時
變筋骨併辟肉瞤瘛目視䀮䀮物疎璺肢肉胗發氣
并鬲中痛於心腹黃氣迺損其穀不登上應歲星木復
其主故黃氣反損而黔穀不登也謂實不成無以登祭器也木氣暴復歲星下臨宿屬分者災　新校正
云詳此當云上應歲星鎮星[illegible]兩帝曰善願聞其時也歧伯曰悉哉問
也木不及春有鳴條律暢之化則秋有霧露清涼之
政春有慘凄殘賊之勝則夏有炎暑燔爍之復其眚
東化和氣也勝金氣也復火氣也火復於金悉因其木故災眚之作皆在東方餘眚同　新校正云按
木火不及先言春夏之化秋冬之政者先言木火之政化次言勝復之變也其藏肝其病
內舍胠脇外在關節東方用之土也水不及夏有炳明光顯

之化則冬有嚴肅霜寒之政夏有慘淒凝冽之勝則不時有埃昏大雨之復其眚南化火德也勝水眚也復土變也南方火也其藏心其病內舍膺脇外在經絡南方心之主也土不及四維有埃雲潤澤之化則春有鳴條鼓拆之政四維發振拉飄騰之變則秋有肅殺霖霪之復其眚四維東南東北西南西北方也維隅也謂日在四隅月也新校正云詳土不及亦先言正化次言勝復其藏脾其病內舍心腹外在肌肉四支四維中央脾之主也金不及夏有光顯鬱蒸之令則冬有嚴凝整肅之應夏有炎爍燔燎之變則秋有冰雹霜雪之復其眚西其藏肺病內舍膺脇肩背外在皮毛西方肺之主也水不及四維有

湍潤埃雲之化則不時有和風生發之應四維發埃昏驟注之變則不時有飄蕩振拉之復其眚北飄蕩振拉大風所作新校正云詳金水不及先言火土之化令與應故不當秋冬而言也次言者火土勝復之變也與木火土之例不同者互文也其藏腎其病內舍腰脊骨髓外在谿谷踹膝肉之大會為谷肉之小會為谿肉分之間谿谷之會以行榮衛以會大氣夫五運之政猶權衡也高者抑之下者舉之化者應之變者復之此長生化成收藏之理氣之常也失常則天地四塞矣失常之理則天地四時之氣閉塞而無所運行故動必有靜勝必有復乃天地陰陽之道故曰天地之動靜神明為之紀陰陽之往復寒暑彰其兆此之謂也新校正云按故曰已下與五運行大論同上兩句又與陰陽應象大

論文重彼〻云陰陽之升降寒暑彰其兆也帝曰夫子之言五氣之變四時之應可謂悉矣夫氣之動亂觸遇而作發無常會卒然災合何以期之岐伯曰夫氣之動變固不常在而德化政令災變不同其候也帝曰何謂也岐伯曰東方生風風生木其德敷和其化生榮其政舒啟其令風其變振發其災散落敷布和和氣也榮滋榮也舒展也啟開也振怒也發出也散謂物飄零而散落也新校正云按五運行大論〻云其德為和其化為榮其政為散其令宣發其變摧拉其眚為隕義與此通南方生熱熱生火其德彰顯其化蕃茂其政明曜其令熱其變銷爍其災燔焫新校正云詳五運行大論〻云其德為顯其化為茂其政為明其令鬱蒸其變炎爍其眚燔焫中央生濕濕生土

十二

其德溽蒸其化豐備其政安靜其令濕其變驟注其災霖潰溽濕也蒸熱也驟注急雨也霖久雨也潰爛泥也　新校正云按五運行大論云其德爲濡其化爲盈其政爲謐其令雲雨其變動注其眚淫潰西方生燥燥生金其德清潔其化緊斂其政勁切其令燥其變肅殺其災蒼隕緊縮也斂收也勁銳也切急也燥乾也肅殺謂風動草樹聲若乾也殺氣大甚則木青乾而落也　新校正云按五運行大論云其德爲清其化爲斂其政爲勁其令霧露其變肅殺其眚蒼落北方生寒寒生水其德淒滄其化清謐其政凝肅其令寒其變凓冽其災冰雪霜雹淒滄薄寒也謐靜也肅中列嚴整也凓冽甚寒也冰雪霜雹寒氣凝結所成水復火則非時而有也　新校正云按五運行大論云其德爲寒其化爲肅其政爲靜其變凝冽其眚冰雹是以察其動也有德有化有政有令有

變有災而物由之而人應之也夫德化政令和氣也其動靜勝復施於萬物皆悉生成變與災殺氣也其出暴速其動驟急其行損傷雖皆天地自爲動靜之用然物有不勝其動者且損且病且死焉帝曰夫子之言歲候不及其太過而上應五星今夫德化政令災眚變易非常而有也卒然而動其亦爲之變乎岐伯曰承天而行之故無妄動無不應也卒然而動者氣之交變也其不應焉故曰應常不應卒此之謂也德化政令氣之常也災眚變易氣卒交會而有勝負者也常謂歲四時之氣不差晷刻者不常不久也帝曰其應奈何岐伯曰各從其氣化也歲星之化以風應之熒惑之化以熱應之鎮星之化以濕應之太白之化以燥應之辰星之化以寒應之氣變則應故各從其氣化也上文言復勝皆上應之今經言應常不應卒所謂無大變易

而不應然其勝復常色有枯燥潤澤之異無見小大以應之
帝曰其行之徐疾逆
順何如岐伯曰以道留久逆守而小是謂省下以道謂順
行留久謂過應留之日數也省下
謂察天下人君之有德有過者也以道而去去而速
來曲而過之是謂省遺過也順行已去已去輒逆行
而速委曲而經過是謂
遺其過而輒省察之也行急行緩往多往
少蓋謂罪之有大有小按其遺而斷之久留而環
或離或附是謂議災與其德也環謂如環之遶盤迴
而不去也火議罪金
議殺土木應近則小應遠則大近謂犯星常在遠謂
水議德也犯星去久大小謂喜
慶及罰芒而大倍常之一其化甚大常之二其眚即
罪事
也甚謂政令大行也發謂
起也即至也金火有之小常之一其化減小常之
二是謂臨視省下之過與其德也省謂省察萬國人
吏侯王有德有過

者也故侯王人吏安可不深思誠愼邪德者福之過者伐之有德則天降福以應之有過者天降禍以遲之則知禍福無門惟人所召爾是以象之見也高而遠則小下而近則大見物之理也故大則喜怒邇小則禍福遠象見高而小既未即禍亦未即福象見下而大福既不遠禍亦未遠但當修德省過以俟厥終苟未能愼禍而務求福祐豈有是者哉歲運太過則運星北越火運火星木運木星之類也北越謂北而行也運氣相得則各行以道無剋伐之嫌故守常而各行於中道故歲運太過畏星失色而兼其母木失色而兼火火失色而兼蒼土失色而兼赤金失色而兼黃水失色而兼白是謂兼其母也不及則色兼其所不勝木兼白色火兼玄色土兼蒼色金兼赤色水兼黃色是謂兼不勝也肖者瞿瞿莫知其妙閔閔之當孰者爲良新校正云詳肖者至爲良與蘭靈祕典論重彼有注

妄行無徵示畏侯王不識天意心私度之妄言災咎卒無徵驗適足以示畏之兆於侯王熒惑於庶民矣帝曰其災應何如岐伯曰亦各從其化也故時至有盛衰淩犯有逆順留守有多少形見有善惡宿屬有勝負徵應有吉凶矣五星之至相王為時盛囚死為衰東行淩犯為順災輕西行淩犯為逆災重留守日多則災深留守日少則災淺星喜潤則為見善星怒燥憂喪則為見惡宿屬謂所生月之屬二十八宿及十二辰相分所屬之位也命勝星不災不害不勝星為災小重命與星相得雖災無害災者獄訟疾病之謂也雖五星淩犯之事時遇星之囚死時月雖災不成然火犯留守逆臨則有誣譖獄訟之憂金犯則有刑殺氣鬱之憂木犯則有震驚風鼓之憂土犯則有中滿下利胕腫之憂水犯則有寒氣衝稸之憂故曰徵應有吉凶也帝曰其善惡何謂也岐伯曰有喜有怒有憂有喪有澤有燥此象之常也必

謹察之夫五星之見也從夜深見之人見之喜星之喜也見之畏星之怒也光色微曜乍明乍暗星之憂也光色迴然不彰不瑩不與衆同星之喪也光色圓明不盈不縮怡然瑩然星之喜也光色勃然臨人芒彩滿溢其象懍然星之怒也澤洪潤也燥乾枯也帝曰六者高下異乎歧伯曰象見高下其應一也故人亦應之觀象覩色則中外之應人天咸一矣帝曰善其德化政令之動靜損益皆何如歧伯曰夫德化政令災變不能相加也天地動靜陰陽往復以德報德以化報化政令災眚及動復亦然故曰不能相加也勝復盛衰不能相多也勝盛復盛勝微復微不應以盛報微以化報變故曰不能相多也往來小大不能相過也木之勝金必報勝復日數多少皆同故曰不能相過也用之升降不能相無也動必火土金水皆然未有勝而無報者故氣不能相使無也各從其動而復之耳

十五

有復察動以言復也易曰吉凶悔吝者生乎動兆之謂歟天雖高不可度地雖廣不可量以氣動復言之其猶視其掌矣帝曰其病生何如岐伯曰德化者氣之祥政令者氣之章變易者復之紀災眚者傷之始氣相勝者和不相勝者病重感於邪則甚也祥善應也章程也式也復紀謂報復之綱紀也重感謂年氣已不及天氣又見剋殺之氣是謂重感重謂重累也帝曰善所謂精光之論大聖之業宣明大道通於無窮究於無極也余聞之善言天者必應於人善言古者必驗於今善言氣者必彰於物善言應者同天地之化善言化言變者通神明之理非夫子孰能言至道歟太過不及歲化無窮氣交遷變流於無極然天垂象聖人則之以知吉凶何者歲太過而星大或明瑩歲不及而星

小或失色故吉凶可指而見也吉凶者何謂物稟五常之氣以生成莫不上參應之有否有宜故曰吉凶斯至矣故曰善言天者必應於人也言吉之道而今必應之故曰善言古者必驗於今也化氣生成萬物皆稟故言氣應者以物明之故曰善言應者必彰於物也彰明也氣化之應如四時行萬物備故善言應者必同天地之造化也物生謂之化物極謂之變言萬物化變終始必契於神明運爲故言化變者通於神明之理聖人智周萬物無所不遍故言必有發動無不應之也迺擇良兆而藏之靈室每旦讀之命曰氣交變非齋戒不敢發慎傳也靈室謂靈蘭室黃帝之書府也　新校正云詳此文與六元正紀大論末同

## 五常政大論篇第七十

新校正云詳此篇統論五運有平氣不及大過之事次言地理有四方高下陰陽之異又言歲有不病而藏氣不應爲天氣制之而氣有所從之說仍言六氣五類相制勝而歲有胎孕不育之理而後明在泉六化五味有薄厚之異而以治法終之此篇之大槩如此而

專名五常政大論者舉其所先者言也

黃帝問曰太虛寥廓五運迴薄衰盛不同損益相從願聞平氣何如而名何如而紀也歧伯對曰昭乎哉問也木曰敷和 敷布和氣物以生榮 火曰升明 火氣高明 土曰備化 廣被化氣損於群 金曰審平 金氣清審平而定 水曰靜順 水體清靜順於物也 帝曰其不及奈何歧伯曰木曰委和 陽和之氣委屈而少用也 火曰伏明 明曜之氣屈伏不伸 土曰卑監 土雖卑少猶監萬物之生化也 金曰從革 從順革易堅成萬物 水曰涸流 水少故流注乾涸 帝曰太過何謂歧伯曰木曰發生 宣發生氣萬物以榮 火曰赫曦 盛明也 土曰敦阜 敦厚也阜高也土餘故高而厚 金曰堅成 氣爽風勁堅成庶物 水曰流衍 衍泮衍也

泓也帝曰三氣之紀願聞其候岐伯曰悉乎哉問也新校正云按此論與五運行大論及陰陽應象大論金匱眞言論相通敷和之紀木德周行陽舒陰布五化宣平自當其位不與物爭故五氣之化各布政令於四方無相干犯　新校正云按王注大過不及各紀年辰此平木運注不紀年辰者平氣之歲不可以定紀也或者欲補注云謂丁巳丁亥壬寅壬申歲者是未達也其氣端端直也罷也其性隨順於物化其用曲直曲直材幹皆應用也其化生榮木化宣行則物生榮而美其類草木木體堅高草形卑下然各有堅脆剛柔蔓結條屈者其政發散春氣發散物稟以生木之化也其候溫和和春之氣也其令風木之令行以和風其藏肝五藏之氣與肝同肝其畏清清金令也木性暄故畏清五運行大論曰木其性暄又曰燥勝風其主目陽升明見目與同也其穀麻色蒼也　新校正云按金匱眞言論云其穀麥與此

十七

不同其果李味酸也其實核中有堅核者其應春四時之中春化同其
蟲毛木化宣行則毛蟲生其畜犬如草木之生無所避也新校正云按金匱眞言論云其
畜雞其色蒼木化宣行則物浮蒼翠其養筋酸入筋其病裏急支滿
木氣所生新校正云按金匱眞言論云是以知病之在筋也其味酸木化數和則物酸味厚
其音角調而直也其物中堅象土中之有木也其數八成數也升明
之紀正陽而治德施周普五化均衡均等也衡平也其氣高
火炎上其性速火性躁疾其用燔灼灼燒也燔之與灼皆火之用其化蕃
茂長氣盛故物火其類火五行之氣與火類同其政明曜德合高明火之政也其
候炎暑氣之至也以是候之其令熱熱至乃令行其藏心心氣應之心其
畏寒寒水令也心性暑熱故畏寒五運行大論曰心其性暑熱又曰寒勝熱其主舌火以燭幽

舌由明也其穀麥色赤也新校正云按金匱真言論云其穀黍又藏氣法時論云麥也其

果杏味苦也其實絡中有支絡者其應夏四時之氣夏氣同其蟲羽

羽火象也火化宣行則羽蟲生其畜馬健決躁速火類同新校正云按金匱真言論云其畜羊

其色赤色同又明其養血其病瞤瘛火之性動也新校正云按金匱真言論

云是以知病之在脉也其味苦外明化氣則物苦味純其音徵和而美其物

脉中多支脉火之化也其數七成數也備化之紀氣協天休德流

四政五化齊修土之德靜分助四方贊成金木水火之政土之氣厚應天休和之氣以生

長收藏終而復始故五化齊修其氣平土之生也平而正其性順應順群品悉化成也

其用高下田土高下皆應用也其化豐滿豐滿萬物非土化不可也其類土

五行之化土類同其政安靜土體厚土德靜故政化亦然其候溽蒸溽濕也蒸

十八

然也其令濕濕化不絕竭則土令延長其藏脾脾氣同脾其畏風風木令也

脾性雖四氣兼并然其所主猶畏木也五運行大論云脾其性靜兼又曰風勝濕其主口上體

包容口主受納其穀稷色黃也　新校正云按金匱真言論作稷藏氣法時論作粳其果

棗味甘也其實肉中有肌肉者其應長夏長夏謂長養之夏　新校正云按

王注藏氣法時論云夏爲土母土長于中以長而治故云長夏又注六節藏象論云所謂長夏者六月也

土生於火長在夏中既長而王故云長夏其蟲倮無毛羽鱗甲土形同其畜牛成彼稼穡

土之用也牛之應有其緩而和其色黃土同也其養肉所養者厚而靜其病否

土性擁礙　新校正云按金匱真言論云病在舌本是以知病之在肉也其味甘備化氣豐則物

味甘厚其音宮大而重其物膚物稟備化之氣則多肌肉其數五生數也正

土不虛加故也審平之紀收而不爭殺而無犯五化宣明犯謂

刑犯於物也收而不爭殺而無犯匪審平之德何以能爲是哉其氣潔金氣以潔白瑩明爲事其性剛性剛故摧鋏於物其用散落金用則萬物散落其化堅斂收斂堅強金之化也其類金審平之化金類同其政勁肅化急速而整肅也勁銳也其候清切清太涼也切急也風聲也其令燥燥乾也其藏肺肺氣之用同金化也其畏熱熱火令也肺性涼故畏火熱五運行大論曰肺其性涼其主鼻肺藏氣鼻通息也其穀稻色白也新校正云按金匱真言論作稻藏氣法時論作黃黍其果桃味苦也其實殼外有堅殼者其應秋四時之化秋氣同其蟲介外被堅甲者其畜雞性善鬬傷象金用也新校正云按金匱真言論云其畜馬其色白色同也其養皮毛堅同也其病欬有聲之病金之應也新校正云按金匱真言論云病在背是以知病之在皮毛也其味辛審平化治則物辛味正其音商和利而揚其

十九

物外堅金化宣行則物體外堅其數九成數也靜順之紀藏而勿
害治而善下五化咸整治化也水之性下所以德全江海所以能爲百谷主者以
其善下之也其氣明清淨明昭水氣所主其性下歸流於下其用沃衍用非
淨事故沫生而流溢沃沫也衍溢也其化凝堅藏氣布化則水物凝堅其類水滑順
之化水同類其政流演井泉不竭河流不息則流演之義也其候凝肅凝寒也肅
靜也寒來之氣候其令寒水令宣行則寒司物化其藏腎腎藏之用同水化也腎
其畏濕濕土氣也腎性凜故畏土濕五運行大論曰腎其性凜其主二陰流注應同
新校正云按金匱眞言論曰北方黑色入通於腎開竅於二陰其穀豆色黑也新校正云
按金匱眞言論及藏氣法時論同其果栗味鹹也其實濡中有津液也其應
冬四時之化冬氣同其蟲鱗鱗水化生其畜彘善下也彘豕也其色黑色同

也其養骨髓氣入也其病厥厥氣逆也凌上也倒行不順也　新校正云按金匱
眞言論云病在谿是以知病之在骨也其味鹹味同也其音羽深而和也其物
濡水化豐洽庶物濡潤其數六成數也故生而勿殺長而勿罰化
而勿制收而勿害藏而勿抑是謂平氣生氣主歲收氣不能縱其
殺長氣主氣藏氣不能縱其罰化氣主歲生氣不能縱其制收氣主歲藏氣不能縱其害藏氣主歲化氣
不能縱其抑夫如是者皆天氣平地氣正五化之氣不以勝尅爲用故謂曰平和氣也委和之
紀是謂勝生丁卯丁丑丁亥丁酉丁未丁巳之歲生氣不政化氣迺揚
木少故生氣不政土寬故化氣迺長長氣自平收令迺早火無忤犯故長氣自平木
氣既少故收令迺早涼雨時降風雲並興涼金化也雨濕氣也風木化也雲濕氣也
草木晚榮蒼乾凋落金氣有餘木不能勝故也　新校正云詳和委之紀木不及而

二十

金氣乘之故蒼乾凋落非金氣有餘木不能勝也蓋木不足而金勝之也物秀而實膚肉內充歲生雖晚成者滿實土化氣速故如是也其氣斂收斂兼金氣故其用聚不布散也其動緛戾拘緩緛縮短也戾了戾也拘拘急也緩不收也其發驚駭大屈卒伸驚駭象也其藏肝內應肝其果棗李棗土李木實也新校正云詳李木實也按火土金水不及之果李當作桃王注亦非其實核殼核木殼金主其穀稷稻金土穀也其味酸辛味酸之物孰兼辛也其色白蒼蒼色之物孰兼白也其畜犬雞木從金畜其蟲毛介毛從介其主霧露淒滄金之化也其聲角商角從商其病搖動注恐木受邪也從金化也木不自攻故化從金少角與判商同少角木不及故半與商金化同判半也新校正云按火土金水之文判作少則此當云少角與少商同不云少商者蓋少角之運共有六年而丁巳丁亥上角與正角同丁卯丁

酉上商與正商同丁未丁丑上宮與正宮同是六年者各有所所與火土金水之少運不同故不云同少商只大約而言半從商化也 上角與正角同 上見厥陰與敷和歲化同謂丁巳丁亥歲上之所見者也 上商與正商同 上見陽明則與平金歲化同丁卯丁酉歲上見陽明 其病支廢癰腫瘡瘍 金刑木也 其甘蟲 子在母中 邪傷肝也 雖化悉與金同然其所傷則歸於邪木也 上宮與正宮同 土蓋其木與未出等也木未出土與無木同土自興事故與正土運歲化同也上見太陰是謂上宮丁丑丁未歲上見太陰司天化之也 蕭飋肅殺則炎赫沸騰 蕭飋肅殺金無德也炎赫沸騰火之復也 眚於三 火爲木復蓋其眚在東三東木也此言金之物勝也新校正云按六元正紀大論云災三宮也 所謂復也 復報復也 其主飛蠹蛆雉 飛羽蟲也蠹內生蟲也蛆蠅之生者此則物內自化爾雉鳥牲也 迺爲雷霆 雷謂大聲生於太虛雲暝之中也霆謂迅雷卒如火之爆者即霹靂也 伏

明之紀是謂勝長藏氣勝長也謂癸酉癸未癸巳癸卯癸丑癸亥之歲也長氣不宣藏氣反布火之長氣不能施化故水之藏氣反布於時收氣自及化令迺衡金土之義與歲氣素無干犯故金自行其政土自平其氣也寒清數舉暑令迺薄火氣不用故承化物生生而不長火令不振故承化生之物皆不長也成實而稚遇化已老物實成熟苗尚稚短及遇化氣未長極而氣已老矣陽氣屈伏蟄蟲早藏陽不用而陰勝也若上臨癸卯癸酉歲則蟄反不藏新校正云詳癸巳癸亥之歲蟄亦不藏其氣鬱鬱燠不舒暢其用暴速也其動彰伏變易彰明也伏隱也變易謂不常其象見也其發痛痛由心所生其藏心歲運之氣通於心其果栗桃栗水桃金果也其實絡濡絡支肢也濡有汁也其穀豆稻豆水稻金穀也其味苦鹹苦兼鹹也其色玄丹色丹之物熱兼玄也其畜

馬彘火從水畜其蟲羽鱗羽從鱗其主冰雪霜寒水之氣也其聲徵羽徵從羽其病昏惑悲忘火之躁動不拘常律陰昏陽火故昏惑不治心氣不足故喜悲善忘也從水化也火弱水強故伏明之紀半從水之政化少徵與少羽同火少故半同水化新校正云詳少徵六年內癸卯癸酉同正商癸巳癸亥同歲會外癸未癸丑三年少徵與少羽同故不云判羽也上商與正商同歲上見陽明則與平金歲化同也癸卯及癸酉歲上見陽明新校正云詳此不言上宮上角者蓋宮角於火無大剋罰故經不備云邪傷心也受病者心凝慘漂冽則暴雨霖霪凝慘漂冽水無德也叅雨霖霪土之復也眚於九九南方也新校正云按六元正紀大論云災九宮其主驟注雷霆震驚天地氣爭而生是變氣交之內害及柔盛及傷鱗類沈霒淫雨沈陰淫雨濕變所生也霒音陰卑監之紀是謂減化謂化氣減少巳巳巳卯巳丑巳亥巳酉巳

二十二

未之歲也化氣不令生政獨彰土少而木專其用長氣整雨廼愆收氣平不相干犯則平整化氣減故雨愆期風寒並興草木榮美風木也寒水也土少故寒氣得行生氣獨彰故草木敷榮而端美秀而不實成而粃也榮秀而美氣生於木化氣不滿故物實中空是以粃惡其氣散氣不安靜水且乘之從木之風故施散也其用靜定雖不能專政於時物然或舉用則終歸土德而靜定其動瘍涌分潰癰腫瘍瘡也涌嘔吐也分裂也潰爛也癰腫膿瘡也其發濡滯土性也濡濕也其藏脾主藏病其果李栗李木栗水果也其實濡核濡中有汁者核中堅者新校正云詳前後濡實主水此濡字當作肉王注亦非其穀豆麻豆水麻木穀也其味酸甘甘味之物熟兼酸也其色蒼黄色黄之物外兼蒼也其畜牛犬土從木畜其蟲倮毛倮從毛其主飄怒振發木之氣用也其聲宮角宮從

角其病留滿否塞土氣擁礙故從木化也不勝故從佗化少宮與少角同土少故半從木化也　新校正云詳少宮之運六年內除巳丑巳未與正宮同巳巳巳亥與正角同外有巳卯巳酉二年少宮與少角同故不云判角也上宮與正宮同上見太陰則與平土運生化同也巳丑巳未其歲見也上角與正角同上見厥陰則悉是敷和之紀也巳亥巳巳其歲見也其病飧泄風之勝也邪傷脾也縱諸氣金病卽自傷脾　新校正云詳此不言上商者土與金無相剋罰故經不紀之也又注云縱諸氣金病卽自傷脾也金字疑誤振拉飄揚則蒼乾散落振拉飄揚木無德也蒼乾散落金之復也其眚四維東南西南東北西北土之位也　新校正云按六元正紀大論云災五宮其主敗折虎狼虎狼猴狖豹鹿馬獐麃諸四足之獸害於粢盛及生命也清氣迺用生政迺辱金氣行則木氣屈從革之紀是謂折收火折金收之氣也謂乙丑乙亥乙酉

二十三

乙未乙巳乙卯之歲也 收氣迺後生氣迺揚 後不及時也收氣不能以時而行則生氣自應布揚而用之也 長化合德火政迺宣庶類以蕃 火土之氣同生化也宣衍也 其氣揚 順火也 其用躁切 少雖後用用則切急隨火躁也 其動鏗禁瞀厥 鏗欬聲也禁謂二陰禁止也瞀悶也厥謂氣上逆也 其發欬喘 欬金之有聲喘怫藏氣也 其藏肺 主藏病 其果李杏 李木杏火果也 其實殼絡 外有殼內有支絡之實也 其穀麻麥 麻木麥火穀也麥色赤也 其味苦辛 苦味勝辛辛兼苦也 其色白丹 赤加白也 其畜雞羊 金從火土之兼化新校正云詳火畜馬土畜牛今言羊故王注云從火土之兼化爲羊也或者當去注中之土字甚非 其蟲介羽 介從羽 其主明曜炎爍 火之勝也 其聲商徵 商從徵 其病嚏欬鼽衄 金之病也 從火化也 火氣來勝故屈巳以從之 少商與少徵同 金少故半同火

化也　新校正云詳少商運六年內除乙卯乙酉同正商乙巳乙亥同正角外乙未乙丑二年爲少商同少徵故不云判徵也**上商與正商同**上見陽明則與平金運生化同乙卯乙酉其歲止見也**上角與正角同**上見厥陰則與平木運生化同乙巳乙亥其歲上見也　新校正云詳金土無相勝剋故經不言上宮與正宮同也**邪商肺也**有邪之勝則歸肺**炎光赫烈則冰雪霜雹**炎光赫烈火無德也冰雪霜雹水之復也水復之作雹形如半珠　新校正云詳注云雹形如半珠半字疑誤**青於七**七西方也　新校正云按六元正紀大論云災七宮**其主鱗伏彘鼠**突戾潛伏歲主縱之以傷赤實及羽類也**歲氣早至迺生大寒**水之化也**涸流之紀是謂反陽**陰氣不及反爲陽氣代之謂辛未辛巳辛卯辛酉辛亥辛丑之歲也**藏令不舉化氣迺昌**少水而土盛**長氣宣布蟄蟲不藏**太陽在泉經文背也厥陰陽明司天乃如經謂也**土潤水泉減草**

二十四

木條茂榮秀滿盛長化之氣豐而厚也其氣滯從土其用滲泄不能流也其動堅止謂便寫也水少不濡則乾而堅止藏氣不能固則注下而奔速其發燥槁陰少而陽盛故爾其藏腎主藏病也其果棗杏棗土杏火果也其實濡肉濡水肉土化也其穀黍稷黍火稷土穀也新校正云按本論上文麥為火之穀今言黍者疑麥字誤為黍也雖金匱真言論作黍然本論作麥當從本篇之文也其味甘鹹甘入於鹹味汁美也其色黅玄黃加黑也其畜彘牛水從土畜其蟲鱗倮鱗從倮其主埃鬱昏翳土之勝也其聲羽宮羽從宮其病痿厥堅下水土參并故如是從土化也不勝於土故從他化少羽與少宮同水土各半化也新校正云詳少羽之運六年内除辛丑辛未與正宮同外辛卯辛酉辛巳辛亥四歲為同少宮故不言判宮也上宮與正宮同上見太陰則與平土運生化同辛丑辛未歲上見之

新校正云詳此不言上角上商者蓋水於金木無相剋罰故也**其病癃閟**癃小便不通閟大便乾澀不利也**邪傷腎也**邪勝則歸腎**埃昏驟雨則振拉摧拔**埃昏驟雨土之虐也振拉摧拔木之復也**眚於一**一北方也諸謂方者國郡州縣境之方也新校正云按六元正紀大論云災一宮**其主毛顯狐狢變化不藏**毛顯謂毛蟲麋麀麞麃猯兎虎狼顯見傷於黃實兼害倮蟲之長也變化謂爲貉狐狸當之不藏謂害粢盛鼠猯兎狸狢當之所謂毛顯不藏也**故乘危而行不速而至暴虐無德災反及之微者復微甚者復甚氣之常也**通言五行氣少而有勝復之大凡也乘彼孤危恃乎強盛不召而往專肆威刑怨禍自招又誰咎也假令木弱金氣來乘暴虐蒼卒是無德也木被金害火必讎之金受火爍則災及也夫如是者刑甚則復甚刑微則復微氣動之常固其宜也五行之理咸迭然乎新校正云按五運不及之詳具氣交變大論中**發生之紀是謂**

啟敕物乘木氣以發生而啟陳其容質也是謂壬申壬午壬辰壬寅壬子壬戌之六歲化也敕古陳字土踈泄蒼氣達生氣上發故土體踈泄木之專政故蒼氣上達達通也出也行也陽和布化陰氣迺隨少陽先生發於萬物之表厥陰次隨營運於萬象之中也生氣淳化萬物以榮歲木有餘金不來勝生令布化故物以舒容其化生其氣美木化宣行則物容端美其政散布散生榮無所不至其令條舒條直也理也舒啟也端直舒啟萬物隨之發生之化無非順理者也其動掉眩巔疾掉搖動也眩旋轉也巔上首也疾病氣也　新校正云詳王不解其動之義按後敦阜之紀其動濡積并稸王注云動謂變動又堅成之紀其動暴折瘍疰王注云動以生病蓋謂氣既變因動以生病也則木火土金水之動義皆同也又按王注脉要精微論云巔疾上巔疾也又注奇病論云巔謂上巔則頭首也此注云巔上首也疾病氣也氣字爲衍其德鳴靡啟坼風氣所生　新校正云按六元正紀大論云其化鳴

素啟坼其變振拉摧拔振謂振怒拉謂大折摧謂仆落拔謂出本　新校正云按六元正紀大論同其穀麻稻木化齊金其畜雞犬齊雞孕也其果李桃李齊桃實也其色青黃白青加於黃白自正也其味酸甘辛酸入於甘辛齊化也其象春如春之氣布散陽和其經足厥陰少陽厥陰肝脈少陽膽脈其藏肝脾肝勝脾其蟲毛介木餘故毛齊介育其物中堅外堅中堅有核之物齊等於皮殼之內也其病怒木餘故太角與上商同太過之木氣與金化齊等　新校正云按太過五運獨太角言與上商同餘四運並不言者疑此文爲衍上徵則其氣逆其病吐利上見少陰少陽則其氣逆行壬子壬午歲上見少陰壬寅壬申歲上見少陽木餘遇火故氣不順　新校正云按五運行大論云氣相得而病者以下臨上不當位也不云上羽者水臨木爲相得故也不務其德則收氣復秋氣勁切甚則肅殺

清氣大至草木凋零邪迺傷肝恃已大過凌犯於土土氣屯極金爲復讎金行殺令故邪傷肝木也赫曦之紀是謂蕃茂物遇太陽則蕃而茂是謂戊辰戊寅戊子戊戌戊申戊午之歲也　新校正云按或者云注中太陽當作太徵詳木土金水之太過注俱不言角宮商羽等運而水太過注云陰氣大行此火太過是物遇太陽也安得謂之太徵乎陰氣内化陽氣外榮陰陽之氣得其序也炎暑施化物得以昌長氣多故爾其化長其氣高長化行則物容大高氣達則物色明其政動革易其象不常也其令明顯火之用而有聲火之燔而有焰象無所隱則其信也顯露也其動炎灼妄擾妄謬也擾撓也其德暄暑鬱蒸熱化所生長於物也　新校正云按六元正紀大論云其化暄囂鬱燠又作暄曜其變炎烈沸騰勝復之有極於是也其穀麥豆火齊水化也其畜羊彘齊孕育也　新校正云按本論上文馬爲火之畜今言羊者疑

馬字誤爲羊金匱眞言論及藏氣法時論俱作羊然本論作馬當從本論之文也其果杏栗等實也其色赤白玄赤色加白黑自王也其味苦辛鹹辛物兼苦與鹹化齊成也其象夏如夏氣之熱也其經手少陰太陽少陰心脉太陽小腸脉手厥陰少陽厥陰心包脉少陽三焦脉其藏心肺心勝肺其蟲羽鱗火餘故鱗羽齊化其物脉濡脉火物濡水物水火齊也新校正云詳脉部絡也文雖殊而義同其病笑瘧瘡瘍血流狂妄目赤火盛故上羽與正徵同其收齊其病痓上見太陽則天氣且制故太過之火反與平火運生化同也戊辰戊戌歲上見之若平火運同則五常之氣無相淩犯故金收之氣生化同等上徵而收氣後也上見少陰少陽則其生化自政金氣不能與之齊化戊子戊午歲上見少陰戊寅戊申歲上見少陽火盛故收氣後化新校正云按氣交變大論云歲火太過上臨少陰少陽火燔焫水泉涸物焦槁暴烈

其政藏氣迺復時見凝慘甚則雨水霜雹切寒邪傷心也不務其德輕侮致之也新校正云按氣交變大論云雨冰霜寒與此互文也敦阜之紀是謂廣化土餘故化氣廣被於物也是謂甲子甲戌甲申甲午甲辰甲寅之歲也厚德清靜順長以盈土性順用無與物爭故德厚而不躁順火之長育使萬物化氣盈滿也至陰內實物化充成至陰土精氣也夫萬物所以化成者皆以至陰之靈氣生化於中也煙埃朦鬱見於厚土厚土山也煙埃土氣也大雨時行濕氣迺用燥政迺辟濕氣用則燥政辟自然之理爾其化圓其氣豐化氣豐圓以其清靜故也其政靜靜而能久故政常存其令周備氣緩故用備其動濡積并稸動謂變動其德柔潤重淖靜而柔潤故厚德常存新校正云按六元正紀大論云其化柔潤重淖其變震驚飄驟崩潰震驚雷霆之作也飄驟暴風雨

孚也大雨暴注則山崩土潰隨水流注其穀稷麻上木齊化其畜牛犬齊孕育也其果棗李土齊木化其色黅玄蒼黃色加黑蒼白正也其味甘鹹酸甘入於鹹酸齊化也其象長夏六月之氣生化同其經足太陰陽明太陰脾脉陽明胃脉其藏脾腎脾勝腎其蟲倮毛土餘故毛倮齊化其物肌核肌土核木化也其病腹滿四支不舉土性靜故病如是新校正云詳此不云上羽上徵者徵羽不能虧盈於土故無他候也大風迅至邪傷脾也木盛怒故肥土傷堅成之紀是謂收引引斂也陽氣收陰氣用故萬物收斂謂庚午庚辰庚寅庚子庚戌庚申之歲也天氣潔地氣明秋氣高潔金氣同陽氣隨陰治化陽順陰而生化燥行其政物以司成燥氣行化萬物專司其成熟無遺略也收氣繁布化洽不終收斂氣早上之化不得終其用也新校正云詳繁字疑誤其

化成其氣削減削也其政肅肅清也靜也其令銳切氣用不屈勁而
急其動暴折瘍疰動以病生其德霧露蕭飋燥之化也蕭飋風聲也靜
爲霧露用則風生新校正云按六元正紀大論德作化其變肅殺凋零隕墜於物其
穀稻黍金火齊化也新校正云按本論上文麥爲火之穀當言其穀稻麥其畜雞馬
養孕育也其果桃杏金火齊實其色白青丹白加於青丹自正也其味辛
酸苦辛入酸苦齊化其象秋氣爽清潔如秋之化其經手太陰陽明太陰
肺脉陽明太腸脉其藏肺肝肺勝肝其蟲介羽金餘故介羽齊育其物
殼絡殼金絡火化也其病喘喝胸憑仰息金氣餘故上徵與正商
同其生齊其病欬上見少陰少陽則天氣見抑故其生化與平金歲同庚子庚午歲上
見少陰庚寅庚申歲上見少陽上火制金故生氣與之齊化火乘金肺故病欬新校正云詳此不言上

〔羽指水與金非相勝尅故也〕政暴變則名木不榮柔脆焦首長氣斯救大火流炎爍且至蔓將槁邪傷肺也〔變謂太甚也政太甚則生氣抑故木不榮草首焦死政暴不已則火氣發怒故火流炎爍至柔條蔓草脆之類皆乾死也火乘火氣故肺傷也〕流衍之紀是謂封藏〔陰氣大行則天地封藏之化也謂丙寅丙子丙戊丙申丙午丙辰之歲〕寒司物化天地嚴凝〔陰之氣也〕藏政以布長令不揚〔藏氣用則長化止故令不發揚〕其化凜其氣堅〔寒氣及物則堅定〕其政謐〔謐靜也〕其令流注〔水之象也〕其動漂泄沃涌〔沃沫也涌溢也〕其德凝慘寒雰〔寒之化也　新校正云按六元正紀大論作其化凝慘凓冽〕其變冰雪霜雹〔非時而有〕其穀豆稷〔水齊土化〕其畜彘牛〔齊孕育也〕其果栗棗〔木土齊實〕其色黑丹黅〔黑加於丹黃自正也〕其味鹹苦甘〔鹹入於苦甘化〕

二十九

春焉其象冬氣序凝肅似冬之化其經足少陰太陽少陰腎脈太陽膀胱脈也其藏腎心腎勝心其蟲鱗倮水餘故鱗倮齊育其物濡滿濡水滿土化也新校正云按土不及作肉土太過作肌此作滿互相成也其病脹水餘也上羽而長氣不化也上見太陽則火不能布化以長養也丙辰丙戌之歲上見天符水運也新校正云按氣交變大論云上臨太陽則雨冰雪霜不時降濕氣變物不云上徵者運所涉也政過則化氣大舉而埃昏氣交大雨時降邪傷腎也暴寒數舉是謂政過火被水凌土來仇復故埃昏翳土水氣交大雨斯降而邪傷腎也故曰不恒其德則所勝來復政恒其理則所勝同化此之謂也不恒謂恃已有餘凌犯不勝恒謂守常之化不肆威刑如是則剋巳之氣歲同治化也新校正云詳五運太過之說具氣交變大論中帝曰天不足西北左寒而右涼地不滿

東南右熱而左温其故何也面巽言也岐伯曰陰陽之氣高下之理太少之異也高下謂地形太少謂陰陽之氣盛衰之異今中原地形西北方高西南方下西方涼北方寒東方温南方熱氣化猶然矣東南方陽也陽者其精降於下故右熱而左温陽精下降故地以温而知之於下矣陽氣生於東而盛於南故東方温而南方熱氣之多少明矣西北方陰也陰者其精奉於上故左寒而右涼陰精奉上故地以寒而知之於上矣陰氣生於西而盛於北故西方涼北方寒君面巽而言以面乾而對也新校正云詳天地不足陰陽之說亦具陰陽氣象大論中是以地有高下氣有温涼高者氣寒下者氣熱新校正云按六元正紀大論云至高之地冬氣常在至下之地春氣常在故適寒涼者脹之温熱者瘡下之則脹已汗之則瘡已此湊理開閉之常太

少之異耳西北東南言其大也夫以氣候驗之中原地形所居者悉以居高則寒處下則熱嘗試觀之高山多雪平川多雨高山多寒平地多熱則高下寒熱可徵見矣中華之地凡有高下之大者東西南北各三分也其一者自漢蜀江南至海也二者自漢江北至平遥縣也三者自平遥北山北至蕃界北海也故南分大熱中分寒熱兼半北分大寒南北分外寒熱尤極大熱之分其寒微大寒之分其熱微然其登涉極高山頂則南面北面寒熱懸殊榮枯倍異也又東西高下之別亦三矣其一者自汧源縣西至沙州二者自開封縣西至汧源縣三者自開封縣東至滄海也故東分大溫中分溫涼兼半西分大涼大溫之分其寒五分之二大涼之分其熱五分之二溫涼分外溫涼尤極變爲大暄大寒也約其大凡如此然九分之地寒極於東北熱極於西南九分之地其中有高下不同地高處則濕下處則燥此一方之中小異也若大而言之是則高下之有一也何者中原地形西高北高東下南下今百川滿湊東之滄海則東南西北高下可知一爲地形高下故寒熱不同二則陰陽之氣有少有多故表溫涼之異爾今以氣

候驗之乃春氣西行秋氣東行冬氣南行夏氣北行以中分校之自開封至汧源氣候正與曆候同以東行校之自開封至滄海每一百里秋氣至晚一日春氣發早一日西行校之自汧源縣西至蕃界積石其以南向及西北東南者每四十里春氣發晚一日秋氣至早一日北向及東北西南者每一十五里春氣發晚一日秋氣至早一日南行校之川形有北向及東北西南者每五百里　新校正云按別本作十五里陽氣行晚一日陰氣行早一日南向及東南西北川每一十五里熱氣至早一日寒氣至晚一日廣平之地則每五十里陽氣發早一日寒氣至晚一日北行校之川形有南向及東南西北者每二十五里陽氣行晚一日陰氣行早一日北向及東北西南川每一十五里寒氣至早一日熱氣至晚一日廣平之地則每二十里熱氣行晚一日寒氣至早一日大率如此然高處峻處冬氣常在平處下處夏氣常在觀其雪零草茂則可知矣然地土故有弓形川蛇形川月形川地勢不同生殺榮枯地同而天異凡此之類有離向丙向巽向乙向震向處則春氣早至秋氣晚至早晚校十五日有丁向坤向庚向兌向辛向乾向坎

向艮向處則秋氣早至春氣晚至早晚亦校二十日是所謂崇山之地也審觀向背氣候可知寒涼之地湊理開少而閉多閉多則陽氣不散故適寒涼腹必脹也溫熱之地湊理開多而閉少開多則陽發散故往溫熱皮必瘡也下之則中氣不餘故脹已汗之則陽氣外泄故瘡愈

帝曰其於壽夭何如言土地居人之壽夭岐伯曰陰精所奉其人壽陽精所降其人夭陰精所奉高之地也陽精所降下之地也陰方之地陽不妄泄寒氣外持邪不數中而正氣堅守故壽延陽方之地陽氣耗散發泄無度風濕數中真氣傾竭故夭折即事驗之今中原之境西北方衆人壽東南方衆人夭其中猶各有微甚爾此壽夭之大異也方者審之乎

帝曰善其病也治之奈何岐伯曰西北之氣散而寒之東南之氣收而溫之所謂同病異治也西方北方人皮膚腠理密人皆食熱故宜散宜寒東方南方人皮膚疏腠理開人皆食冷故宜收宜溫散謂溫浴使中外條達收謂溫中不解表也今土

俗皆反之依而療之則反甚矣新挍正云詳分方爲治亦具異法方宜論中故曰氣寒氣涼治以寒涼行水漬之氣溫氣熱治以溫熱強其內守必同其氣可使平也假者反之寒方以寒熱方以熱溫方以溫涼方以涼是正法也是同氣也行水漬之是湯漫漬也平謂平調也若西方北方有冷病假熱方溫方以除之東方南方有熱疾須涼方寒方以療者則反上正法以取之帝曰善一州之氣生化壽夭不同其故何也歧伯曰高下之理地勢使然崇高則陰氣治之汚下則陽氣治之陽勝者先天陰勝者後天先天天謂先天時也後天天謂後天時也悉言土地生榮枯落之先後也物既有之人亦如然此地理之常生化之道也帝曰其有壽夭乎歧伯曰高者其氣壽下者其氣夭地之小大異也小者

小異大者大異大謂東南西北相遠萬里許也小謂居所高下相近二十三十里或百里許也地形高下懸倍不相計者以近爲小則十里二十里高下平慢氣相接者以遠爲小則三百里二百里地氣不同乃異也故治病者必明天道地理陰陽更勝氣之先後人之壽夭生化之期乃可以知人之形氣矣不明天地之氣又昧陰陽之候則以壽爲夭以夭爲壽雖盡上聖救生之道畢經脉藥石之妙猶未免世中之誣斥也帝曰善其歲有不病而藏氣不應不用者何也岐伯曰天氣制之氣有所從也從謂從事於彼不及營於私應用之帝曰願卒聞之岐伯曰少陽司天火氣下臨肺氣上從白起金用草木眚火見燔焫革金且耗大暑以行欬嚏鼽衄鼻窒曰瘍寒熱胕腫寅申之歲候也臨謂御於下從謂從事於上起

謂價高於市用謂用用行刑罰也臨從起用同之華謂皮華亦謂華易也金謂器屬也耗謂費用也火氣盛灼故曰生瘡瘡身瘡也瘍頭瘡也寒熱謂先寒而後熱則瘡疾也肺爲熱害水且救之水守肺中故爲胕腫胕腫謂腫滿按之不起此天氣之所生也　新校正云詳注云故曰生瘡瘡身瘡也瘍頭瘡也今經只言曰瘍疑經脫一瘡字別本曰字作口

風行于地塵沙飛揚心痛胃脘痛厥逆鬲不通其主暴速厥陰在泉故風行于地風淫所勝故是病生焉少陽厥陰其化急速故病氣起發疾速而爲故云其主暴速此也氣不順而生是也　新校正云詳厥陰與少陽在泉言其主暴速其發燥速故不言甚則某病也

陽明司天燥氣下臨肝氣上從蒼起木用而立土廼眚淒滄數至木伐草萎脇痛目赤掉振鼓慄筋痿不能久立卯酉之歲候也木用亦謂木功也淒滄大涼也此病之起天氣生焉暴熱至土廼暑陽氣鬱發小便變寒

三十三

熱如瘡甚則心痛火行於稿流水不冰蟄蟲迺見少陰在泉熱監于地而爲是地病之所有地氣生焉太陽司天寒氣下臨心氣上從而火且明新校正云詳火且明三字當作火用二字丹起金迺眚寒清時舉勝則水冰火氣高明心熱煩嗌乾善渴鼽嚏喜悲數欠熱氣妄行寒迺復霜不時降善忘甚則心痛辰戌之歲候也寒清時舉太陽之令也火氣高明謂熇熇於物也不時謂太早及偏害不循時令不普不於物也病之所起天氣生焉土迺潤水豐衍寒客至沉陰化濕氣變物水飲內稿中滿不食皮𤸷肉苛筋脈不利甚則胕腫身後癰太陰在泉濕監于地而爲是也病之源始地氣生焉新校正云詳身後癰當作身後難厥陰司天風氣下臨脾氣上從而土且隆黃起

水廼眚土用革體重肌肉萎食減口爽風行太虛雲物搖動目轉耳鳴巳亥之歲候也土隆主用革謂土氣有用而革易其體亦謂土功土也云物搖動是謂風高此病所生天之氣也火縱其暴地廼暑大熱消爍赤沃下蟄蟲數見流水不冰少陽在泉火監于地而爲是也病之宗兆地氣生焉其發機速少陽厥陰之氣變化卒急其爲疾病速若發機故曰其發機速少陰司天熱氣下臨肺氣上從白起金用草木眚喘嘔寒熱嚏鼽衄鼻窒大暑流行子午之歲候也熱司天氣故是病生天氣之作也甚則瘡瘍燔灼金爍石流天之変也地廼燥清淒滄數至脅痛善太息肅殺行草木變變謂變易客質也脅痛太息地氣生也太陰司天濕氣下臨腎氣上從黒起水變新校正云詳前後文此少火廼

背三字埃冒雲雨胸中不利陰痿氣大衰而不起不用新校正云詳不用二字當作水用當其時反腰脽痛動轉不便也丑未之歲候也水變謂井泉變鹹也埃土霧也冒不分遠也雲雨土化也脽謂臀肉也病之有者天氣生焉厥逆新校正云詳厥逆二字疑當連上也地廼藏陰大寒且至蟄蟲早附心下否痛地裂冰堅少腹痛時害於食乘金則止水增味廼鹹行水減也止水井泉也行水河渠流注者也止水雖長廼變常甘美而為鹹味也病之有者地氣生焉　新校正云詳大陰司天之化不言甚則病某而去當其時又云乘金則云云者與前條互相發明也帝曰歲有胎孕不育治之不全何氣使然岐伯曰六氣五類有相勝制也同者盛之異者衰之此天地之道生化之常也故厥陰司天毛蟲靜

羽蟲育介蟲不成謂乙巳丁巳己巳辛巳癸巳乙亥丁亥己亥辛亥癸亥之歲也靜無聲也亦謂靜遲不先爲事也羽爲火蟲氣同地也火制金化故介蟲不成謂白色有甲之蟲少孕育也

在泉毛蟲育倮蟲耗羽蟲不育地氣制土黃倮耗損歲乘木運其災甚也羽蟲不育少陽自抑之是則五寅五申歲也凡稱不育不成皆謂少非悉無也

少陰司天羽蟲靜介蟲育毛蟲不成謂甲子丙子戊子庚子壬子甲午丙午戊午庚午壬午之歲也靜謂胡越鷰百舌鳥之類也是歲黑色毛蟲孕育少成

在泉羽蟲育介蟲耗不育地氣制金白介蟲不育歲乘火運斯復甚焉是則五卯五酉歲也新校正云詳介蟲耗以少陰在泉火制金也介蟲不育以陽明在天自抑之也

太陰司天倮蟲靜鱗蟲育羽蟲不成謂乙丑丁丑己丑辛丑癸丑乙未丁未己未辛未癸未之歲也倮倮蟲謂人及蝦蟇之類也羽蟲謂青綠色者則鸚鵡鸐鳥翠碧鳥之類諸青綠色之有羽者也歲乘金運其復甚焉

在泉

三十五

倮蟲育鱗蟲新校正云詳此少一耗字不成地氣制水黑鱗不育歲乘土運而又甚乎是則五辰五戌歲也少陽司天羽蟲靜毛蟲育倮蟲不成謂甲寅丙寅戊寅庚寅壬寅甲申丙申戊申庚申壬申之歲也倮蟲謂青綠色者也羽蟲謂黑色諸有羽翼者則越鷰百舌鳥之類是也在泉羽蟲育介蟲耗毛蟲不育地氣制金白介耗損歲乘火運其又甚也毛蟲不育天氣制之是則五巳五亥歲也陽明司天介蟲靜羽蟲育介蟲不成謂乙卯丁卯己卯辛卯癸卯乙酉丁酉己酉辛酉癸酉歲也羽爲火蟲故蕃育也介蟲諸有赤色甲殼者也赤介不育天氣制之也在泉介蟲育毛蟲耗羽蟲不成地氣制木黑毛蟲耗歲乘金運損復甚焉是則五子五午歲也羽蟲不就以上見少陰也太陽司天鱗蟲靜倮蟲育謂甲辰丙辰戊辰庚辰壬辰甲戌丙戌戊戌庚戌壬戌之歲也倮蟲育地氣同也鱗蟲靜謂黃鱗不用也是歲雷霆少舉以天氣抑之也新校正云詳此當

云鱗蟲不成在泉鱗蟲耗倮蟲不育天氣制勝黃黑鱗耗是則五丑五未歲也新校正云詳此當爲鱗蟲育羽蟲耗倮蟲不育注中鱗字亦當作羽諸乘所不成之運則甚也乘水之運倮蟲不成乘火之運介蟲不成乘土之運鱗蟲不成乘金之運毛蟲不成乘水之運羽蟲不成當是歲者與上文同悉少能孕育也斯並運與氣同者運乘其勝復遇天符及歲會者十孕不全一二也故氣主有所制歲立有所生地氣制已勝天氣制勝已天制色地制形天氣隨已不勝者制之謂制其色也地氣隨已所勝者制之謂制其形也故又曰天制色地制形焉是以天地之間五類生化互有所勝互有所化互有所生互有所制矣五類衰盛各隨其氣之所宜也宜則蕃息故有胎孕不育治之不全此氣之常也天地之間有生之物凡此五類也五謂毛羽倮鱗介也故曰毛蟲三百六十鱗爲之長羽蟲三百六十鳳爲之長倮蟲三百六十人爲之長鱗

三十六

蟲三百六十龍爲之長介蟲三百六十龜爲之長諸有形跂行飛走喘息胎息大小高下青黃赤白黑身被毛羽鱗介者通而言之皆謂之蟲矣不具是四者皆爲倮蟲凡此五物皆有胎生卵生濕生化生也凡人致問言及凡類也**所謂中根也**五氣之根本發自身形之中中根也非是五類則生氣根系悉因外物以成立去之則生氣絕矣**根于外者亦五**謂五味五色類也然木火土金水之形勢悉假外物色藏乃能生化外物既去則生氣斷絕故皆是根于外也　新校正云詳注中色藏二字當作已成**故生化之別有五氣五味五色五類五宜也**然是二十五者根中根外悉有之五氣謂臊焦香腥腐也五味謂酸苦辛鹹甘也五色謂青黃赤白黑也五類有二矣其一者謂毛羽倮鱗介其二者謂燥濕液堅耎也夫如是等於萬物之中互有所宜

**帝曰何謂也岐伯曰根于中者命曰神機神去則機息根于外者命曰氣立氣止則化絕**諸有形之類根於中者生源繫

天其所動靜皆神氣爲機發之主故其所爲也物莫之知是以神捨去則機發動用之道息矣根于外者生源繫地故其所生長化成收藏皆爲造化之氣所成立故其其所出也亦物莫之知是以氣止息則生化結成之道絶滅矣其木火土金水燥濕液堅柔雖常性不易及乎外物去生氣離根化絶止則其常體性顏色皆必小變移其舊也新校正云按六元微旨大論云出入廢則神機化滅升降息則氣立孤危故非出入則無以生長壯老已非升降則無以生長化收藏故各有制各有勝各有生各有成根中根外悉如是故曰不知年之所加氣之同異不足以言生化此之謂也新校正云按六節藏象論云不知年之所加氣之盛衰虛實之所起不可以爲工矣帝曰氣始而生化氣散而有形氣布而蕃育氣終而象變其致一也始謂始發動散謂流散於物中布謂布化於結成之形所終亟於收藏之用也故始動而生化流散而有形布化而成結終極而萬象皆變也即事

三十七

驗之天地之間有形之類其生也柔弱其死也堅強凡如此類皆謂變易生死之時形質是謂氣之終極謂之變新校正云按天元紀大論云物生謂之化物極謂之變又六微旨大論云物之生從於化物之極由乎變變化相薄成敗之所由也

然而五味所資生化有薄厚成熟有少多終始不同其故何也岐伯曰地氣制之也非天不生地不長也天地雖無情於生化而生化之氣自有異同爾何者以地體之中有六人故也氣有同異故有生有化有不生有不化有少生少化有廣生廣化矣故天地之間無必生必化必不生必不化必少生少化必廣生廣化各隨其氣分所好所惡所異所同也

帝曰願聞其道岐伯曰寒熱燥濕不同其化也舉寒熱燥濕四氣不同則温清異化可知志矣

故少陽在泉寒毒不生其味辛其治苦酸其穀蒼丹巳亥歲氣化也其毒者皆五行標盛暴烈之氣所爲也今火在地中其氣正熱寒毒之物氣與

地殊生死不同故生少也火制金氣故味辛者不化也少陽之氣上奉厥陰故其歲化苦與酸也六氣主歲唯此歲通和木火相承故無間氣也苦丹地氣所化酸蒼天氣所生矣餘所生化悉有上下勝剋故皆有間氣矣

陽明在泉濕毒不生其味酸其氣濕新校正云詳在泉云唯陽明與太陰在泉之歲云其氣濕其氣熱蓋以濕燥未見寒溫之氣故再云其氣也其治辛苦甘其穀丹素子午歲氣化也燥在地中其氣涼清故濕溫毒藥少生化也金木相制故味酸者少化也陽明之氣上奉少陰故其歲化辛與苦也辛素地氣也苦丹天氣也甘間氣也所以間金火之勝剋故兼治甘

太陽在泉熱毒不生其味苦其治淡鹹其穀黅秬丑未歲氣化也寒在地中與熱味化故其歲物熱毒不生水勝火味故當苦也太陽之氣上奉太陰故其歲化生淡鹹也太陰土氣上生於天氣遠而高故甘之化薄而為淡也味以淡亦屬甘甘之類也淡黅天化也鹹秬地化也黅黃也新校正云詳注云味故當苦當作故味苦者不化傳寫誤也

三十八

厥陰在泉清毒不生其味甘其治酸苦其穀蒼赤寅申歳氣化也溫在地中與清殊性故其歳物清毒不生木勝其土故味甘少化也厥陰之氣上合少陽所合之氣既無乖忤故其治化酸與苦也酸蒼地化苦赤天化也氣無勝剋故不間氣以甘化也其氣專其味正正厥陰少陽在泉之歳皆氣化專一其味純正然餘歳悉上下有勝剋之氣故皆有間氣間味矣

少陰在泉寒毒不生其味辛其治辛苦甘其穀白丹卯酉歳氣化也熱在地中與寒殊化故其歳藥寒毒甚微火氣爍金故味辛少化也故少陰陽明主天主地故其所治苦與辛焉苦丹爲地氣所育辛白爲天氣所生甘間氣也所以間止剋伐也

太陰在泉燥毒不生其味鹹其氣熱其治甘鹹其穀黅秬辰戌歳氣化也地中有濕與燥不同故甘毒之物不生化也土制於水故味鹹少化也太陰之氣上承太陽故其歳化甘與鹹也甘黅地化也鹹秬天化也寒濕不爲大忤故間氣同而氣熱者應之

化淳則鹹守氣專則辛化而俱治淳和也化淳謂火陽在泉之歲也火來居水而反能化育是水鹹自守不與火爭化也氣專謂厥陰在泉之歲也木居于水而復下化金不受害故辛復生化與鹹俱王也唯此兩歲上下之氣無剋伐之嫌故辛得與鹹同應王而生化也餘歲皆上下有勝剋之變故其中間甘味兼化以緩其制抑餘苦鹹酸三味不同其生化也故天地之間藥物辛甘者多也故曰補上下者從之治上下者逆之以所在寒熱盛衰而調之上謂司天下謂在泉也司天地氣太過則逆其味以治之司天地氣不及則順其味以和之從順也故曰上取下取內取外取以求其過能毒者以厚藥不勝毒者以薄藥此之謂也上取謂以藥制有過之氣也制而不順則吐之下取謂以迅疾之藥除下病攻之不去則下之內取謂食及以藥內之審其寒熱而調之外取謂藥熨令所病氣調適也當寒反熱以冷調之當熱反寒以溫和之上盛不已吐而脫之

下盛不已下而奪之謂求得氣過之道也藥厚薄謂氣味厚薄者也　新校正云按甲乙經云胃厚色黑大骨肉肥者皆勝毒其瘦而薄胃者皆不勝毒又按異法方宜論云西方之民陵居而多風水土剛強不衣而褐薦華食而脂肥故邪不能傷其形體其病生於内其治宜毒藥

氣反者病在上取之下病在下取之上病在中傍取之下取謂寒逆於下而熱攻於上不利於下氣盈於上則溫下以調之上取謂寒積於下溫之不去陽藏不足則補其陽也傍取謂氣并於左則藥熨其右氣并於右則熨其左以和之必隨寒熱為適凡是七者皆病無所逃動而必中斯為妙用矣

治熱以寒溫而行之治寒以熱涼而行之治溫以清冷而行之治清以溫熱而行之氣性有剛柔形證有輕重方用有大小調制有寒溫盛大則順氣性以取之小耎則逆氣性以伐之氣殊則主必不容力倍則攻之必勝是則謂湯飲調氣之制也　新校正云按至眞要大論云熱因寒用寒因熱用熱必代其所生而先其所

因其始則同其終則異可使破積可使潰堅可使氣和可使必已者也故消之削之吐
之下之補之寫之久新同法邪氣盛虛而行其法病之新久無異道也帝
曰病在中而不實不堅且聚且散奈何岐伯曰悉乎
哉問也無積者求其藏虛則補之隨病所在命其藏以補之藥以
祛之食以隨之食以無毒之藥隨湯丸以迫逐之使其盡也行水漬之和
其中外可使畢已中外通和氣無流礙則釋然消散眞氣自平帝曰有毒
無毒服有約乎岐伯曰病有久新方有大小有毒無
毒固宜常制矣大毒治病十去其六下品藥毒毒之大也常毒
治病十去其七中品藥毒次於下也小毒治病十去其八上品藥毒
毒之小也無毒治病十去其九上品中品下品無毒藥悉謂之平穀肉果

菜食養盡之無使過之傷其正也大毒之性烈其爲傷也多少毒之性和其爲傷也少常毒之性減大毒之性一等加小毒之性一等所傷可知也故至約必止之以待來證爾然無毒之藥性雖平和久而多之則氣有偏勝則有偏絕久攻之則藏氣偏弱既弱且困不可畏也故十去其九而止服至約已則以五穀五肉五果五菜隨五藏宜者食之已盡其餘病藥食兼行亦通也 新校正云按藏氣法時論云毒藥攻邪五穀爲養五果爲助五畜爲益五菜爲充不盡行復如法法謂前四約也餘病不盡然再行之毒之大小至約而至必無過也必先歲氣無伐天和歲有六氣分主有南面北面之政先知此六氣所在人脉至尺寸應之太陰所在其脉沈少陰所在其脉鈎厥陰所在其脉弦太陽所在其脉大而長陽明所在其脉短而濇少陽所在其脉大而浮如是六脉則謂天和不識不知呼爲寒熱攻寒令熱脉不變而熱疾已生制熱令寒脉如故而寒病又起欲求其適安可得乎天枉之來率由於此無盛盛無虚虚而遺人天殃不察

虛實但思攻擊而盛者轉盛虛者轉虛萬端之病從茲而甚真氣日消病勢日侵殃咎之來苦夭之興難可逃也悲夫

無致邪無失正絕人長命所謂代天和也攻虛謂實是則致邪不識藏之虛斯為失正氣既失則為死之由矣

帝曰其久病者有氣從不康病去而瘠奈何從謂順也

岐伯曰昭乎哉聖人之問也化不可代時不可違化謂造化也代大匠斲猶傷其手況造化之氣人能以力伐之乎夫生長收藏各應四時之化雖巧智者亦無能先時而致之明非人力所及由是觀之則物之生長收藏化必待其時也物之成敗理亂亦待其時也物既有之人亦宜然或言力必可致而能代造化違四時者妄也

夫經絡以通血氣以從復其不足與衆齊同養之和之靜以待時謹守其氣無使傾移其形迺彰生氣以長命曰聖王故大要曰無代化無違時必養必和

待其來復此之謂也帝曰善大要上古經法也引古之要旨以明時化之不可違不可以力代也

黃海紀藏黃帝內經素問卷第二十

氣交變大論槁苦老切瞼音撿睫音接蠹音妬鶩音木璺音問謐音密

五常政大論瞤如勻切清妻逕切飋音瑟黔音令麂音几鏗音坑瞀音冒拉音蠟猯他端切磧妻力切鬻

黃海 商部之二函

天都外史潘之恒景升定
鄭圃居士梁廷棟无它閱

紀藏二之六十一

# 黃帝內經素問卷第二十一

啓玄子次注

六元正紀大論篇 刺法論篇亡

本病論篇亡 新校正云詳此二篇亡在王注之前按病能論篇末王冰注云世本既闕第七二篇謂此二篇也而今世有素問亡篇及昭明隱旨論以謂此三篇仍托名王冰爲注辭理鄙陋無足取者舊本此篇名在六元正紀篇後列之爲後人移於此若以尚書亡篇之名皆在前篇之末則舊本爲得

六元正紀大論篇第七十一

黃帝問曰：六化六變勝復淫治甘苦辛鹹酸淡先後，余知之矣。夫五運之化，或從五氣，新校正云：詳五氣疑作天氣，則與下文相協。或逆天氣，或從天氣而逆地氣，或從地氣而逆天氣，或相得，或不相得，余未能明其事。欲通天之紀，從地之理，和其運，調其化，使上下合德，無相奪倫，天地升降，不失其宜，五運宣行，勿乖其政，調之正味，從逆奈何？氣同謂之從，氣異謂之逆，勝制爲不相得，相生爲相得，司天地之氣更淫勝復，各有主治法則，欲令平調氣性，不違忤天地之氣，以致清靜和平也。岐伯稽首再拜對曰：昭乎哉問也！此天地之綱紀，變化之淵源，非聖帝孰能窮其至理歟臣雖不敏請陳其道令終不滅久而不易（氣主循環同於天地太過不及氣序常然不言永定之制則久而更易去聖遼遠何以明之）帝曰願夫子推而次之從其類序分其部主別其宗司昭其氣數明其正化可得聞乎（部主謂分六氣所部主者也宗司謂配五氣運行之位也氣數謂天地五運氣更用之正數也正化謂歲直氣味所宜酸苦甘辛鹹寒溫冷熱也）岐伯曰先立其年以明其氣金木水火土運行之數寒暑燥濕風火臨御之化則天道可見民氣可調陰陽卷舒近而無惑數之可數者請遂言之（遂盡也）帝曰太陽之政奈何岐伯曰辰戌之紀也

太陽　太角　太陰　壬辰　壬戌　其運風　其

化鳴紊啓拆新校正云按五常政大論云其德鳴靡啓拆其變振拉摧拔新校正云詳此其運其化其變從太角等運起其病眩掉目瞑新校正云詳此病證以運加同天地爲言

太角初正　少徵　太宮　少商　太羽終

太陽　太徵　太陰　戊辰　戊戌同正徵新校正云按五常政大論云赫曦之紀上羽與正徵同其運熱　其化暄暑鬱燠新校正云按五常政大論燠作蒸其變炎烈沸騰　其病熱鬱

太徵　少宮　太商　少羽終　少角初

太陽　太宮　太陰　甲辰歲會同天符　甲戌歲會同天符新校正云按天元紀大論云承歲爲歲直又六微旨大論云木運臨卯火運臨午土運臨四季

金運臨酉，水運臨子，所謂歲會，氣之平也。王冰云：歲直亦曰歲會。此甲爲太宮，辰戌爲四季，故曰歲會。又云同天符者，按本論下文云：太過而加同天符，是此歲一爲歲會，又爲同天符也。其運陰埃，新校正云：詳太宮三運兩曰陰雨，獨此曰陰埃，埃疑作雨。其化柔潤重澤，新校正云：按五常政大論，澤作淖。其變震驚飄驟，其病濕下重。

太宮　少商　太羽終　太角初　少徵

太陽　太商　太陰　庚辰　庚戌　其運涼，其化霧露蕭飋，其變肅殺凋零，其病燥背瞀胸滿。

太商　少羽終　少角初　太徵　少宮

太陽　太羽新校正云：按五常政大論云：上羽而長氣不化。　太陰　丙辰　丙戌　天符新校正云按天元紀大論云應天爲天符又六微旨大論云土運之歲上見太陰火運之歲上見少陽少陰金運之歲上見陽明木運之歲上見厥陰水運之歲上見太陽曰天與之會故曰天符又本論下文云五運同行天化者命曰天符又云臨者太過不及皆曰天符其運寒新校正云詳太羽三運此爲上羽少陽少陰司天爲太徵而少陽司天運言寒肅此與少陰司天運言其運寒者疑此太陽司天運合太羽當言其運寒肅少陽少陰司天運當云其運寒也其化凝憏凓冽新校正云按五常政大論作凝慘寒雰其變冰雪霜雹其病大寒留於谿谷

太羽終　太角初　少徵　太宮　少商

凡此太陽司天之政氣化運行先天六步之氣生長化成收藏皆先天時而應至也餘歲先天同之也天氣肅地氣靜寒臨太虛陽氣不

令水土合德，上應辰星鎮星（明而大也）。其穀玄黅（天地正氣之所生長化成也。黅，黃也）。其政肅，其令徐。寒政大舉，澤無陽燄，則火發待時（寒盛則火鬱，待四氣乃發，暴爲炎熱也）。少陽中治，時雨迺涯，止極雨散，還於太陰，雲朝北極，濕化迺布（北極，雨府也），澤流萬物，寒敷于上，雷動于下，寒濕之氣，持於氣交（歲氣之大體也）。民病寒濕，發肌肉萎，足痿不收，濡寫血溢（新校正云：詳血溢者，火發待時所爲之病也）。初之氣，地氣遷，氣迺大溫（畏火致之），草迺早榮，民迺厲，溫病乃作，身熱頭痛嘔吐，肌腠瘡瘍（赤斑也，是爲瘍腠中瘍在皮肉也）。二之氣，大涼反至，民迺慘，草迺遇寒，火氣遂抑，民病氣鬱中滿，寒迺始（因涼而又之於寒氣，故寒氣始來近人也三之氣天政布寒氣行雨迺降民病寒反熱中癰疽注下心熱瞀悶不治者死當寒反熱是反天常熱起於心則神之危亟不急扶救神必消亡故治者則生不治則死四之氣風濕交爭風化爲雨迺長迺化迺成民病大熱少氣肌肉萎足痿注下赤白五之氣陽復化草迺長迺化迺成民迺舒大火臨御故萬物舒榮終之氣地氣正濕令行陰凝太虛埃昏郊野民迺慘悽寒風以至反者孕迺死故歲宜苦以燥之溫之新校正云詳故歲宜若以燥之溫之九字當在避虛邪以安其正下錯簡在此必折其鬱氣先資其化源化源謂九月逆而取之以補心火新校正云詳水將勝也先於九月迎取其化源先寫腎之源也蓋以水王十月故先於九月迎而取之瀉水所以補火也抑其運氣扶

其不勝太角歲脾不勝太徵歲肺不勝太宮歲腎不勝太商歲肝不勝太羽歲心不勝歲之宜也如此然太陽司天五歲之氣通宜先助心後扶腎氣無使暴過而生其疾食歲穀以全其眞避虛邪以安其正木過則脾病生火過則肺病生土過則腎病生金過則肝病生水過則心病生天地之氣過亦然也歲穀謂黃色黑色虛邪謂從衝後來之風也適氣同異多少制之同寒濕者燥熱化異寒濕者燥濕化太宮太商太羽歲同寒濕宜治以燥熱化太角太徵歲異寒濕宜治以燥濕化也故同者多之異者少之多謂燥熱少謂燥濕氣用少多隨其歲也用寒遠寒用涼遠涼用溫遠溫用熱遠熱食宜同法有假者反常反是者病所謂時也時謂春夏秋冬及間氣所在同則遠之即雖其時若六氣臨御假寒熱溫涼以除疾病者則勿遠之如太陽司天寒爲病者假熱以療則熱用不遠夏餘氣例同故曰有

假反常也食同藥法爾若無假反法則爲病之媒非方術養生之道　新校正云按用寒遠寒及有假者反常等事下文備矣帝曰善陽明之政奈何岐伯曰卯酉之紀也

陽明　少角　少陰　清熱勝復同同正商清勝少角熱復清氣故曰清熱勝復同也餘少運皆同也同正商者上見陽明上商與正商同言歲木不及也餘準此　新校正云按五常政大論云委和之紀上商與正商同丁卯歲會　丁酉

其運風清熱不及之運常兼勝復之氣言之風運氣也清勝氣也熱復氣也餘少韻悉同

少角初正　太徵　少宮　太商　少羽終

陽明　少徵　少陰　寒雨勝復同同正商新校正云按伏

明之紀上商與正商同

癸卯同歲會　癸酉同歲會新校正云按本論下文云不及而加同歲會此運少徵爲不及下加少陰故云同歲會　其運熱寒雨

少徵　太宮　少商　太羽終　太角初

陽明　少宮　少陰　風凉勝復同　己卯　己酉

其運雨風凉

少宮　太商　少羽終　少角初　太徵

陽明　少商　少陰　熱寒勝復同同正商新校正云按五常政大論云從革之紀上商與正商同

乙卯天符　乙酉歲會大乙天符新校正云按天元紀大論云三合爲治又六微旨大論云天符歲會曰太乙天符王冰云是謂三合一者天會二者歲會三者運會或云此歲三合曰太乙天符不當更曰歲會者甚不然也

六

乙酉本爲歲會又爲太一天符歲會之名不可去也或云巳丑巳未戊午何以不連言歲會而單言太一天符曰舉一隅不以三隅反舉一則三者可知去之則亦太一天符不爲歲會故曰不可去也

**其運涼熱寒**

**少商　太羽**終　**太角**初　**少徵　太宮**

**陽明　少羽　少陰　雨風勝復同　辛卯少宮同**

新校正云按五常政大論云五運不及除同正角正商正宮外癸丑癸未當云少徵與少羽同巳卯乙酉少宮與少角同乙丑乙未少商與少徵同辛卯辛酉辛巳辛亥少羽與少宮同合有十年今此論獨於此言少宮同者蓋以癸丑癸未丑未爲土故不更同少羽巳卯巳酉爲金故不更同少角辛巳辛亥爲太徵不更同少宮乙丑乙未下見太陽爲水故不更同少徵又除此八年外只有辛卯辛酉二年爲少羽同少宮也

辛酉　辛卯　其運寒雨風

少羽終　少角初　太徵　太宮　太商

凡此陽明司天之政氣化運行後天六步之後生長化成庶務動靜皆後天時而應餘少歲同天氣急地氣明陽專其令炎暑大行物燥以堅淳風迺治風燥橫運流於氣交多陽少陰雲趨雨府濕化迺敷雨府太陰之所在也燥極而澤燥氣欲終則化爲雨澤是謂三氣之分也其穀白丹天地正氣所化生也間穀命太者命太者謂前文太角商等氣之化者間氣化生故云間穀也　新校正云按玄珠云歲穀與間穀者何即在泉爲歲穀及在泉之左右間者皆爲歲穀其司天及運間而化者名間穀又別有一名間穀者是也化不及即反有所勝而生者故名間穀即邪氣之化又名並化之穀也亦名間穀與王注頗異其耗白甲品羽

白色甲蟲多品羽類有羽翼者耗散粢盛蟲鳥甲兵歲爲災以耗竭物類金火合德上應太白熒惑見大而明其政切其令暴蟄蟲迺見流水不冰民病欬嗌塞寒熱發暴振凓癃閟清先而勁毛蟲迺死熱後而暴介蟲迺殃其發躁勝復之作擾而大亂金先勝木已承害故毛蟲死火後勝金不勝故介蟲復殃勝而行殺羽者已亡復者後來強者又死非大亂氣其何謂也清熱之氣持於氣交初之氣地氣遷陰始凝氣始肅水迺冰寒雨化其病中熱脹面目浮腫善眠鼽衄嚏欠嘔小便黃赤甚則淋太陰之化新校正云詳氣肅水冰凝非太陰之化二之氣陽迺布民迺舒物迺生榮厲大至民善暴死臣位君故爾三之氣天政布涼迺行燥熱交合燥極

雨澤民病寒熱寒熱瘧也四之寒氣雨降病暴仆振慄譫妄少氣嗌乾引飲及為心痛癰腫瘡瘍瘧寒之疾骨痿血便骨痿無力五之氣春令反行草迺生榮民氣和終之氣陽氣布候反溫蟄蟲來見流水不冰民迺康平其病溫君之化也故食歲穀以安其氣食間穀以去其邪歲宜以鹹以苦以辛汗之清之散之安其運氣無使受邪折其鬱氣資其化源化源謂六月迎而取之也新校正云按金王七月故逆於六月為金氣以寒熱輕重少多其制同熱者多天化同清者多地化少角少徵歲同熱用方多以天清之化治之少宮少商少羽歲同清用方多以地熱之化治之火在地故同清者多地化金在天故同熱者多天化用涼遠涼用熱遠熱

用寒遠寒用溫遠溫食宜同法有假者反之此其道也反是者亂天地之經擾陰陽之紀也帝曰善少陽之政奈何岐伯曰寅申之紀也

少陽 太角（新校正云按五常政大論云上徵則其氣逆） 厥陰 壬寅（同天符） 壬申（同天符） 其運風鼓（新校正云詳風火合勢故其運風鼓少陰司天太角運亦同） 其化鳴紊啓坼（新校正云按五常政大論云其德鳴靡啓坼） 其變振拉摧拔 其病掉眩支脇驚駭

太角（初正） 少徵 太宮 少商 太羽（終）

少陽 太徵（新校正云按五常政大論云上徵而收氣後） 厥陰 戊寅天符 戊申 天符 其運暑其化暄囂鬱燠（新校

正云按五常政大論作熇暑鬱燠變暑者爲囂者以上臨少陽故也　其變炎烈沸騰

其病上熱鬱血溢血泄心痛

太徵　少宮　太商　少羽終　少角初

少陽　太宮　厥陰　甲寅　甲申　其運陰雨

其化柔潤重澤　其變震驚飄驟　其病體重胕

腫痞飲

太宮　少商　太羽終　太角初　少徵

少陽　太商　厥陰　庚寅　庚申　同正商新校正云

按五常政大論云堅成之紀上徵與正商同　其運涼　其化霧露清切

新校正云按五常政大論云霧露蕭飋又大商三運兩言蕭飋獨此言清切詳此下如厥陰當此蕭

飈　其變肅殺凋零　其病肩背胷中

太商　少羽終　少角初　太徵　少宮

少陽　太羽　厥陰　丙寅　丙申　其運寒肅新校正云詳此運不當言寒肅以注太陽司天太羽運中　其化凝慘凓冽新校正云按五常政大論云作凝慘寒雰　其變冰雪霜雹　其病寒浮腫

太羽終　太角初　少徵　太宮　少商

凡此少陽司天之政氣化運行先天天氣正新校正云詳少陽司天太陰司地正得天地之正文厥陰少陽司地各云得其正者以地主生榮爲言也本或作天氣止者少陽火之性用動躁云止義不通也　地氣擾風迺暴舉木偃沙飛炎火迺流陰行陽化雨迺時應火木同德上應熒惑歲

星見明而大　新校正云詳六氣惟少陽厥陰司天司地爲上下通和無相勝尅故言火木同德餘氣皆有勝尅故言合德其穀丹蒼其政嚴其令擾故風熱參布雲物沸騰太陰橫流寒迺時至凉雨並起民病寒中外發瘡瘍內爲泄滿故聖人遇之和而不爭往復之作民病寒熱瘧泄聾瞑嘔吐上怫腫色變初之氣地氣遷風勝迺搖寒迺去候迺大溫草木早榮寒來不殺溫病乃起其病氣怫於上血溢目赤欬逆頭痛血崩今詳崩字當作崩脇滿膚腠中瘡少陰之化二之氣火反鬱太陰分故雨白埃四起雲趨雨府風不勝濕雨乃零民迺康其病熱鬱於上欬逆嘔吐瘡發於中胷嗌不利頭痛身

熱昏憒膿瘡三之氣天政布炎暑至少陽臨上雨迺涯民病熱中聾瞑血溢膿瘡欬嘔鼽衄渴嚏欠喉痺目赤善暴死四之氣凉迺至炎暑閒化白露降民氣和平其病滿身重五之氣陽迺去寒迺來雨迺降氣門迺閉新校正云按王注生氣通天論氣門玄府也所以發泄經脉榮衛之氣故謂之氣門剛木早凋民避寒邪君子周密終之氣地氣正風迺至萬物反生霿霧以行其病關閉不禁心痛陽氣不藏而欬抑其運氣贊所不勝必折其鬱氣先取化源化源年之前十二月迎而取之新校正云詳王注資取化源俱注云取其意有四等太陽司天取九月陽明司天取六月是二者先取在天之氣也少陽司天取年前十二月大陰司天取九月是二者乃先時取在地

之氣也少陰司天取年十二月厥陰司天取四月用義不可解按玄珠之說則不然太陽陽明之月與王注合少陽少陰俱取三月太陰取五月厥陰取年前十二月玄珠之義可解王注之月疑有誤也暴過不生苛疾不起苛重也　新校正云詳此不言食歲穀間穀者蓋此歲天地氣正上下通和故不言也故歲宜鹹辛宜酸滲之泄之漬之發之觀氣寒溫以調其過同風熱者多寒化異風熱者少寒化太角太徵歲同風熱以寒化多之太宮太商太羽歲異風熱以涼調其過也用熱遠熱用溫遠溫用寒遠寒用涼遠涼食宜同法此其道也有假者反之反是者病之階也帝曰善太陰之政奈何岐伯曰丑未之紀也

太陰　少角　太陽　清熱勝復同　同正宮新校正云

按五常政大論云委和之紀大宮與正宮同丁丑　丁未　其運風清熱

少角初正　太徵　少宮　太商　少羽終

太陰　少徵　太陽　寒雨勝復同　癸丑　癸未

其運熱寒雨

少徵　太宮　少商　太羽終　太角

太陰　少宮　太陽　風清勝復同　同正宮新校正云按五常政大論云卑監之紀上宮與正宮同巳丑太一天符　巳未太一天符　其運雨風清

少宮　太商　少羽終　少角初　太徵

太陰 少商 太陽 熱寒勝復同 乙丑 乙未

其運涼熱寒

少商 太羽終 太角初 少徵 太宮

太陰 少羽 太陽 雨風勝復同 同正宮 新校正云按五常政大論云涸流之紀上宮與正宮同或以此二歲爲同歲會爲平水運欲去同正宮三字者非也蓋此歲有二義而輒去其一甚不可也 辛丑同歲會 辛未同歲會 其運

寒雨風

少羽終 少角初 太徵 少宮 太商

凡此太陰司天之政氣化運行後天 萬物生長化成皆後天時而生成也 陰專其政陽氣退避大風時起 新校正云詳此太陰之政但以言大

風時起蓋厥陰爲初氣居木位春氣正風迺來故言大風時起天氣下降地氣上騰原野昏霿白埃四起雲奔南極寒雨數至物成於差夏南極雨府也差夏謂立秋之後一十日也民病寒濕腹滿身䐜憤胕腫痞逆寒厥拘急濕寒合德黃黑埃昏流行氣交上應鎮星辰星見而大明其政肅其令寂其穀黅玄正氣所生成也故陰凝於上寒積於下寒水勝火則爲冰雹陽光不治殺氣迺行黃黑昏埃是謂殺氣自北及西流行於東及南也故有餘宜高不及宜下有餘宜晚不及宜早土之利氣之化也民氣亦從之間穀命其太也以間氣之大者言其穀也初之氣地氣遷寒迺去春氣正風迺來生布萬物以榮民氣條舒風

濕相薄雨迺後民病血溢筋絡拘強關節不利身重筋痿二之氣大火正物承化民迺和其病溫厲大行遠近咸若濕蒸相薄雨迺時降應順天常不愆時候謂之時雨新校正云詳此以少陰居君火之位故言大火正也三之氣天政布濕氣降地氣騰雨迺時降寒迺隨之感於寒濕則民病身重胕腫胷腹滿四之氣畏火臨溽蒸化地氣騰天氣否隔寒風曉暮蒸熱相薄草木凝煙濕化不流則白露陰布以成秋令萬物得之以成民病腠理熱血暴溢瘧心腹滿熱臚脹甚則胕腫五之氣慘令已行寒露下霜迺早降草木黄落寒氣及體君子周密民病皮腠終之氣寒

大舉濕大化霜遁積陰遁凝水堅冰陽光不治感於寒則病人關節禁固腰脽痛寒濕推於氣交而爲疾也必折其鬱氣而取化源九月化源迎而取之以補益也益其歲氣無使邪勝食歲穀以全其眞食間穀以保其精故歲宜以苦燥之温之甚者發之泄之不發不泄則濕氣外溢肉潰皮拆而水血交流必贊其陽火令禦甚寒冬之分其用五步量氣用之也從氣異同少多其判也通言歲運之同異也同寒者以熱化同濕者以燥化少宫少商少羽歲同寒少宫歲又同濕濕過故宜燥寒過故宜熱少角少徵歲平和處之也異者少之同者多之用涼遠涼用寒遠寒用温遠温用熱遠熱食宜同法假者反

之此其道也反是者病也帝曰善少陰之政奈何歧伯曰子午之紀也

少陰　太角新校正云按五常政大論云上徵則其氣逆　陽明　壬子

壬午　其運風鼓　其化鳴紊啓拆新校正云按五常政大論云其德鳴靡啓拆　其變振拉摧拔　其病支滿

太角初正　少徵　太宮　少商　太羽終

少陰　太徵新校正云按五常政大論云上徵而收氣後　陽明　戊子

天符　戊午　太一天符　其運炎暑新校正云詳太徵運太陽司天曰熱少陽司天曰暑少陰司天曰炎暑兼司天之氣而言運也　其化暄曜鬱燠新校正云按五常政大論作暄暑鬱燠與此變暑爲曜者以上臨少陰故也　其變炎烈

沸騰　其病上熱血溢

太徵　少宮　太商　少羽終　少角初

少陰　太宮　陽明　甲子　甲午　其運陰雨　其化柔潤時雨新校正云按五常政大論云柔潤重淖又太宮三運兩作柔潤重澤字疑誤此時雨二字疑誤　其變震驚飄驟　其病中滿身重

太宮　少商　太羽終　太角初　少徵

少陰　太商　陽明　庚子同天符　庚午同天符　同正商新校正云按五常政大論云堅成之紀上徵與正商同　其運涼勁新校正云詳此以運合在泉故云涼勁　其化霧露蕭飋　其變肅殺凋零　其病下清

太商　少羽終　少角初　太徵　少宮

少陰　太羽　陽明　丙子歲會　丙午　其運寒

其化凝慘凓冽新校正云按五常政大論作凝慘寒雰　其變冰雪霜

雹　其病寒下

太羽終　太角初　少徵　太宮　少商

凡此少陰司天之政氣化運行先天地氣肅天氣明寒交暑熱加燥新校正云詳此云寒交暑者謂前歲終之氣少陽今歲終之氣太陽寒交前歲少陽之暑也熱加燥者少陰在上而陽明在下也　雲馳雨府濕化迺行時雨迺降金火合德上應熒惑太白見而明大　其政明其令切其穀丹白水火寒熱持於氣交而爲病始也熱病

生於上清病生於下寒熱凌犯而爭於中民病欬喘血溢血泄鼽嚏目赤眥瘍寒厥入胃心痛腰痛腹大嗌乾腫上初之氣地氣遷燥將去新校正云按陽明在泉之前歲爲少陽少陽者暑暑往而陽明在地太陽初之氣故上文寒交暑是暑去而寒始也此燥字乃是暑字之誤也寒迺始蟄復藏水迺冰霜復降風迺至新校正云按王注六微旨大論云太陽居木位爲寒風切列此風迺至當作風迺切陽氣鬱民反周密關節禁固腰脽痛炎暑將起中外瘡瘍二之氣陽氣布風迺行春氣以正萬物應榮寒氣時至民迺和其病淋目瞑目赤氣鬱於上而熱三之氣天政布大火行庶類蕃鮮寒氣時至民病氣厥心痛寒熱更作欬喘目

赤四之氣溽暑至大雨時行寒熱互至民病寒熱嗌
乾黃癉鼽衄飲發五之氣畏火臨暑反至陽迺化萬
物迺生迺長榮民迺康其病溫終之氣燥令行餘火
内格腫於上欬喘甚則血溢寒氣數舉則霿霧翳病
生皮腠内舍於脇下連少腹而作寒中地將易也氣終
則遷何可長也必抑其運氣資其歲勝折其鬱發先取化源
先於年前十二月迎而取之無使暴過而生其病也食歲穀以全
眞氣食間穀以辟虛邪歲宜鹹以耎之而調其上甚
則以苦發之以酸收之而安其下甚則以苦泄之適
氣同異而多少之同天氣者以寒清化同地氣者以

温熱化太角太徵歲同天氣宜以寒清治之太宮太商太羽歲同地氣宜以温熱治之化治也用熱遠熱用涼遠涼用温遠温用寒遠寒食宜同法有假則反此其道也反是者病作矣帝曰善厥陰之政奈何岐伯曰巳亥之紀也

厥陰　少角　少陽　清熱勝復同　同正角新校正云按五常政大論云委和之紀上角與正角同　丁巳天符　丁亥天符

其運風清熱

少角初正　太徵　少宮　太商　少羽終

厥陰　少徵　少陽　寒雨勝復同　癸巳同歲會　癸亥同歲會　其運熱寒雨寒

少徵　太宮　少商　太羽終　太角初

厥陰　少宮　少陽　風清勝復同　同正角新校正云按五常政大論云卑監之紀上角與正角同　己巳　己亥　其運雨風清

少宮　太商　少羽終　少角初　太徵

厥陰　少商　少陽　熱寒勝復同　同正角新校正云按五常政大論云從革之紀上角與正角同　乙巳　乙亥　其運涼熱寒

少商　太羽終　太角初　少徵　太宮

厥陰　少羽　少陽　雨風勝復同　辛巳　辛亥

其運寒雨風

少羽終 少角初 太徵 少宮 太商

凡此厥陰司天之政氣運行後天諸同正歲氣化運行同天太過歲運化氣行先天時不及歲化生成後天時同正歲化生成與天二十四氣遲速同無先後也新校正云詳此注云同正歲與二十四氣同疑非恐是與大寒日交同氣候同天氣擾地氣正風生高遠炎熱從之雲趨雨府濕化乃行風火同德上應歲星熒惑其政撓其令速其穀蒼丹間穀言太者其耗文角品羽風燥火熱勝復更作蟄蟲來見流水不冰熱病行於下風病行於上風燥勝復形於中初之氣寒始肅殺氣方至民病寒於右

之下二之氣寒不去華雪水冰殺氣施化霜迺降名草上焦寒雨數至陽復化民病熱於中三之氣天政布風迺時舉民病泣出耳鳴掉眩四之氣溽暑濕熱相薄爭於左之上民病黃癉而爲胕腫五之氣燥濕更勝沈陰迺布寒氣及體風雨迺行終之氣畏火司令陽迺大化蟄蟲出見流水不冰地氣大發草迺生人迺舒其病溫厲必折其鬱氣資其化源化源四月也迎而取之贊其運氣無使邪勝歲宜以辛調上以鹹調下畏火之氣無妄犯之新校正云詳此運何以不言適氣同異以多少之制者蓋厥陰之政與少陽之政同六氣分政惟厥陰與少陽之政上下無剋罰之異治化惟一故不再言同風熱者多寒化異

大

風熱者少寒化也用溫遠溫用熱遠熱用涼遠涼用寒遠寒食宜同法有假反常此之道也反是者病帝曰善夫子言可謂悉矣然何以明其應乎岐伯曰昭乎哉問也夫六氣者行有次止有位故常以正月朔日平旦視之覩其位而知其所在矣陰之所在天應以雲陽之所在天應以清淨自然分布象見不差運有餘其至先運不及其至後先後皆寅時之先後也先則丑後後則卯初此天之道氣之常也天道昭然當期必應見無差失是氣之常運非有餘非不足是謂正歲其至當其時也當時謂當寅之正也帝曰勝復之氣其常在也災眚時至候也奈何岐伯曰非氣化者是謂災也十二變備矣帝曰天地之數

終始奈何岐伯曰悉乎哉問也是明道也數之始起於上而終於下歲半之前天氣主之歲半之後地氣主之歲半謂立秋之日也　新校正云詳初氣交司在前歲大寒日歲半當在立秋前一氣十五日不得云立秋日也上下交互氣交主之歲紀畢矣交互互體也上體下體之中有二互體也故曰位明氣月可知乎所謂氣也大凡一氣主六十日而有奇以立位數之位同一氣則月之節氣中氣可知也故言天地氣者以上下體言勝復者以氣交言橫運者以上下互皆以節氣準之候之災眚變復可期矣帝曰余司其事則而行之不合其數何也岐伯曰氣用有多少化洽有盛衰衰盛多少同其化也帝曰願聞同化何如岐伯曰風溫春化同熱曛昏火夏化同勝與復同燥清煙露

秋化同雲雨昬瞑埃長夏化同寒氣霜雪冰冬化同此天地五運六氣之化更用盛衰之常也帝曰五運行同天化者命曰天符余知之矣願聞同地化者何謂也歧伯曰太過而同天化者三不及而同天化者亦三太過而同地化者三不及而同地化者亦三此凡二十四歲也六十年中同天地之化者凡二十四歲餘悉遺也多少帝曰願聞其所謂也歧伯曰甲辰甲戌太宫下加太陰壬寅壬申太角下加厥陰庚子庚午太商下加陽明如是者三癸巳癸亥少徵下加少陽辛丑辛未少羽下加太陽癸卯癸酉少徵下加少陰如是者三戊子戊午

太徵上臨少陰戊寅戊申太徵上臨少陽丙辰丙戌太羽上臨太陽如是者三丁巳丁亥少角上臨厥陰乙卯乙酉少商上臨陽明己丑己未少宮上臨太陰如是者三除此二十四歲則不加不臨也帝曰加者何謂岐伯曰太過而加同天符不及而加同歲會也帝曰臨者何謂岐伯曰太過不及皆曰天符而變行有多少病形有微甚生死有早晏耳帝曰夫子言用寒遠寒用熱遠熱余未知其然也願聞何謂遠岐伯曰熱無犯熱寒無犯寒從者和逆者病不可不敬畏而遠之所謂時興六位也（四時氣王之月藥及食衣寒熱溫涼同者皆宜避之）

差四時同犯則以水濟水以火助火病必生也帝曰溫涼何如溫涼減於寒熱可輕犯之乎歧伯曰司氣以熱用熱無犯司氣以寒用寒無犯司氣以涼用涼無犯司氣以溫用溫無犯間氣同其主無犯異其主則小犯之是謂四畏必謹察之帝曰善其犯者何如須犯者歧伯曰天氣反時則可依則反甚為病則可依時及勝其主則可犯夏熱甚則可以熱犯熱寒氣不甚則不可犯之以平為期而不可過氣平則止過則病生過則病生與犯同也是謂邪氣反勝者反熱應熱反寒應溫反涼應涼反溫是謂六步之邪勝也差冬反溫差夏反冷差秋反熱差春反涼是謂四時之邪勝也勝則反其氣以平之故曰無失天信無逆氣宜無翼其勝無贊其復是謂至治天信謂至時必定翼贊皆佐之謹守天信是謂至眞妙理

也帝曰善五運氣行主歲之紀其有常數乎岐伯曰臣請次之氣動有勝是謂邪客勝於主不可不禦也六部之氣於六位中應寒補前勝者下注

甲子　甲午歲

上少陰火　中太宮土運　下陽明金　熱化二新校正云詳對化從標成數正化從本生數卯子之年熱化七燥化九甲午之年熱化二燥化四雨化五新校正云按本論正文云太過不及其數何始太過者其數成不及者其數生土常以生也甲年太宮土運太過故言雨化五五土數也燥化四　所謂正化日也正氣化也其化上鹹寒中苦熱下酸熱所謂藥食宜也新校正云按玄珠云下苦熱又按至真要大論云熱淫所勝平以鹹寒燥淫于內治以苦溫此云下酸熱疑誤也

乙丑　乙未歲

上太陰土　中少商金運　下太陽水　熱化寒化勝復同　所謂邪氣化日也　災七宮新校正云詳七宮西室兌位天柱司也災之方以運之當方言　濕化五新校正云詳太陰正司於未對司於丑其化皆五以生數也不以成數者土王四季不得正方又天有九宮不可至十　清化四新校正云按本論下文云不及者其數生乙年少商金運不及故言清化四四金生數也　寒化六新校正云詳乙丑寒化六乙未寒化一　所謂正化日也其化上苦熱中酸和下甘熱所謂藥食宜也新校正云按玄珠云上酸平下甘溫又按至真要大論云濕淫所勝平以苦熱寒淫于內治以甘熱

丙寅　丙申歲新校正云詳丙申之歲申金生水水化之令轉盛司天相火為病減半

上少陽相火　中太羽水運　下厥陰木　火化二

新校正云詳丙寅火化二丙申火化七寒化六　風化三新校正云詳丙寅風化八丙申風化三所謂正化日也

其化上鹹寒中鹹温下辛温所謂藥食宜也新校正云按玄珠云下辛涼又按至眞要大論云火淫所勝平以鹹冷風淫于內治以辛涼

丁卯歲會丁酉歲新校正云詳丁年正月壬寅為午德符便為平氣勝復不至運同正角金不勝木木亦不災土又丁卯年得卯木佐之即上陽明不能災之

上陽明金　中少角木運　下少陰火　清化熱化勝復同　所謂邪氣化日也　災三宮新校正云詳三宮東室震位天衝司燥化九新校正云詳丁卯燥化九丁酉燥化四風化三　熱化七新校正云詳丁卯熱化二丁酉熱化七所謂正化日也

其化上苦小温中辛和下鹹寒所謂藥食宜也新校正云按至眞要大論云燥淫所勝平以苦温熱淫于内治以鹹寒又玄珠云上苦熱也

戊辰　戊戌歲

上太陽水中太徵火運新校正云詳此上見太陽火化減半下太陰土

寒化六新校正云詳戊辰寒化六戊戌寒化一熱化七　濕化五　所謂正化日也

其化上苦温中甘和下甘温所謂藥食宜也新校正云按至眞要大論云寒淫所勝平以辛熱濕淫于内治以苦熱又玄珠云上甘温不酸平

己巳　己亥歲

上厥陰木　中少宫土運新校正云詳至九月甲戌月已得甲戌方還正宫

下少陽相火風化清化勝復同所謂邪氣化日也災五宮新校正云按五常政大論云其眚四維又按天元玉冊云中室天禽司非維宮同正宮寄位二宮坤位風化三新校正云詳巳巳風化入巳亥風化三濕化五火化七新校正云詳巳巳熱化七巳亥熱化二所謂正化日也其化上辛涼中甘和下鹹寒所謂藥食宜也新校正云按至眞要大論云風淫所勝平以辛涼火淫于內治以鹹冷

庚午同天符庚子歲同天符

上少陰火中太商金運新校正云詳庚午年金令減半以上見少陰君火年午亦爲火故也庚子年子是水金氣相得與庚午年又異下陽明金熱化七新校正云詳庚午年熱化二燥化四庚子年熱化七燥化九清化九燥化九所

謂正化日也

其化上鹹寒中辛溫下酸溫所謂藥食宜也新校正云按玄珠云下苦熱又按至真要大論云燥淫于內治以苦熱

辛未同歲會 辛丑同歲會

上太陰土 中少羽水運新校正云詳此至七月丙申月水還正羽 下太陽水

雨化風化勝復同 所謂邪氣化日也 災一宮新校正云詳一宮北室坎位天玄司 雨化五 寒化一新校正云詳此以運與在泉俱水故只言寒化一寒化一者少羽之化氣也若太陽在泉之化則辛未寒化一辛丑寒化六

所謂正化日也

其化上苦熱中苦和下苦熱所謂藥食宜也新校正云按玄

珠云上酸和下甘温又按至真要大論云濕淫所勝平以苦熱寒淫于内治以甘熱

壬申同天符　壬寅歲同天符

上少陽相火　中太角木運　下厥陰木　火化二新校正云詳壬申熱化七壬寅熱化二　風化八新校正云詳此以運與在泉俱木故只言風化八風化八乃太角之運化也若厥陰在泉之化則壬申風化三壬寅風化八　所謂正化日也

其化上鹹寒中酸和下辛涼所謂藥食宜也

癸酉同歲會　癸卯歲同歲會

上陽明金　中少徵火運新校正云詳此五月遇戊午乃火還正徵　下少陰火　寒化雨化勝復同　所謂邪氣化日也　災

九宮新校正云詳九宮離位南室天英司也燥化九新校正云詳癸酉燥化四癸卯燥化九熱化二新校正云詳此以運與在泉俱火故只言熱化二熱化二者少徵之運化也若少陰在泉之化癸酉熱化七癸卯熱化二所謂正化日也

其化上苦小溫中鹹溫下鹹寒所謂藥食宜也新校正云按玄珠云上苦熱

甲戌歲會同天符　甲辰歲歲會同天符

上太陽水　中太宮土運　下太陰土　寒化六新校正云詳甲戌寒化一甲辰寒化六　濕化五新校正云詳此以運與在泉俱土故只言濕化五

正化日也

其化上苦熱中苦溫下苦溫藥食宜也新校正云按玄珠云上甘

温下酸平又按至真要大論云寒淫所勝平以辛熱濕熱于內治以苦熱

乙亥　乙巳歲

上厥陰木中少商金運新校正云詳乙亥年三月得庚辰月早見于德符即氣還正商火未得王而先平火不勝則水不復又亥是水得力年故火不勝也乙巳歲火來小勝巳爲火佐於勝也即於二月中氣君火時化日火來行勝不待水復遇三月庚辰月乙見庚而氣自全金還正商下少陽相火

熱化寒化勝復同邪氣化日也　災七宮　風化八新校正云詳乙亥風化三乙巳風化八　清化四　火化二新校正云詳乙亥熱化二乙巳熱化七　正化度也度謂日也

其化上辛涼中酸和下鹹寒藥食宜也

丙子歲會　丙午歲

上少陰火　中太羽水運　下陽明金　熱化二新校正云詳丙子歲熱化七金之災得其半以運水太過勝於天令天令減半丙午熱化二午爲火少陰君火司天運雖水一水不能勝二火故異於丙子歲寒化六　清化四新校正云詳丙子燥化九丙午燥化四　正化度也

其化上鹹寒中鹹熱下酸溫藥食宜也新校正云按玄珠云下苦熱又按至真要大論云燥淫于內治以酸溫

丁丑　丁未歲

上太陰土新校正云詳此木運平氣上刑天令減半　中少角木運新校正云詳丁年正月壬寅爲干德符爲正角　下太陽水　清化熱化勝復同邪氣化度也　災三宮　雨化五　風化三　寒化一新校

正云詳丁丑寒化六丁未寒化一正化度也

其化上苦溫中辛溫下甘熱藥食宜也新校正云按玄珠云上酸平下甘溫又按至眞要大論云溫淫所勝平以苦熱寒淫于內治以甘熱

戊寅　戊申歲天符　新校正云詳戊申年與戊寅年小異申爲金佐於肺肺受火刑其氣稍實民病得半

上少陽相火　中太徵火運　下厥陰木

火化七新校正云詳天符司天與運合故只言火化七火化七七者太徵之運氣也若少陽司天之氣則戊寅火化二戊申火化七風化三新校正云詳戊寅風化八戊申風化三正化度也

其化上鹹寒中甘和下辛涼藥食宜也

己卯新校正云詳己卯金與運土相得子臨父位爲逆己酉歲

上陽明金　中少宮土運新校正云詳復罷土氣未正後九月甲戌月土遷正宮己酉之年木勝火微　下少陰火風化清化勝復同邪氣化度也　災五宮　清化九新校正云詳己卯燥化九己酉燥化四　雨化五　熱化七新校正云詳己卯熱化二己酉熱化七　正化度也

其化上苦小溫中甘和下鹹寒藥食宜也

庚辰　庚戌歲

上太陽水　中太商金運　下太陰土　寒化一新校正云詳庚辰寒化六庚戌寒化一　清化九　雨化五　正化度也

其化上苦熱中辛溫下甘熱藥食宜也新校正云按玄珠云上苦

溫下酸平又按至真要大論云寒淫所勝平以辛熱熱淫于內治以苦熱

辛巳　辛亥歲

上厥陰木　中少羽水運新校正云詳辛巳年木復土罷至七月丙申月水還正羽辛亥年爲水平氣以亥爲水相佐爲正羽與辛巳年小異下少陽相火　雨化風化勝復同　邪氣化度也　災一宮　風化三新校正云詳辛巳風化八辛亥風化三寒化一　火化七新校正云詳辛巳熱化七辛亥熱化二正化度也

其化上辛涼中苦和下鹹寒藥食宜也

壬午　壬子歲

上少陰火　中太角木運　下陽明金　熱化二新校

正云詳壬午熱化二壬子熱化七風化八　清化四新校正云詳壬午燥化四壬子燥化九正化度也

其化上鹹寒中酸涼下酸温藥食宜也新校正云按玄珠云下苦熱又按至眞要大論云燥淫于内治以苦熱

癸未　癸丑歲

上太陰土中少徵火運新校正云詳癸未癸丑左右二火爲間相佐又五月戊午干德符癸見戊而氣全水未行勝爲正徵下大陽水　寒化雨化勝復同邪氣化度也　災九宮　雨化五　火化二　寒化一新校正云詳癸未寒化一癸丑寒化六正化度也

其化上苦温中鹹温下甘熱藥食宜也新校正云按玄珠云上酸

和下甘溫又按至眞要大論云濕淫所勝平以苦熱寒淫于內治以甘熱

甲申　甲寅歲

上少陽相火　中太宮土運新校正云詳甲寅之歲必異於甲申以寅木可刑土氣之平也下厥陰木　火化二新校正云詳甲申火化七甲寅火化二雨化五　風化八新校正云詳甲申風化三甲寅風化八正化度也

其化上鹹寒中鹹和下辛涼藥食宜也

乙酉太一天符　乙卯歲天符

上陽明金　中少商金運新校正云按乙酉爲正商以酉金相佐故得平氣乙卯之年二之氣君火分中火來行勝水未行復其氣以平以三月庚辰乙得庚合金運正商其氣乃平下少陰火　熱化寒化勝復同　邪氣化度也　災七

宮　燥化四新校正云詳乙酉燥化四乙卯燥化九　清化四　熱化二新校正云詳乙酉熱化七乙卯熱化二　正化度也

其化上苦小溫中苦和下鹹寒藥食宜也

丙戌天符　丙辰歲天符

上太陽水　中太羽水運　下太陰土　寒化六新校正云詳此以運與司天俱水運故只言寒化六寒化六者太羽之運化也若太陽司天之化則丙戌寒化一丙辰寒化六　雨化五　正化度也

其化上苦熱中鹹溫下甘熱藥食宜也新校正云按玄珠云上苦溫下酸平又按至真要大論云寒淫所勝平以辛熱濕淫于內治以苦熱

丁亥天符　丁巳歲天符

上厥陰木　中少角木運新校正云詳丁年正月壬寅丁得壬合爲干德符爲正角平氣　下少陽相火　清化熱化勝復同邪氣化度也

災三宮　風化三新校正云詳此運與司天俱木故只言風化三風化三者少角之運化也若厥陰司天之化則丁亥風化三丁巳風化八　火化七新校正云詳丁亥熱化二丁巳熱化七　正化度也

其化上辛涼中辛和下鹹寒藥食宜也

戊子天符　戊午歲太乙天符

上少陰火　中太徵火運　下陽明金　熱化七新校正云詳此運與司天俱火故只言熱化七熱化七者太徵之運化也若少陰司天之化則戊子熱化七戊午熱化二　清化九新校正云詳戊子清化九戊午清化四　正化度也

其化上鹹寒中甘寒下酸溫藥食宜也新校正云按玄珠云下苦熱又按至眞要大論云濕淫于內治以苦温

己丑太乙天符　己未歲太乙天符

上太陰土　中少宮土運新校正云詳是歲木得初氣而來勝脾乃病久土至危金乃來復至九月甲戌月巳得甲合土還正宮　下太陽水　風化清化勝

復同　邪氣化度也　災五宮　雨化五新校正云詳此運與司天俱土故只言雨化五　寒化一新校正云詳巳丑寒化六巳未寒化一　正化度也

其化上甘熱中甘和下甘熱藥食宜也新校正云按玄珠云上酸平又按至眞要大論云濕淫所勝平以苦熱

庚寅　庚申歲

上少陽相火　中太商金運新校正云詳庚寅歲爲正商得平氣以上見小陽相火下尅於金運不能太過庚申之歲中金佐之乃爲太商下厥陰木　火化七新校正云詳庚寅熱化二庚申熱化七清化九　風化三新校正云詳庚寅風化八庚申風化三正化度也

其化上鹹寒中辛温下辛涼藥食宜也

辛卯　辛酉歲

上陽明金　中少羽水運新校正云詳此歲七月雨邪水還正羽下少陰火　雨化風化勝復同　邪氣化度也　災一宮清化九新校正云詳辛卯燥化九辛酉燥化四寒化一　熱化七新校正云詳辛卯熱化二辛酉熱化七　正化度也

其化上苦小温中苦和下鹹寒藥食宜也

壬辰　壬戌歲

上太陽水　中太角木運　下太陰土　寒化六新校正云詳壬辰寒化六壬戌寒化一　風化八　雨化五　正化度也

其化上苦温中酸和下甘温藥食宜也新校正云按玄珠云上甘温下酸平又按至真要大論云寒淫所勝平以辛熱濕淫于內治以苦熱

癸巳同歲會　癸亥同歲會

上厥陰木　中少徵火運新校正云詳癸巳正徵火氣平一謂巳爲火亦名歲會二謂木未得化三謂五月戊午月癸得戊合故得平氣癸亥之歲亥爲水水得年力便來行勝至五月戊午火還正徵其氣始平　下少陽相火　寒化雨化勝復同　邪

氣化度也　災九宮　風化八新校正云詳癸巳風化八癸亥風化三

火化二新校正云詳此運與在泉俱火故只言火化二二火化二者少徵火運之化也若少陽在泉之化則癸巳熱化七癸亥熱化二　正化度也

其化上辛涼中鹹和下鹹寒藥食宜也

凡此定期之紀勝復正化皆有常數不可不察故知其要者一言而終不知其要流散無窮此之謂也帝曰善五運之氣亦復歲乎復報也先有勝制則後必復也岐伯曰鬱極迺發待時而作也待謂五及差分位也火溫發於辰巳大熱發於申未大涼發於成亥大寒發於丑寅上件所勝臨之亦待間氣而發故曰待時也　新校正云詳注及字疑作氣　帝曰請問其所謂也岐伯曰五常之氣太過不及其發

異也歳太過其發早歳不及其發晚帝曰願卒聞之岐伯曰太過者暴不及者徐暴者爲病甚徐者爲病持持謂相執持也帝曰太過不及其數何如岐伯曰太過者其數成不及者其數生土常以生也數謂五常化行之數也水數一火數二木數三金數四土數五成數謂水數六火數七木數八金數九土數五也故曰土常以生也數生者各取其生數多少以占故政令德化勝復之休作日及尺寸分毫並以準之此蓋都明諸用者也帝曰其發也何如岐伯曰土鬱之發巖谷震驚雷殷氣交埃昏黃黑化爲白氣飄驟高深鬱謂鬱抑天氣之甚也故雖天氣亦有涯也分終則衰故雖鬱者怒發也土化不行炎亢無雨木盛過極故鬱怒發焉土性靜定至動也雷雨大作而木土相持之氣乃休解也易曰雷雨作解此之謂也土雖獨怒木尚制之故但震驚於氣交之中而聲尚不能高遠也故曰雷殷

氣交氣交謂土之上盡山之高也詩云殷其雷也所謂雷雨生於山中者土既鬱抑天木馳之平川土薄氣常乾燥故不能先發也山原土厚濕化豐深土厚氣深故先怒發也**擊石非空洪水迺從川流漫行田牧土駒**疾氣驟雨岸落山化大水橫流石迸勢急高山空谷擊石先飛而洪水隨至也洪大也巨川衍溢流漫平陸漂蕩墟沒於粢盛大水去已石土危然若羣駒散牧於田野凡言土者少石同也**化氣迺敷善爲時雨始生始長始化始成**化土化也土被制化氣不數否極則泰屈極則伸處怫之時化氣因之乃能敷布於庶類以時而雨滋澤草木而成也善調應時也化氣既少長氣已過故萬物始生始長始化始成言是四始者萬物化成之晚也**故民病心腹脹腸鳴而爲數後甚則心痛脇䐜嘔吐霍亂飲發注下胕腫身重**脾熱之生**雲奔雨府霞擁朝陽山澤埃昏其迺發也以其四氣**雨府太陰之所在也埃白

氣似雲而薄也埃昏積微甚微者如紗縠之騰掛如薄雲霧也甚者發近微者發遠四氣謂夏至後三十一日起盡至秋分日也雲橫天山浮游生滅怫之先兆天際雲橫山猶冠帶巖谷叢薄乍滅乍生有玉之見怫兆已彰皆平明占之浮游以午前候望也金鬱之發

天潔地明風清氣切大涼迺舉草樹浮煙燥氣以行

霿霧數起殺氣來至草木蒼乾金迺有聲大涼次寒也舉用事也浮煙燥氣也殺氣霜氣正殺氣者以丑時至長者亦卯時辰時也其氣之來色黃赤黑雜而至也物不勝殺故草木蒼乾蒼薄青色也故民病欬逆心脇滿引少腹善暴痛

不可反側嗌乾面塵色惡金勝而木病也山澤焦枯土凝霜

鹵怫迺發也其氣五夏火炎亢時雨既愆故山澤焦枯土上凝白鹹鹵狀如霜也五氣謂秋分後至立冬後十五日內也夜零白露林莽聲悽怫之兆也夜濡

白露曉聽風悽有是乃爲金發徵也水鬱之發陽氣乃辟陰氣暴舉大
寒迺至川澤嚴凝寒雰結爲霜雪雰音紛寒雰白氣也其狀如霧而不
流行墜地如霜雪得日晞也甚則黃黑昏翳流行氣交迺爲霜殺
水迺見祥黃黑亦濁惡氣水氣也祥祓祥亦謂泉出平地故民病寒客心痛
腰脽痛大關節不利屈伸不便善厥逆痞堅腹滿陰勝
陽故陽光不治空積沈陰白埃昏暝而迺發也其氣二
火前後陰精與水皆上承火故其發在君相二火之前後亦猶辰星迎隨也太虛深
玄氣猶麻散微見而隱色黑微黃怫之先兆也深玄言高
遠而黯黑也氣似散麻薄微可見之也寅後卯時候之夏月兼辰前之時亦可候也木鬱之發
太虛埃昏雲物以擾大風迺至屋發折木木有變屋發

謂發鴟吻折木謂大樹摧拔摺落懸辛中拉也變謂土生異木奇狀也故民病胃脘當心而痛上支兩脇鬲咽不通食飲不下甚則耳鳴眩轉目不識人善暴僵仆筋骨强直而不用卒倒而無所知也太虛蒼埃天山一色或氣濁色黃黑鬱若橫雲不起雨而迺發也其氣無常氣如塵如雲或黃黑鬱然猶在太虛之間而特異於常乃其候也長川草偃柔葉呈陰松吟高山虎嘯巖岫怫之先兆也草偃無風而自低柔葉謂白楊葉也無風而葉皆背見是謂呈陰如是皆通微甚甚者發速微者發徐也山行之候則以松虎期之原行亦以麻黃爲候秋冬則以梧桐蟬葉候之火鬱之發太虛曛翳大明不彰曛翳謂赤氣也大明日也新校正云詳經注中曛字疑誤炎火行大暑至山澤燔燎材木流津廣廈騰煙土浮霜鹵

止水迺減蔓草焦黃風行惑言濕化迺後太陰太陽在于寒濕流於太虛心火應天鬱抑而莫能彰顯寒濕盛已火迺與行陽氣火光故曰澤燔燎非水滅少安作能言雨巳愆期濕化迺後謂陽亢主其氣不爭長故先旱而後雨也故民病少氣瘡瘍癰腫脇腹胷背面首四支䐜憤臚脹瘍痱嘔逆瘛瘲骨痛節迺有動注下溫瘧腹中暴痛血溢流注精液迺少目赤心熱甚則瞀悶懊憹善暴死火鬱而怒爲土水相持客主皆然悉無深犯則無咎也但熱巳勝寒則爲摧敵而熱從心起是神氣孤危不速救之天真將竭故死火之用速故善暴死刻終大溫汗濡玄府其迺發也其氣四刻終謂晝夜水刻之終晝時也大溫次熱也玄府汗空也汗濡玄府謂早行而身蒸熱也刻盡之時陰盛於此反無常氣是陰不勝陽熱既巳萌故當怒發也新校正云詳二火俱發四氣者何蓋火有二位爲水發

之所又大熱發于申未故火鬱之發在四氣也動復則靜陽極反陰濕令迺化迺成火怒爍金陽極過亢畏火求救土中土救熱金發爲飄驟繼爲時雨氣迺和平故萬物由是迺生長化成壯極則反盛亦向長也華發水凝山川冰雪焰陽午澤怫之先兆也謂君火王時有寒至也故歲君火發亦待時也有怫之應而後報也皆觀其極而迺發也木發無時水隨火也應爲先兆發必後至故先有應而後發也物不可以終壯觀其壯極則怫氣作焉有鬱則發氣之常謹候其時病可與期失時反歲五氣不行生化收藏政無恒也人失其時則候無期準也帝曰水發而雹雪土發而飄驟木發而毀折金發而清明火發而曛昧何氣使然歧伯曰氣有多少發有微甚微者當其氣甚者兼其下徵其

下氣而見可知也六氣之下各有承氣也則如火位之下水氣承之水位之下土氣承之土位之下木氣承之木位之下金氣承之金位之下火氣承之君位之下陰清承之各徵其下則象可見矣故發兼其下則與本氣殊異

帝曰善五氣之發不當位者何也言不當其正月也

岐伯曰命其差謂差四時之正月位也新校正云按至真要大論云勝復之作動不當位或後時而至其故何也岐伯曰夫氣之生化與其衰盛異也寒暑溫涼盛衰之用其在四維故陽之動始於溫盛於暑陰之動始於清盛於寒春夏秋冬各差其分故大要曰彼春之暖爲夏之暑彼秋之忿爲冬之怒謹按四維斥候皆歸其終可見其始可知彼論勝復之不當位此論五氣之發不當位所論勝復五發之事則異而命其差之義則同也

帝曰差有數乎言日數也

岐伯曰後皆三十度而有奇也後謂四時之後也差三十日餘八十七刻半氣猶來去而甚盛也度日也四時之後今常爾新校正云詳注云八十七刻半當作四十三刻又四

十分刻之三十帝曰氣至而先後者何謂未應至而至太早應至而至反太遲之類也正謂氣至在期前後岐伯曰運太過則其至先運不及則其至後此候之常也帝曰當時而至者何也岐伯曰非太過非不及則至當時非是者眚也當時謂應日刻之期也非應先後至而有先後至者皆爲災眚災也帝曰善氣有非時而化者何也岐伯曰太過者當其時不及者歸其已勝也冬雨春涼秋熱冬寒之類皆爲歸已勝也帝曰四時之氣至有早晏高下左右其候何如岐伯曰行有逆順至有遲速故太過者化先天不及者化後天氣有餘故化先氣不足故化後帝曰願聞其行何謂也岐伯曰春氣西行夏氣北行秋氣東行冬氣南行

觀萬物生長收藏如斯言故春氣始於上秋氣始於下夏氣始於中冬氣始於標春氣始於左秋氣始於右冬氣始於後夏氣始於前此四時正化之常察物以明之可知也故至高之地冬氣常在至下之地春氣常在高山之巓盛夏氷雪汚下川澤嚴冬草生長在之義足明矣　新校正云按五常政大論云地有高下氣有溫涼高者氣寒下者氣暑必謹察之帝曰善天地陰陽視而可見何必思諸冥昧演法推求智極心勞而無所得邪

黃帝問曰五運六氣之應見六化之正六變之紀何如岐伯對曰夫六氣正紀有化有變有勝有復有用有病不同其候帝欲何乎帝曰願盡聞之岐伯曰請遂言之遂盡也夫氣之所至也厥陰所至爲和平初之

氣木之化少陰所至爲暄二之氣君火也太陰所至爲埃溽四之氣土之化少陽所至爲炎暑三之氣相火也陽明所至爲清勁五之氣金之化太陽所至爲寒雰終之氣水之化時化之常也四時氣正化之常候厥陰所至爲風府爲璺啓璺微裂也啓開坼也少陰所至爲火府爲舒榮太陰所至爲雨府爲員盈物承土化質員盈滿又雨界地綠文見如環爲員化明矣少陽所至爲熱府爲行出藏熱者出行也陽明所至爲司殺府爲庚蒼庚更也更代也易也太陽所至爲寒府爲歸藏物寒故歸藏也司化之常也厥陰所至爲生爲風搖木之化也少陰所至爲榮爲形見火之化也太陰所至爲化爲雲雨土之化也少陽所至爲長爲蕃鮮火之化也陽明所至爲

收爲霧露金之化也太陽所至爲藏爲周密水之化也氣化之常也厥陰所至爲風生終爲肅風化以生則風生也肅靜也新校正云按六微旨大論云風位之下金氣承之故厥陰爲風生而終爲肅也少陰所至爲熱生中爲寒熱化以生則熱生也陰精承上故中爲寒也新校正云按六微旨大論云少陰之上熱氣治之中見太陽故爲熱生而中爲寒也又云君位之下陰精承之亦爲寒之義也太陰所至爲濕生終爲注雨濕化以生則濕生也太陰在上故終爲注雨新校正云按六微旨大論云土位之下風氣承之王注云疾風之後雨乃零濕爲風吹化而爲雨故太陰爲濕生而終爲注雨也実少陽所至爲火生終爲蒸溽火化以生則火生也陽在上故終爲蒸溽新校正云按六微旨大論云相火之下水氣承之故少陽爲火生而終爲蒸溽也実陽明所至爲燥生終爲涼燥化以生則燥生也陰在上故終爲涼新校正云詳此六氣俱先

言本化次言所反之氣而獨陽明之化言燥生終爲涼未見所反之氣再尋上下文義當云陽明所至爲涼生終爲燥方與諸氣之義同貫蓋以金位之下火氣承之故陽明爲清生而終爲燥也太陽所至爲寒生中爲溫寒化以生則寒生也陽在內故中爲溫新校正云按五運行大論云太陽之上寒氣治之中見少陰故爲寒生而中爲溫德化之常也風生毛形熱生翮形濕生倮形火生羽形燥生介生寒生鱗形大化皆爲主歲及間氣所在而各化生常無替也非德化則無能化生也厥陰所至爲毛化形之有毛者少陰所至爲羽化有羽翼飛行之類也太陰所至爲倮化無毛羽鱗甲之類也少陽所至爲羽化薄明羽翼蜂蟬之類非翎羽之羽也陽明所至爲介化有甲之類太陽所至爲鱗化身有鱗也德化之常也厥陰所至爲生化溫化也少陰所至爲榮化暄化也太陰所至爲濡化濕化也少陽

所至為茂化熱化也陽明所至為堅化涼化也太陽所至為藏化寒化也布政之常也厥陰所至為飄怒太涼飄怒木也太涼下承之金氣也少陰所至為大暄寒太暄君火也寒下承之陰精也太陰所至為雷霆驟注烈風雷霆驟注土也烈風下承之木氣也少陽所至為飄風燔燎霜凝飄風旋轉風也霜凝下承之水氣也陽明所至為散落溫散落金也溫下承之火氣也太陽所至為寒雪冰雹白埃霜雪冰雹水也白埃下承之土氣也氣變之常也變謂變常平之氣而為甚用也用甚不已則下承之氣兼行故皆非本氣也厥陰所至為撓動為迎隨風之性也少陰所至為高明焰為曛焰陽焰也曛赤黃色也太陰所至為沈陰為白埃為晦暝暗蔽不明也少陽所至為光顯為彤雲

為曛光曛電也流光也明也彤赤色也少陰氣所 陽明所至為煙埃為霜為勁切為悽鳴殺氣也 太陽所至為剛固為堅芒為立寒化也 令行之常也令行則庶物無違 厥陰所至為裏急筋緩縮故急 少陰所至為瘍胗身熱火氣生也 太陰所至為積飲否隔土碍也 少陽所至為嚏嘔為瘡瘍火氣生也 陽明所至為浮虛浮虛薄腫按之復起也 太陽所至為屈伸不利病之常也厥陰所至為支痛支柱妨也 少陰所至為驚惑惡寒戰慄譫妄譫亂言也今詳慄字當作慄字 太陰所至為稸滿 少陽所至為驚躁瞀昧暴病 陽明所至為鼽尻陰股膝髀腨䯒足病 太陽所至為腰痛 病之常也 厥陰所至為緛戾 少

陰所至爲悲妄衄衊衊汙血亦脂也太陰所至爲中滿霍亂

吐下少陽所至爲喉痺耳鳴嘔涌涌謂溢食不下也陽明所

至爲皴揭身皮皵象太陽所至爲寢汗痙寢汗謂睡中汗發於胸嗌頸掖之間也俗誤呼爲盜汗病之常也厥陰所至爲脇痛嘔泄泄謂利也少

陰所至爲語笑太陰所至爲重胕腫胕腫謂肉泥按之不起也少

陽所至爲暴注瞤瘛暴死陽明所至爲鼽嚏太陽所

至爲流泄禁止病之常也凡此十二變者報德以德

報化以化報政以政報令以令氣高則高氣下則下

氣後則後氣前則前氣中則中氣外則外位之常也

氣報德報化謂天地氣也高下前後中外謂生病所也手之陰陽其氣高足之陰陽其氣下足太陽氣在

身後足陽明氣在身前足太陰少陰厥陰氣在身中足少陽氣在身側各隨所在言之氣變生病象也故風勝則動動不寧也新校正云詳風勝則動至濕勝則濡泄五句與陰陽應象大論文重而兩注不同熱勝則腫熱勝氣則爲丹熛勝血則爲癰膿勝骨肉則爲胕腫按之不起燥勝則乾乾於外則皮膚皸拆乾於內則精血枯涸乾於氣及津液則肉乾而皮著於骨寒勝則浮浮謂浮起按之處見也濕勝則濡泄甚則水閉胕腫濡泄水利也胕腫肉泥按之陷而不起也水閉則逸於皮中也隨氣所在以言其變耳帝曰願聞其用也岐伯曰夫六氣之用各歸不勝而爲化用謂施其化氣故太陰雨化施於太陽太陽寒化施於少陰新校正云詳此當云少陰少陽少陰熱化施於陽明陽明燥化施於厥陰厥陰風化施於太陰各命其所在以徵之也

帝曰自得其位何如岐伯曰自得其位常化也帝曰
願聞所在也岐伯曰命其位而方月可知也隨氣所在以定
其方六分占之則日及地分無差矣帝曰六位之氣盈虛何如岐伯曰
太少異也太者之至徐而常少者暴而亡力强而作不能久長
故暴而無也亡無也帝曰天地之氣盈虛何如岐伯曰天氣不
足地氣隨之地氣不足天氣從之運居其中而常先
也運謂木火土金水各主歲者也地氣勝則歲運上升天氣勝則歲氣下降上升下降運氣常先迁降
也惡所不勝歸所同和隨運歸從而生其病也非其位則
變生變生則病作故上勝則天氣降而下下勝則地氣遷而
上勝謂多也上多則自降下多則自遷多少相移氣之常也新校正云按六微旨大論云升已而降

四十

降者謂天降已而升升者謂地天氣下降氣流于地地氣上升氣騰于天故高下相召升降相因而變作矣此亦升降之義也矣多少而差其分多則遷降多少則遷降少多少之應有微有甚異之也微者小差甚者大差甚則位易氣交易則大變生而病作矣大要曰甚紀五分微紀七分其差可見此之謂也以其五分七分之所以知天地陰陽過差矣帝曰善論言熱無犯熱寒無犯寒余欲不遠寒不遠熱奈何岐伯曰悉乎哉問也發表不遠熱攻裏不遠寒汗泄故用熱不遠熱下利故用寒不遠寒皆以其不住於中也如是則夏可用熱冬可用寒不發不泄而無畏忌是謂妄遠法所禁也皆謂不獲已而用之也秋冬亦同　新校正云按至眞要大論云法不遠熱無犯溫涼也帝曰不發不攻而犯寒犯熱何如岐伯曰寒熱內賊其病益甚

以氷濟水以火濟火適足以更生病豈唯本病之益甚乎帝曰願聞無病者何如岐伯曰無者生之有者甚之無病者犯禁猶能生病況有病者而未輕減不亦難乎帝曰生者何如岐伯曰不遠熱則熱至不遠寒則寒至寒至則堅否腹滿痛急下利之病生矣食已不饑吐利腥穢亦寒之疾也熱至則身熱吐下霍亂癰疽瘡瘍瞀鬱注下瞤瘛腫脹嘔鼽衄頭痛骨節變肉痛血溢血泄淋閟之病生矣暴瘖冒昧目不識人躁擾狂越妄見妄聞罵詈驚癎亦熱之病帝曰治之奈何岐伯曰時必順之犯者治以勝也春宜涼夏宜寒秋宜溫冬宜熱此時之宜不可不順然犯熱治以寒犯寒治以熱犯春宜用涼犯秋宜用溫是以勝也犯熱治以鹹寒犯寒治以甘熱犯涼治以苦溫犯溫治以辛涼亦勝之道也黃帝問曰婦

人重身毒之何如岐伯曰有故無殞亦無殞也故謂有大堅癥瘕痛甚不堪則治以破積愈癥之藥是謂不救必通盡死救之蓋存其大也雖服毒不死也上無殞言母必全亦無殞言子亦不死也帝曰願聞其故何謂也岐伯曰大積大聚其可犯也衰其太半而止過者死衰其太半不足以害生故衰太半則止其藥若過禁待盡毒氣內餘無病可攻以當毒藥毒攻不已則敗損中和故過則死新校正云詳此婦人身重一節與上下文義不接疑他卷脫簡於此帝曰善鬱之甚者治之奈何天地五行應運有鬱抑不申甚者也岐伯曰木鬱達之火鬱發之土鬱奪之金鬱泄之水鬱折之然調其氣達謂吐之令其條達也發謂汗之令其疏散也奪謂下之令無擁礙也泄謂滲泄之解表利小便也折謂抑之制其衝逆也通是五法乃氣可平調後乃觀其虛盛而調理之也過者折之以其畏也

所謂寫之過太過也太過者以其味寫之以鹹寫腎酸寫肝辛寫肺甘寫脾苦寫心過者畏寫故謂寫畏也帝曰假者何如岐伯曰有假其氣則無禁也正氣不足臨氣勝之假寒熱温涼以資四正之氣則可以熱犯熱以寒犯寒以温犯温以涼犯涼也所謂主氣不足客氣勝也客氣謂六氣更臨之氣主氣謂五藏應四時正王春夏秋冬也帝曰至哉聖人之道天地大化運行之節臨御之紀陰陽之政寒暑之令非夫子孰能通之請藏之靈蘭之室署曰六元正紀非齋戒不敢示慎傳也新校正云詳此與氣交變大論末文同

音釋

素問二十一

六元正紀大論憒音會 矇音蒙 (noted as 矇音蒙) 

黄海紀藏黄帝内經素問卷第二十一

黃海商部之二函

天都外史潘之恒景升定

延青居士謝雲標伯英閱

紀藏二之六十二

黃帝內經素問第二十二　啓玄子注

至眞要大論篇七十四

黃帝問曰五氣交合盈虛更作余知之矣六氣分治司天地者其至何如五行主歲歲有少多故曰盈虛更作也天元紀大論曰其始也有餘而往不足隨之不足而往有餘從之則其義也天分六氣散生太虛三之氣司天終之氣監地天地生化是爲大紀故言司天地者餘四可知矣岐伯再拜對曰明乎哉問也

天地之大紀人神之通應也天地變化人神運爲中外雖殊然其通應則一也帝曰願聞上合昭昭下合冥冥奈何岐伯曰此道之所主工之所疑也不知其要流散無窮帝曰願聞其道也岐伯曰厥陰司天其化以風飛揚鼓拆和氣發生萬物榮枯皆因而化變成敗也少陰司天其化以熱炎蒸鬱燠故庶類蕃茂太陽司天其化以濕雲雨潤澤津液生成少陽司天其化以火炎熾赫烈以爍寒災陽明司天其化以燥乾化以行物無濕敗太陽司天其化以寒對陽之化也新校正云詳注云對陽之化陽字疑誤以所臨藏位命其病者也肝木位東方心火位南方脾土位西南方及四維肺金位西方腎水位北方是五藏定位然六氣御五運所至氣不相得則病相得則和故先以六氣所臨後言五藏之病也帝曰地化奈何岐伯

日司天同候間氣皆然六氣之本自有常性故雖位易而化治皆同帝曰間氣何謂岐伯曰司左右者是謂間氣也六氣分化常以二氣司天地爲上下吉凶勝復客主之事歲中悔吝從而明之餘四氣散居左右也故陰陽應象大論曰天地者萬物之上下左右者陰陽之道路此之謂也帝曰何以異之岐伯曰主歲者紀歲間氣者紀步也歲三百六十五日四分日之一步六十日餘八十七刻半也積步之日而成歲也帝曰善歲主奈何岐伯曰厥陰司天爲風化巳亥之歲風高氣遠雲飛物揚風之化也在泉爲酸化寅申之歲木司地氣故物化從酸司氣爲蒼化木運之氣丁壬之歲化蒼青也間氣爲動化偏主六十日餘八十七刻半也新校正云詳丑未之歲厥陰爲初之氣子午之歲爲二之氣辰戌之歲爲四之氣卯酉之歲爲五之氣少陰司天爲熱化子午之歲陽光熠燿暄暑流行熱之化也在

泉爲苦化卯酉之歲火司地氣故物以苦生不司氣化君不主運新校正云按天元紀大論云君火以名相火以位謂君火不主運也居氣爲灼化六十日餘八十七刻半也居本位君火爲居不當間之也新校正云詳少陰不曰間氣而云居氣者蓋尊君火無所不居不當間之也王注云居本位爲居不當間之則居他位不爲居而可間也寅申之歲爲初之氣丑未之歲爲二之氣巳亥之歲爲四之氣辰戌之歲爲五之氣也太陰司天爲濕化丑未之歲埃鬱朦昧雲雨潤濕之化也在泉爲甘化辰戌之歲也土司地氣故甘化先焉司氣爲黅化土運之氣甲己之歲黅黄也間氣爲柔化濕化行則庶物柔耎新校正云詳太陰卯酉之歲爲初之氣寅申之歲爲二之氣子午之歲爲四之氣巳亥之歲爲五之氣少陽司天爲火化寅申之歲也炎光赫烈燔灼焦然火之化也在泉爲苦化巳亥之歲也火司地氣故苦化先焉司氣爲丹化火運之氣戊癸歲也間氣爲明化明炳

明也亦謂霞燒　新校正云詳少陽辰戌之歲爲初之氣卯酉之歲爲二之氣寅申之歲爲四之氣丑未之歲爲五之氣**陽明司天爲燥化**卯酉之歲清切高明霧露蕭瑟之化也**在泉爲辛化**子午之歲也金司地氣故辛化先焉**司氣爲素化**金運之氣乙庚歲也**間氣爲清化**風生高勁草木清冷清之化也　新校正云詳陽明巳亥之歲爲初之氣辰戌之歲爲二之氣寅申之歲爲四之氣丑未之歲爲五之氣**太陽司天爲寒化**辰戌之歲嚴肅峻整慘慄凝堅寒之化也**在泉爲鹹化**丑未之歲水司地氣故化從鹹**司氣爲玄化**水運之氣丙辛歲也**間氣爲藏化**陰凝而冷庶物斂容歲之化也　新校正云詳子午之歲太陽爲初之氣巳亥之歲爲二之氣卯酉之歲爲四之氣寅申之歲爲五之氣也**故治病者必明六化分治五味五色所生五藏所宜迺可以言盈虛病生之緒也**學不厭備習也**帝曰厥陰在泉而酸化**

先余知之矣風化之行也何如岐伯曰風行于地所謂本也餘氣同法厥陰在泉風行于地少陰在泉熱行于地太陰在泉濕行于地少陽在泉火行于地陽明在泉燥行于地太陽在泉寒行于地故曰餘氣同法也本謂六氣之上元氣也本乎天者天之氣也本乎地者地之氣也化于天者爲天氣化于地者爲地氣　新校正云按易曰本乎天者親上本乎地者親下此之謂也天地合氣六節分而萬物化生矣萬物居天地之間悉爲六氣所生化陰陽之用未嘗有逃生化出陰陽也故曰謹候氣宜無失病機此之謂也病機下文具矣帝曰其主病何如言采藥之歲也岐伯曰司歲備物則無遺主矣謹候司天地所生化者則其味正當其歲也故彼藥工專司歲氣所收藥物則一歲二歲其所主用無遺略也　今詳前字當作則帝曰先歲物何也岐伯曰天地之專精

也專精之氣藥物肥濃又于使用當其正氣味也　新校正云詳先歲疑作司哉帝曰司氣者何如司運氣也岐伯曰司氣者主歲同然有餘不足也五運主歲者有餘不足比之歲物恐有薄有餘之歲藥專精也帝曰非司歲物何謂也岐伯曰散也非專精則散氣散氣則物不純也故質同而異等也形質雖同力用則異故不尚之氣味有薄厚性用有躁靜治保有多少力化有淺深此之謂也物與歲不同者何以此爾帝曰歲主藏害何謂岐伯曰以所不勝命之則其要也木不勝金金不勝火之類是也帝曰治之奈何岐伯曰上淫于下所勝平之外淫于內所勝治之淫謂行所不勝已者也上淫于下天之氣也外淫于內地之氣也隨所制勝而以平治之也制勝謂五味寒熱溫涼隨勝用之下文備矣　新校正云詳天氣主歲雖有淫勝

但當平調之數不曰治而曰平也帝曰善平氣何如平謂診平和之氣岐伯曰謹察陰陽所在而調之以平爲期正者正治反者反治知陰陽所在則知尺寸應與不應不知陰陽所在則以得爲失以逆爲從故謹察之也陰病陽不病陽病陰不病是爲正病則正治之謂以寒治熱以熱治寒也陰位已見陽脈陽位又見陰脈是謂反病則反治之謂以寒治寒以熱治熱也諸方之制咸悉不然故曰反者反治也帝曰夫子言察陰陽所在而調之論言人迎與寸口相應若引繩小大齊等命曰平新校正云詳論言至曰平本靈樞經之文今出甲乙經云寸口主中人迎主外兩者相應俱往俱來若引繩小大齊等春夏人迎微大秋冬寸口微大者故名曰平也陰之所在寸口何如陰之所在脈沈不應引繩齊等其候頗乖故問以明之岐伯曰視歲南北可知之矣帝曰願卒聞之岐伯曰北政

之歲少陰在泉則寸口不應 木火金水運面北受氣凡氣之在泉者脈悉不見唯其左右之氣脈可見之在泉之氣善則不見惡者可見病以氣及客主淫勝名之在天之氣其亦然矣 厥陰在泉則右不應 少陰在右故 太陰在泉則左不應 少陰在左故 南政之歲少陰司天則寸口不應 土運之歲面南行令故少陰司天則二手寸口不應也 厥陰司天則右不應太陰司天則左不應 亦左右義也 諸不應者反其診則見矣 不應皆爲脈沈脈沈下者仰手而沈覆其手則沈爲浮細爲大也 帝曰尺候何如岐伯曰北政之歲三陰在下則寸不應三陰在上則尺不應 司天曰上在泉曰下 南政之歲三陰在天則寸不應三陰在泉則尺不應左右同 天不應寸左右悉與十不應義同 故曰知其要者一言而

終不知其要流散無窮此之謂也要謂知陰陽所在也知則用之不惑不知則尺寸之氣沈浮小大常三歲一差欲求其意猶遶樹問枝雖白首區區尚未知所詣況其旬月而可知乎帝曰善天地之氣內淫而病何如岐伯曰歲厥陰在泉風淫所勝則地氣不明平野昧草迺早秀民病洒洒振寒善伸數欠心痛支滿兩脇裏急飲食不下鬲咽不通食則嘔腹脹善噫得後與氣則快然如衰身體皆重謂甲寅丙寅戊寅庚寅壬寅甲申丙申戊申庚申壬申歲也氣不明謂天圍之際氣色昏暗風行地上故平野皆然昧謂暗也脅謂兩乳之下及胠外也伸謂以欲伸努筋骨也新校正云按甲乙經洒洒振寒善伸數欠爲胃病食則嘔腹脹善噫得後與氣則快然如衰身體皆重爲脾病飲食不下鬲咽不通邪在胃脘也蓋厥陰在泉之歲木王而尅脾胃故病如是又按脈解云所謂食則嘔

者物盛滿而上溢故嘔也所謂得後與氣則快然如衰者十二月陰氣下衰而陽氣且出故曰得後與氣則快然如衰也歲少陰在泉熱淫所勝則焰浮川澤陰處反明民病腹中常鳴氣上衝胸喘不能久立寒熱皮膚痛目瞑齒痛䪼腫惡寒發熱如瘧少腹中痛腹大蟄蟲不藏謂乙卯丁卯己卯辛卯癸卯乙酉丁酉己酉辛酉癸酉歲也陰處北方也不能久立足無力也腹大謂心氣不足也金火相薄而為是也新校正云按甲乙經齒痛䪼腫為大腸病腹中雷鳴氣常衝胃喘不能久立邪在大腸也蓋少陰在泉之歲火尅金故大腸病也歲太陰在泉草乃早榮新校正云詳此四字疑衍濕淫所勝則埃昏巖谷黃反見黑至陰之交民病飲積心痛耳聾渾渾焞焞嗌腫喉痺陰病血見少腹痛腫不得小便病衝頭痛目似脫

項似拔腰似折髀不可以回膕如結腨如別謂甲辰丙辰戊
辰庚辰壬辰甲戌丙戌戊戌庚戌壬戌歲也太陰爲
土色見應黃於天中而反見於北方黑處也水土同
見拔曰至陰之交合其氣色也衝頭痛謂腦後眉間
痛也膕膕謂膝後曲脚之中也腨腨後軟肉處也　新
校正云按甲乙經耳聾渾渾焞焞嗌腫喉痺爲三焦
病爲病衝頭痛目似脫項似拔腰似折髀不可以回
膕如結腨如列爲膀胱足太陽病又少腹腫痛不得
小便邪在三焦蓋太陰在泉之歲土正剋太陽故病
如是也歲少陽在泉火淫所勝則焰明郊野寒熱更至
民病注泄赤白少腹痛溺赤甚則血便少陰同候謂乙
巳丁巳己巳辛巳癸巳乙亥丁亥己亥辛亥癸亥歲
也處寒之時熱更其氣熱氣既往寒氣後來故云更
至也餘候與少陰在泉正同歲陽明在泉燥淫所勝則霿霧清瞑
民病喜嘔嘔有苦善大息心脅痛不能反側甚則嗌

乾面塵身無膏澤足外反熱謂甲子丙子戊子庚子壬子甲午丙午戊午庚午壬午歲也霜霧謂霧暗不分似霧也清薄寒也言霧起霜暗不辨物形而薄寒也心脅痛謂心之傍脇巾痛也面塵謂面上如有觸冒塵土之色也新校正云按甲乙經病喜嘔嘔有苦善大息心脅痛不能反側甚則面塵身無膏澤足外反熱爲膽病嗌乾面塵爲肝病蓋陽明在泉之歲金王剋木故病如是又按脉解云少陽所謂心脅痛者言少陽盛也盛者心之所表也九月陽氣盡而陰氣盛故心脅痛所謂不可反側者陰氣藏物也物藏則不動故不可反側也歲太陽在泉寒淫所勝則凝肅慘慄民病少腹控睾引腰脊上衝心痛血見嗌痛頷腫謂乙丑丁丑己丑辛丑癸丑乙未丁未己未辛未癸未歲也凝肅謂寒氣霜空凝而不動萬物靜肅其儀形也慘慄寒甚也控引也睾陰丸也頷頰車前牙之下也新校正云按甲乙經嗌痛頷腫爲小腸病又少腹控睾引腰脊上衝心肺邪在小腸也蓋太陽在泉之歲水剋火故病如是帝曰

七

善治之奈何岐伯曰諸氣在泉風淫于內治以辛涼
佐以苦以甘緩之以辛散之風性喜溫而惡清故治之涼是以勝氣治之也
佐以苦隨其所利也木苦急則以甘緩之苦抑則以
辛散之藏氣法時論曰肝苦急急食甘以緩之肝欲
散急食辛以散之此之謂也食亦音飼已曰食他曰
飼也大法正味如此諸爲方者不必盡用之但一佐
二佐病已則止餘氣皆然熱淫于內治以鹹寒佐以甘苦以酸收
之以苦發之熱性惡寒故治以寒也熱之大盛甚于表者以苦發之不盡復寒制之寒制不
盡復苦發之以酸收之甚者再方微者
一方可使必已時發時止亦以酸收之濕淫于內治
以苦熱佐以酸淡以苦燥之以淡泄之濕與燥反故治以苦熱佐
以酸淡也燥除濕故以苦燥其濕也淡利竅故以淡
滲泄也藏氣法時論曰脾苦濕急食苦以燥之靈樞
經曰淡利竅也生氣通天論曰味過于苦脾氣不濡
胃氣乃厚明苦燥也　新校正云按天元正紀大論

曰下太陰其化下甘溫火淫于內治以鹹冷佐以苦辛以酸收
之以苦發之火氣大行心腹心怒之所生也鹹性柔耎故以治之以酸收之大法候其須汗
者以辛佐之不必要資苦味令其汗也欲柔耎者以
鹹治之藏氣法時論曰心欲耎急食鹹以耎之心苦
緩急食酸以收之此之謂也燥淫于內治以苦溫佐以甘辛以苦
下之溫利凉性故以苦治之下謂利之使不得也新校正云按藏氣法時論曰肺苦氣逆急食
苦以泄之用辛寫之酸補之又按下文司天燥淫所
勝佐以酸辛此云甘辛者甘字疑當作酸天元正紀
大論云下酸熱與苦溫之治又異又云寒淫于內治
以酸收之而安其下甚則以苦泄之也
以甘熱佐以苦辛以鹹寫之以辛潤之以苦堅之以熱
治寒是爲摧勝折其氣用令不滋繁也苦辛之佐通
事行之 新校正云按藏氣法時論曰腎苦燥急食
辛以潤之腎欲堅急食苦以堅之用苦補之鹹寫
之舊注引此在濕淫于內之下無義今移於此矣帝

曰善天氣之變何如岐伯曰厥陰司天風淫所勝則太虚埃昬雲物以擾寒生春氣流水不冰民病胃脘當心而痛上支兩脅鬲咽不通飲食不下舌本强食則嘔冷泄腹脹溏泄瘕水閉蟄蟲不去病本于脾謂乙巳丁巳己巳辛巳癸巳乙亥丁亥己亥辛亥癸亥歲也是歲民病集於中也風自天行故太虚埃起風動飄蕩故雲物擾也埃青塵也不分遠物是爲埃昬土之爲病其善泄利若病水則小便閉而不下若大泄利則經水亦多闕絶也　新校正云按甲乙經舌本强食則嘔腹脹溏泄瘕水閉爲脾病又胃病者腹脹胃脘當心而痛上支兩脇隔咽不通飲食不下蓋厥陰司天之歲木勝土故病如是也衝陽絶死不治衝陽在足跗上動脈應手胃之氣也衝陽脉微則食飲減少絶則藥食不入亦下嗌還出也攻之不入養之不生邪氣日强真氣内絶故其必死不可復也少陰司天熱淫所

勝怫熱至火行其政民病胷中煩熱嗌乾右胠滿皮膚痛寒熱欬喘大雨且至唾血血泄鼽衄嚏嘔溺色變甚則瘡瘍胕腫肩背臂臑及缺盆中痛心痛肺䐜腹大滿膨膨而喘欬病本于肺謂甲子丙子戊子庚子壬子甲午丙午戊午庚午壬午歲也怫熱至是火行其政乃爾是歲民病集於右蓋小腸通心故也病自肺生故曰本于肺也　新校正云按甲乙經溺色變肩背臂臑及缺盆中痛肺脹滿膨膨而喘欬爲肺病鼽紉爲大腸病蓋少陰司天之歲火尅金故病如是又王注民病集于右以小腸通心故按甲乙經小腸附脊左環回腸附脊在環所以不應得非火勝尅金丙大腸病歟尺澤絶死不治尺澤在肘內廉大文中動脉應手肺之氣也六錄于金奎大半之命金氣內絶故必危以尺澤不至肺氣已絶榮衛之氣宣行無主真氣丙竭生之何有哉太陰司天濕淫所勝則沈陰且布雨變枯

槁胕腫骨痛陰痺陰痺者按之不得腰脊頭項痛時
眩大便難陰氣不用饑不欲食欬唾則有血心如懸
病本于腎謂乙丑丁丑己丑辛丑癸丑乙未丁未己
未辛未癸未歲也沈久也腎氣受邪水無
能潤下焦枯涸故大便難也　新校正云按甲乙經
饑不用食欬唾則有血心懸如饑狀爲腎病又邪在
腎則骨痛陰痺陰痺者按之而不得腹脹腰痛大便
難肩背頸項强痛時眩蓋太陰司天之歲土勝水故
病如
是矣
太谿絶死不治太谿在足内踝後跟骨上動脉
應手腎之氣也土邪勝水而腎
氣内絶邪甚正微
故方無所用矣
少陽司天火淫所勝則溫氣流行
金政不平民病頭痛發熱惡寒而瘧熱上皮膚痛色
變黃赤傳而爲水身面胕腫腹滿仰息泄注赤白瘡
瘍欬唾血煩心胸中熱甚則鼽衄病本于肺謂甲寅
丙寅戊

寅庚寅壬寅甲申丙申戊申庚申壬申歲也火來用事則金氣受邪故曰金政不平也火炎于上金肺受邪客熱內燔水無能救故化生諸病也制火之客則已矣　新校正云按甲乙經邪在肺則皮膚痛發寒熱蓋少陽司天之歲火尅金故病如是也

天府絕死不治

天府在肘後彼側上腋下同身寸之三寸動脈應手肺之氣也火勝而金脈絕故死

陽明司天燥淫所勝則木廼晚榮草廼晚生筋骨內變民病左胠脇痛寒清于中感而瘧大涼革候欬腹中鳴注泄鶩溏名木斂生菀于下草焦上首心脅暴痛不可反側嗌乾面塵腰痛丈夫癩疝婦人少腹痛目昧眥瘍瘡痤癰蟄蟲來見病本于肝

謂乙卯丁卯己卯辛卯癸卯乙酉丁酉己酉辛酉癸酉歲也金勝故草木晚生榮也配于人身則筋骨內應而不用也大涼之氣變易時候則人寒清發於中內感寒氣則爲痎瘧也大

陽居右脇氣逼之令脇氣內淫脇居于左故左胠脇痛如刺割也其歲民自注泄則無淫勝之疾也大凉次寒也大凉且甚陽氣不行故木容收斂草榮悉晚生氣也升陽不布令故閉積生氣而稸于下也在人之應則少腹之內痛氣居之發疾於仲夏瘡瘍之疾猶及秋中瘡瘻之類生于上癰腫之患生于下瘡色雖赤中心正白物氣之常也　新校正云按甲乙經腰痛不可以俛仰丈夫𤸷疝婦人少腹腫甚則嗌乾面塵爲肝病又胷滿洞泄爲肝病又心脅痛不能反側目銳眥痛缺盆中腫痛掖下腫馬刀挾瘻汗出振寒瘧爲膽病蓋陽明司天之歲金尅木故病如是又按脉解云厥陰所謂𤸷疝婦人少腹腫者厥陰者辰也三月陽中之陰邪在中故曰𤸷疝少腹腫也

太衝絕死不治　太衝在足大指本節後二寸脉動應手肝之氣也金來伐木肝氣內絕真不勝邪死其宜也

太陽司天寒淫所勝則寒氣反至水且冰血變于中發爲癰瘍民病厥心痛嘔血血泄鼽衂善悲時眩仆運火炎烈雨暴迺

霍胷腹滿手熱肘攣掖衝心澹澹大動胷脇胃脘不安面赤目黄善噫嗌乾甚則色炲渴而欲飲病本于心謂甲辰丙辰戊辰庚辰壬辰甲戌丙戌戊戌庚戌壬戌歲也太陽司天寒氣布化故水且冰而血凝皮膚之間衛氣結聚故爲癰也若乘火運而火熱炎烈與水交戰故暴雨半珠形雹也心氣爲噫故善噫是歲民病集于心胷之中也陽氣內鬱濕氣下蒸故心厥痛而嘔血血泄鼽衄面赤目黄善噫手熱肘攣掖腫嗌乾甚則寒氣勝陽水行凌火火氣內鬱故渴而欲飲也病始心生爲陰變犯故云病本于心也新校正云按甲乙經手熱肘攣掖腫甚則胷脇支滿心澹澹大動面赤目黄爲手心主病又邪在心則病心痛善悲時眩仆蓋太陽司天之歲水尅火故病如是神門絶死不治神門在手之掌後銳骨之端動脉應手眞心氣也水行乘火而心氣內結神氣已亡不死何待善知其診故不治也所謂動氣知其藏也所以診視而知死者何以皆是藏之經脉動氣知神藏之存亡爾

帝曰善治之奈何謂所攻治者岐伯曰司天之氣風淫所勝平以辛涼佐以苦甘以甘緩之以酸寫之厥陰之氣夫爲盛熱故曰涼藥平之夫氣之用也積涼爲寒積溫爲熱以熱少之其則溫也以寒少之其則涼也以溫多之其則熱也以涼多之其則寒也各當其分則寒寒也溫溫也熱熱也涼涼也方書之用可不務乎故寒熱溫涼遞降多少善爲方者意必精通餘氣皆然從其制也　新校正云按本論上文云上淫于下所勝平之外淫于內所勝治之故在泉曰治司天曰平也熱淫所勝平以鹹寒佐以苦甘以酸收之熱氣已退時發動者是爲心虛氣散不斂以酸收收之雖以酸收亦兼寒助乃能殄除其源本矣熱見太甚則以苦發之汗已便涼是邪氣盡勿寒水之汗已猶熱是邪氣未盡則以酸收之已又熱則復汗之已汗復熱是藏虛也則補其心可矣法則合爾諸治熱者亦未必得再三發三治況四變而反覆者乎燥淫所勝平以苦熱佐以酸辛以苦燥

之以淡泄之濕氣所淫皆爲腫滿但除其濕腫滿自衰因濕生病不腫不滿者亦爾治之濕氣在上以苦吐之濕氣在下以苦泄之以淡滲之則皆燥也泄謂滲泄以利水道下小便爲法然酸雖熱亦用利小便去伏水也治濕之病不下小便非其法也　新校正云按濕淫于内佐以酸淡此云酸辛者辛疑當作淡濕上甚而熱治以苦溫佐以甘辛以汗爲故而止身半以上濕氣餘火氣復鬱鬱濕相薄則以苦溫甘辛之藥解表流汗而袪之故云以汗爲除病之故而已也火淫所勝平以酸冷佐以苦甘以酸收之以苦發之以酸復之熱淫同同熱淫義熱亦如此法以酸復其本氣也不復其氣則淫氣空虛招其損燥淫所勝平以苦濕佐以酸辛以苦下之制燥之勝必以苦濕是以火之氣味也宜下必以苦宜補必以酸宜寫必以辛清甚生寒留而不去則以苦濕下之氣有餘則以辛寫之諸氣同　新校正云按上文燥淫于内治以苦溫此云苦濕者濕當爲溫

文注中濕字三並當作溫又按天元正紀大論亦作苦小溫寒淫所勝平以辛熱佐以甘苦以鹹寫之淫散止之不可過也新校正云按上文寒淫于內治以甘熱佐以苦辛此云平以辛熱佐以甘苦者此文爲誤又按天元正紀大論云太陽之政歲宜苦以燥之也

帝曰善邪氣反勝治之奈何不能淫勝于他氣反爲不勝之氣爲邪以勝之

岐伯曰風司于地清反勝之治以酸溫佐以苦甘以辛平之厥陰在泉則風司于地謂五寅歲五申歲邪氣勝盛故先以酸寫佐以苦甘邪氣退則正氣虛故以辛補養而平之熱司于地寒反勝之治以甘熱佐以苦辛以鹹平之少陰在泉則熱司于地謂五卯五酉之歲也先寫其邪而後平其正氣也濕司于地熱反勝之治以苦冷佐以鹹甘以苦平之太陰在泉則濕司于地謂五辰五戌歲也補寫之義餘氣皆同火司于地寒反勝之治

以甘熱佐以苦辛以鹹平之少陽在泉則火司于地謂五巳五亥歲也燥司于地熱反勝之治以平寒佐以苦甘以酸平之以和爲利陽明在泉則燥司于地謂五子五午歲也燥之性惡熱亦畏寒故以冷熱和平爲方制也寒司于地熱反勝之治以鹹冷佐以甘辛以苦平之太陽在泉則寒司于地謂五丑五未歲也此六氣方治與前淫勝法殊貫云治者寫客邪之勝氣也云佐者皆所利所宜也云平者補巳弱之正氣也

帝曰其司天邪勝何如岐伯曰風化於天清反勝之治以酸溫佐以甘苦亥巳歲也熱化於天寒反勝之治以甘溫佐以苦酸辛子午歲也濕化於天熱反勝之治以苦寒佐以苦酸丑未歲也火化於天寒反勝之治以甘熱佐以苦辛寅申歲也燥化於天熱反

勝之治以辛寒佐以苦甘（卯酉歲也）寒化於天熱反勝之治以鹹冷佐以苦辛（辰戌歲也）帝曰六氣相勝奈何（先舉其用爲勝）岐伯曰厥陰之勝耳鳴頭眩憒憒欲吐胃鬲如寒大風數舉倮蟲不滋胠脅氣并化而爲熱小便黃赤胃脘當心而痛上支兩脅腸鳴飧泄少腹痛注下赤白甚則嘔吐鬲咽不通（五巳五亥歲也心下臍上胃之分胃鬲謂胃脘之上及大鬲之下風寒氣生也氣并謂偏著一邊鬲咽謂食飲入而復出也　新校正云按甲乙經胃病者胃脘當心而痛上支兩脅鬲咽不通也）少陰之勝心下熱善饑齊下反動氣遊三焦炎暑至木迺津草迺萎嘔逆躁煩腹滿痛溏泄傳爲赤沃（五子五午歲也沃沫也）太陰之勝火氣內鬱瘡瘍

於中流散於外病在胠脇甚則心痛熱格頭痛喉痺項強獨勝則濕氣內鬱寒迫下焦痛留頂互引眉間胃滿雨數至燥化迺見少腹滿腰脽重強內不便善注泄足下溫頭重足脛胕腫飲發於中胕腫于上五丑未歲也濕勝於上則火氣內鬱勝於中則寒迫下焦水溢河渠則鱗蟲離水也脽謂臀肉也不便謂腰重內強直屈伸不利也獨勝謂不兼鬱火也胕腫于上謂首面也足脛腫是火鬱所生也　新校正云詳注云水溢河渠則鱗蟲離水也王作此注於經文無所解又按太陰之復云大雨時行鱗見于陸則此文于雨數至下脫少鱗見于陸四字不然則王注無因爲解也

少陽之勝熱客於胃煩心心痛目赤欲嘔嘔酸善饑耳痛溺赤善驚譫妄暴熱消爍草萎水涸介蟲迺屈少腹痛下沃赤白五寅

五申歲也熱暴甚故草萎水涸陰氣消爍介蟲金化也火氣大勝故介蟲屈伏酸醋水也陽明之勝清發於中左胠脇痛溏泄内爲嗌塞外發㿗疝大涼肅殺華英改容毛蟲廼殃胷中不便嗌塞而欬五卯五酉歲也大涼肅殺金氣勝木故草木華英爲殺氣損削改易形容而焦其上首也毛蟲木化氣不宜金故金政大行而毛蟲死耗也肝木之氣下主下陰故大涼行而㿗疝發也胷中不便謂呼吸回轉或痛或緩急而不利便也氣太盛故嗌塞而欬也嗌謂喉之下接連胷中肺兩葉之間者也太陽之勝凝溧且至非時水冰羽廼後化痔瘧發寒厥入胃則内生心痛陰中廼瘍隱曲不利互引陰股筋肉拘苛血脉凝泣絡滿色變或爲血泄皮膚否腫腹滿食減熱反上行頭項囟頂腦戶中痛目如脫寒入下焦傳

爲濡寫五辰五戌歲也寒氣凌逼陽不勝之故非寒時而止水水結也水氣大勝陽火不行故諸羽蟲生化而後也拘急也苛重也絡絡脉也太陽之氣標在於巔故熱反上行於頭也以其脉起於目内眥上額交巔上入絡腦還出別下項故囟頂及腦戶中痛目如欲脫也濡謂水利也　新校正云按甲乙經痔瘧頭項囟頂腦戶中痛目如脫爲太陽經病　帝曰治之奈何岐伯曰厥陰之勝治以甘清佐以苦辛以酸寫之少陰之勝治以辛寒佐以苦鹹以甘寫之太陰之勝治以鹹熱佐以辛甘以苦寫之少陽之勝治以辛寒佐以甘鹹以甘寫之陽明之勝治以酸溫佐以辛甘以苦泄之太陽之勝治以甘熱佐以辛酸以鹹寫之六勝之至皆先歸其不勝已者之故不勝者當先寫之以通其道次寫所勝之氣令其退釋也治諸勝而不寫遣之則勝氣浸盛而

內生諸病也新校正云詳此爲治皆先寫其不勝而後寫其來勝太陽之勝治以甘熱爲異疑甘字苦之誤也若云治以苦熱則六勝之治皆一貫也帝曰六氣之復何如報復復謂報其勝也凡先有勝後必有復新校正云按玄珠云六氣分正化對化厥陰正司于亥對化于巳少陰正司于午對化于子太陰正司于未對化于丑少陽正司于寅對化于申陽明正司于酉對化于卯太陽正司于戌對化于辰正司化令之實對司化令之虛對化勝而有復正化勝而不復此注云凡先有勝後必有復似未然岐伯曰悉乎哉問也厥陰之復少腹堅滿裏急暴痛偃木飛沙倮蟲不榮厥心痛汗發嘔吐飲食不入入而復出筋骨掉眩清厥甚則入脾食痺而吐裏腹脇之內也木偃沙飛風之大也風爲木勝故土不榮厥謂氣衝胃脇而凌及心也胃受逆氣而上故逆痛也痛甚則汗發泄泄謂闌中動也清厥手足冷也食痺謂食已心下痛隂隂然不可名也不可忍

也吐出乃止此爲胃氣逆而不下流也食飲不入入而復出肝乘脾胃故令爾也衝陽絶死不治衝陽胃脉氣也少陰之復燠熱內作煩躁鼽嚏少腹絞痛火見燔焫嗌燥分注時止氣動於左上行於右欬皮膚痛暴瘖心痛鬱冒不知人迺洒淅惡寒振慄譫妄寒已而熱渴而欲飲少氣骨痿隔腸不便外爲浮腫噦噫赤氣後化流水不冰熱氣大行介蟲不復病疿胗瘡瘍癰疽痤痔甚則入肺欬而鼻淵火熱之氣自小腸從臍下之左入大腸上行至左脇甚則上行於右而入肺故動于左上行於右皮膚痛也分注謂大小俱下也骨痿言骨弱而無力也隔腸謂腸如隔絶而不便也瘖也寒熱甚則熱陽明先勝故赤氣後化流水不冰火發之本司于地也在人之應則冬脉不凝若高山窮谷已是至高之處水冰當冰平下川流則如經

十六

矣火氣內蒸金氣外相勝熱爲肉鬱故爲痱胗瘡瘍胗甚亦爲瘡也熱少則外生痱胗熱多則肉結癰痤小腸有熱則中外爲痔其復熱之變皆病于身後及外側也瘡瘍痱胗生于上癰疽痤痔生于下反其處者皆爲逆也**天府絶死不治**天府肺脈氣也新校正云按上文少陰司天熱淫所勝尺澤絶死不治少陽司天火淫所勝天府絶死不治此云少陰之復天府絶死不治下文少陽之復尺澤絶死不治文如相反者疑盡尺澤天府俱手太陰脈之所發動故此互文也**太陰之復濕變迺舉體重中滿飲食不化陰氣上厥胷中不便飲發於中欬喘有聲大雨時行鱗見於陸頭頂痛重而掉瘛尤甚嘔而密默唾吐清液甚則入腎竅寫無度**濕氣內逆寒氣不行太陽上流故爲是病頭項痛重則腦中掉瘛尤甚腸胃寒濕熱無所行重灼胷府故胷中不便食飲不化嘔而密默欲靜定也喉中惡冷故唾吐冷水也寒氣易位上入咽喉則息道不利故欬喘而喉

中有聲也水居平澤則魚遊於市頭項頭囟痛女人亦兼痛於肩背也　新校正云按上文太陰在泉頭痛項似拔又太陰司天云頭項痛此云頭頂痛頂疑當作項　太谿絶死不治　太谿腎脉氣也

少陽之復大熱將至枯燥燔爇介蟲廼耗驚瘛欬衄心熱煩躁便數憎風厥氣上行面如浮埃目乃瞤瘛火氣內發上為口糜嘔逆血溢血泄發而為瘧惡寒鼓慄寒極反熱嗌絡焦槁渴引水漿色變黃赤少氣脉萎化而為水傳為胕腫甚則入肺欬而血泄　火氣專暴枯燥草木燔焫自生故燔爇也爇音焫火內熾故驚瘛欬衄心熱煩燥便數憎風也火炎於上則庶物失色故如塵埃浮於面而目瞤動也火爍於內則口舌糜爛嘔逆及為血溢血泄風火相薄則為溫瘧氣蒸熱化則為水病傳為胕腫胕謂皮肉俱腫按之陷下泥而不起也如是之證皆火氣所生也　尺澤

十七

絶死不治尺澤肺脉氣也陽明之復清氣大舉森木蒼乾毛蟲迺厲病生胠脇氣歸於左善太息甚則心痛否滿腹脹而泄嘔苦欬噦煩心病在鬲中頭痛甚則入肝驚駭筋攣殺氣大舉木不勝之故蒼清之葉不及黄而乾燥也厲謂疵厲疾疫死也清甚於内熱鬱於外故也太衝絶死不治太衝肝脉氣也太陽之復厥氣上行水凝雨冰羽蟲迺死心胃生寒胷膈不利心痛否滿頭痛善悲時眩仆食減腰脽反痛屈伸不便地裂冰堅陽光不治少腹控睪引腰脊上衝心唾出清水及爲噦噫甚則入心善忘善悲雨冰謂雹也寒而遇雹死亦其宜寒化於地其上復土故地體分裂水積冰堅久而不釋是陽光之氣不治寒凝之物也太陽之復與不相持上濕下寒

火無所往心氣內鬱熱由是生火熱內燔故生斯病 新校正云詳注云與不相持不字疑作土 神門絶死不治 神門真心脈氣 帝曰善治之奈何 復氣倍勝故先問以治之 岐伯曰厥陰之復治以酸寒佐以甘辛以酸寫之以甘緩之 不太緩之夏猶不已復重於勝故治以辛寒也 新校正云按別本治以酸寒作治以辛寒也 少陰之復治以鹹寒佐以苦辛以甘寫之以酸收之辛苦發之以鹹耎之 不太發汗以寒攻之持至仲秋熱內伏結而爲心熱少氣少力所不能起矣熱伏不散歸于骨矣 太陰之復治以苦熱佐以酸辛以苦寫之燥之泄之 不燥泄之久而爲身腫腹滿關節不利膝及伏兔髀滿內作膝腰脽內側胕腫病 少陽之復治以鹹冷佐以苦辛以鹹耎之以酸收之辛苦發之發不遠熱無犯溫涼少陰同法

不發汗以奪盛陽則熱內淫於四支而爲解㑊不可名也謂熱不甚謂寒不甚謂強不甚謂弱不甚不可以名言故謂之解㑊粗醫呼爲鬼氣惡病也久久不已則骨熱髓涸齒乾乃爲骨熱病也發汗奪陽故無留熱故發汗者雖熱生病夏月及差亦用熱藥以發之當春秋時縱火熱勝亦不得以熱藥發汗汗不發而藥熱內甚助病爲瘧逆伐神靈故曰無犯溫涼少陰氣熱爲療則同故云與少陰同法也數奪其汗則津竭涸故以酸收以鹹潤也　新校正云按天元正紀大論云發表不遠熱

陽明之復治以辛溫佐以苦甘以苦泄之以苦下之以酸補之泄謂滲泄汗及小便湯浴皆是也秋分前後則亦發之春有勝則依勝法或不已亦湯漬和其中外也怒復之後其氣皆虛故補之以安全其氣餘復治同

太陽之復治以鹹熱佐以甘辛以苦堅之不堅則寒氣內變止而復發發而復止綿歷年歲生大寒疾

治諸勝復寒者熱之熱者寒之溫者清之清者溫之散者收

之抑者散之燥者潤之急者緩之堅者耎之脆者堅之衰者補之强者寫之各安其氣必清必靜則病氣衰去歸其所宗此治之大體也太陽氣寒少陰少陽氣熱厥陰氣溫陽明氣清太陰氣濕有勝復則各倍其氣以調之故可使平也宗屬也調不失理則餘之氣自歸其所屬少之氣自安其所治勝復衰已則各補養而平定之必清必靜無妄撓之則六氣循環五神安泰若運氣之寒熱治之平之亦各歸司天地氣也

帝曰善氣之上下何謂也岐伯曰身半以上其氣三矣天之分也天氣主之身半以下其氣三矣地之分也地氣主之以名命氣以氣命處而言其病半所謂天樞也身之半正謂齊中也或以腰爲身半是以居中爲義過天中也中原之人悉如此矣當伸臂指天舒足指地以繩量之中正當齊也故又曰半所謂天樞也天

樞正當臍兩傍同身寸之二寸也其氣三者假如少陰司天則上有熱中有太陽兼之三也六氣皆然司天者其氣三司地者其氣三故身半以上三氣身半以下三氣也以名言其氣以氣言其處以氣處寒熱而言其病之形證也則如足厥陰氣居足及股胯之內側上行於少腹循脅足陽明氣在足之上䯒之外股之前上行腹臍之傍循胷乳上面足太陽氣起於目上額絡頭下項背過腰橫過髀樞股後下行入膕貫腨出外踝之後足小指外側足太陰氣循足及股胻之內側上行腹脇之前足少陰同之足少陽氣循脛外側上行腹脇之側循頰耳至目銳眥在首之側此足六氣之部主也手厥陰少陰太陰氣從心胷橫出循臂內側至中指小指大指之端手陽明少陽太陽氣並起手表循臂外側上肩及甲上頭此手六氣之部主也欲知病診當隨氣所在以言之當陰之分冷病歸之當陽之分熱病歸之故勝復之作皆言病生寒熱者必依此物理也　新校正云按六微旨大論云天樞之上天氣主之天樞之下地氣主之氣交之分人氣從之也

故上勝而下俱病者以地名之下勝而上

俱病者以天名之彼氣既勝此未能復抑鬱不暢而無所行進則困于讐嫌退則窮於怫塞故上勝至則下與俱病下勝至則上與俱病上勝下病地氣鬱也故從地鬱以名地病下勝上病天氣塞也故從天塞以名天病夫以天名者方順天氣爲制逆地氣而攻之以地名者方從天氣爲制則可假如陽明司天少陰在泉上勝而下俱病者是怫於下而生也大氣正勝天可逆之故順天之氣方同清也少陰等司天上下勝同法　新校正云按六元正紀大論云上勝則天氣降而下下勝則地氣遷而上此之謂也所謂勝至報氣屈伏而未發也復至則不以天地異名皆如復氣爲法也勝至未復而病生以天地異名爲式復氣以發所生無問上勝下勝悉皆依復氣爲病寒熱之主也帝曰勝復之動時有常乎氣有必乎岐伯曰時有常位而氣無必也雖位有常而發動有無不必定之也帝曰願聞其道也岐伯曰初氣終三氣天氣主

之勝之常也四氣盡終氣地氣主之復之常也有勝則復無勝則否帝曰善復已而勝何如岐伯曰勝至則復無常數也衰廼止耳勝微則復微故復已而又勝勝甚則復甚故復已則火有再勝者也假有勝者亦隨微甚而復之爾然勝復之道雖無常數至其衰謝則勝復皆自止也復已而勝不復則害此傷生也有勝無復是復氣已衰衰不能復是天真之氣已傷敗甚而生意盡帝曰復而反病何也岐伯曰居非其位不相得也大復其勝則主勝之故反病也捨已宮觀適於他邦已力已衰主不相得怨隨其後唯便是求故力極而復主反襲之反自病者也所謂火燥熱也少陽火也陽明燥也少陰熱也少陰少陽在泉爲火居水位陽明司天爲金居火位金復其勝則火主勝之火復其勝則水主勝之餘氣勝復則無主勝之病氣也故又曰所謂火燥熱也帝曰治之

何如岐伯曰夫氣之勝也微者隨之甚者制之氣之復也和者平之暴者奪之皆隨勝氣安其屈伏無問其數以平爲期此其道也隨謂隨之安謂順勝氣以和之也制謂制止平謂平調奪謂奪其盛氣也治此者不以之多少但以氣平和爲準準度爾帝曰善客主之勝復奈何客謂天之六氣主謂五行之位也氣有宜否故各有勝復之者岐伯曰客主之氣勝而無復也客主自有多少以其爲勝與常勝殊帝曰其逆從何如岐伯曰主勝逆客勝從天之道也客承天命部統其方主爲之下固宜祗奉天命不順而勝則天命不行故爲逆也客勝於主承天而行理之道故爲順也帝曰其生病何如岐伯曰厥陰司天客勝則耳鳴掉眩甚則欬主勝則胷脇痛舌難以言五巳五亥歲也少陰司天客勝

則鼽嚏頸項强肩背瞀熱頭痛少氣發熱耳聾目瞑甚則胕腫血溢瘡瘍欬喘主勝則心熱煩躁甚則脇痛支滿五子五午歲也太陰司天客勝則首面胕腫呼吸氣喘主勝則胸腹滿食已而瞀五丑五未歲也少陽司天客勝則丹胗外發及爲丹熛瘡瘍嘔逆喉痺頭痛嗌腫耳聾血溢內爲瘛瘲主勝則胸滿欬仰息甚而有血手熱五寅五申歲也陽明司天清復內餘則欬衄嗌塞心鬲中熱欬不止而白血出者死復謂復舊居也白血謂欬出淺紅色而似肉似肺者五卯五酉歲也新校正云詳此不言客勝主勝者以金居火位無客勝之理故不言也太陽司天客勝則胸中不利出清涕感寒則欬主勝則喉嗌

中鳴（五辰五戌歲也）厥陰在泉客勝則大關節不利內爲痙
強拘瘛外爲不便主勝則筋骨繇併腰腹時痛（五寅五申
歲也大關節腰膝也）少陰在泉客勝則腰痛尻股膝髀腨䯒足
病瞀熱以酸胕腫不能久立溲便變主勝則厥氣上
行心痛發熱鬲中衆痺皆作發於胠脇魄汗不藏四
逆而起（五卯五酉歲也）太陰在泉客勝則足痿下重便溲不
時濕客下焦發而濡寫及爲腫隱曲之疾主勝則寒
氣逆滿食飲不下甚則爲疝（五辰五戌歲也隱曲之疾謂隱蔽委曲之處病
也）少陽在泉客勝則腰腹痛而反惡寒甚則下白溺
白主勝則熱反上行而客於心心痛發熱格中而嘔

少陰同候五巳五亥歲也陽明在泉客勝則清氣動下少腹堅滿而數便寫主勝則腰重腹痛少腹生寒下爲鶩溏則寒厥於腸上衝胷中甚則喘不能久立五子五午歲也鶩鴨也言如鴨之後也太陽在泉寒復內餘則腰尻痛屈伸不利股脛足膝中痛五丑五未歲也新校正云詳此不言客主勝者蓋太陽以水居水位故不言也帝曰善治之奈何岐伯曰高者抑之下者舉之有餘折之不足補之佐以所利和以所宜必安其主客適其寒溫同者逆之異者從之高者抑之制其勝也下者舉之濟其弱也有餘折之屈其銳也不足補之全其氣也雖制勝扶弱而客主須安一氣失所則矛楯更作榛棘互興各伺其便不相得志內淫外併而危敗之由作矣同謂寒熱溫清氣相比和者異謂水火金木土

不比和者氣相得者則逆所勝之氣以治之不相得者則順所不勝氣亦治之治火勝負欲益者以其味欲寫者亦以其味勝與不勝皆折其氣也向者以其性躁動也治熱亦然帝曰治寒以熱治熱以寒氣相得者逆之不相得者從之余以知之矣其於正味何如岐伯曰木位之主其寫以酸其補以辛木位春分前六十一日初之氣也火位之主其寫以甘其補以鹹君火之位春分之後六十一日二之氣也相火之位夏至前後各三十日三之氣也二火之氣則殊然其氣用則一矣土位之主其瀉以苦其補以甘土之位秋分前六十一日四之氣也金位之主其寫以辛其補以酸金之位秋分後六十一日五之氣也水位之主其寫以鹹其補以苦水之位冬至前後各三十日終之氣也厥陰之客以辛補之以酸寫之以甘緩之少陰

之客以鹹補之以甘瀉之以鹹收之新校正云按藏氣法時論云心苦緩急食酸以收之心欲耎急食鹹以耎之此云以鹹收之者誤也太陰之客以甘補之以苦寫之以甘緩之少陽之客以甘寫之以鹹耎之陽明之客以酸補之以辛寫之以苦泄之太陽之客以苦補之以鹹寫之以苦堅之以辛潤之開發腠理致津液通氣也客之部主各六十一日居無常所隨歲遷移客勝則寫客而補主主勝則寫主而補客應隨當緩當急以治之帝曰善願聞陰陽之三也何謂也岐伯曰氣有多少異用也太陰爲正陰太陽爲正陽次少者爲少陰次少者爲少陽又次爲陽明又次爲厥陰厥陰爲盡義具靈樞繫日月論中新校正云按天元紀大論云何論氣有多少冦東區曰陰陽之氣各有多少故曰三陰三陽也帝曰陽明

何謂也岐伯曰陽合明也靈樞繫日月論曰辰者三月主左足之陽明巳者四月主右足之陽明兩陽合於前故曰陽明也帝曰厥陰何也岐伯曰兩陰交盡也靈樞繫日月論曰戌者九月主右足之厥陰亥者十月主左足之厥陰兩陰交盡故曰厥陰也帝曰氣有多少病有盛衰新校正云按天元紀大論曰形有盛衰治有緩急方有大小願聞其約奈何岐伯曰氣有高下病有遠近證有中外治有輕重適其至所爲故也藏位有高下府氣有遠近病證有表裏藥用有輕重調其多少和其緊慢令藥氣至病所爲故勿太過與不及也大要曰君一臣二奇之制也君二臣四偶之制也君二臣三奇之制也君二臣六偶之制也奇謂古之單方偶謂古之復方也單復一制皆有小大故奇方云君一臣二君二臣三偶方云君二臣四君二臣六也病有小

太氣有遠近治有輕重所宜故云之制也故曰近者奇之遠者偶之汗者不以奇下者不以偶補上治上制以緩補下治下制以急急則氣味厚緩則氣味薄適其至所此之謂也汗藥不以偶方氣不足以外發泄下藥不以奇制藥毒攻而致過治上補上方迅急則止不住而迫下治下補下方緩慢則滋道路而力又微制急方而氣味薄則力與緩等制緩方而氣味厚則勢與急同如是為緩不能緩急不能急厚而不厚薄而不薄則大小非制輕重無度則虛實寒熱藏府紛撓無由致理豈神靈而可望安哉病所遠而中道氣味之者食而過之無越其制度也假如病在腎而心之氣味飼而冷足仍急過之不飼以氣味腎藥凌心心復益衰餘上下遠近例同是故平氣之道近而奇偶制小其服也遠而奇偶制大其服也大則數少小則數多多則九之少

則二之湯丸多少凡如此也近遠謂府藏之位也心肺爲近腎肝爲遠脾胃居中三陽胞膻膀亦有遠近身三分之上爲近下宜爲遠也或識見高遠權以合宜方奇而分兩偶方偶而分兩奇如是者近而偶制多數服之遠而奇制少數服之則肺服九心服七脾服五肝服三腎服二爲常制矣故曰小則數多大則數少　新校正云詳注云三陽胞膻膽一本作三腸胞膻膽再詳三陽無義三腸亦未爲得腸有大小并膻腸爲三今已云胞膻則不得云三腸三當作二奇之不去則偶之是謂重方偶之不去則反佐以取之所謂寒熱溫凉反從其病也方與其重也寧輕與其毒也寧善與其大也寧小是以奇方不去偶方主之偶方病在則反一佐以同病之氣而取之也夫熱與寒背寒與熱違微小之熱爲寒所折微小之冷爲熱所消甚大寒熱則必能與違性者爭雄能與異氣者相格聲不同不相應氣不同不相合如是則且憚而不敢攻之攻之則病氣與聲氣抗行而自爲寒熱以開閉固守矣是以聖人反其佐以同其氣令聲氣應合復令寒熱

參合使其終異始同燥濕而敢堅剛必折柔脆自消爾帝曰善病生於本余知之矣生於標者治之奈何岐伯曰病反其本得標之病治反其本得標之方言少陰太陽之二氣餘四氣標本同帝曰善六氣之勝何以候之岐伯曰乘其至也清氣大來燥之勝也風木受邪肝病生焉流於膽也熱氣大來火之勝也金燥受邪肺病生焉流于迴腸大腸新校正云詳注云迴腸大腸按甲乙經迴腸部大腸寒氣大來水之勝也火熱受邪心病生焉流于三焦小腸濕氣大來土之勝也寒水受邪腎病生焉流於膀胱風氣大來木之勝也土濕受邪脾病生焉流於胃所謂感邪而生病也外有其氣而內惡之中外不喜因而遂病是謂感也乘年之虛則

邪甚也年木不足外有清邪年火不足外有寒邪年土不足外有風邪年金不足外有熱邪年水不足外有濕邪是年之虛也歲氣不足外邪湊甚失時之和亦邪甚也六氣臨統與位氣相尅感之而病亦隨所不勝而與內藏相應邪復甚也遇月之空亦邪甚也謂上弦前下弦後月輪中空也重感於邪則病危矣年已不足邪氣大至是一感也年已不足天氣尅之此時感邪是重感也內氣召邪天氣不節病不危可乎有勝之氣其必來復也天地之氣不能相無故有勝之氣其來必復也帝曰其脈至何如岐伯曰厥陰之至其脈弦耎虛而滑端直以長是謂弦實而强則病不實而微亦病不端直長亦病不當其位亦病位不能弦亦病少陰之至其脈鉤來盛去衰如偃帶鉤是謂鉤來不盛去反盛則病來盛去盛亦病來不盛去不盛亦病不偃帶鉤亦病不當其位亦病位不能鉤亦病太陰之至其脈沉沈下也按之乃得下諸位脈也沈甚則病不沈亦病

少陽之至大而浮浮高也大謂稍大諸位脉也夫浮甚則病浮而不大大亦病大而不浮亦病不大不浮亦病不當其位亦病位不能大浮亦病

陽明之至短而濇往來不利是爲濇也往來不遠是謂短也短甚則病濇甚則病不短不濇亦病不當其位亦病位不能短濇亦病

太陽之至大而長往來遠是謂長大甚則病長甚則病長而不大亦病大而不長亦病不當其位亦病位不能長大亦病

至而和則平去太甚則爲平調不弱不強是爲和也

至而甚則病弦似張弓弦滑如連珠沈而附骨浮高于皮濇而止住短如麻黍大如帽簪長如引繩皆謂至而太甚也

至而反者病應弦反濇應大反細應沈反浮應浮反沈應短濇反滑長應弱虛反強實應細反大是皆爲氣反常平之候有病乃如此也

至而不至者病氣位已至而脉氣不應也

未至而至者病按曆占之凡得節氣當其六位之分當如南北之歲脉象改易而應之氣序未移而脉先變易是先天而至故病

陰陽易者危不應天常

氣見変錯失其恒位更易見之陰位見陽脉陽位見陰脉是易位而見也二氣之亂故氣危　新校正云按六微指大論云帝曰其有至而至有至而不至有至而太過何也岐伯曰至而至者和至而不至來氣不及也未至而至來氣有餘也帝曰至而不至未至而至如何岐伯曰應則順否則逆逆則變生變生則病帝曰請言其應岐伯曰物生其應也氣脉其應也所謂脉應卽此脉應也　帝曰六氣標本所從不同奈何岐伯曰氣有從本者有從標本者有不從標本者也帝曰願卒聞之岐伯曰少陽太陰從本少陰太陽從本從標陽明厥陰不從標本從乎中也　少陽之本火太陰之本濕本末同故從本也少陰之本熱其標陰太陽之本寒其標陽本末異故從本從標陽明之中太陰厥陰之中少陽本末與中不同故不從標本從乎中也從本從標從中皆以其爲化主之用也　故從本者化生於本從標本者有標本之

化從中者以中氣爲化也化謂氣化之元主生育萬物以元主氣用寒熱治之新校正云按六微旨大論云少陽之上火氣治之中見陽明厥陰之上燥氣治之中見太陰太陽之上寒氣治之中見少陰厥陰之上風氣治之中見少陽少陽之上熱氣治之中見太陽太陰之上濕氣治之中見陽明所謂本也本之下中之見也見之下氣之標也本標不同氣應異象此之謂也帝曰脉從而病反者其診何如岐伯曰脉至而從按之不鼓諸陽皆然言病熱而脉數按之不動乃寒盛格陽而致之非熱也帝曰諸陰之反其脉何如岐伯曰脉至而從按之鼓甚而盛也形證是寒按之而脉氣鼓擊於手下盛者此爲熱盛拒陰而生病非寒也是故百病之起有生於本者有生於標者有生於中氣者有取本而得者有取標而得者有取中氣而得者有取標本而得

者有逆取而得者有從取而得者反佐取之是爲逆取奇偶取之是爲從取寒病治以寒熱病治以熱是爲逆取從順也逆正順也若順逆也寒盛格陽治熱以以熱熱熱盛拒陰治寒以寒之類背時謂之逆外雖用逆中乃順也此逆乃正順也若寒格陽而治以寒熱拒寒而治以熱外則雖順中氣乃逆故方若順是逆也故知標與本用之不殆明知逆順正行無問此之謂也不知是者不足以言診足以亂經故大要曰麤工嘻嘻以爲可知言熱未已寒病復始同氣形迷診亂經此之謂也嘻嘻悅也言心意怡悅以爲知道終盡也六氣之用粗之與工得其半也厥陰之化粗以爲寒其乃是溫太陽之化粗以爲熱其乃是寒由此差互用失其道故其學問識用不達工之道半矣夫太陽少陰各有寒化熱量其標本應用則正反矣何以言之太陽本爲寒標爲熱少陰本爲熱標爲寒方之用亦如是也厥陰陽明中氣

亦爾厥陰之中氣爲熱陽明之中氣爲濕此三氣亦反其類太陽少陰也然太陽與少陰有標本用與諸氣不同故曰同氣異形也夫一經之標本寒熱既殊言本當究其標論標合尋其本言氣不窮其標本論病未辨其陰陽雖同一氣而生且阻寒溫之候故心迷正理治益亂經呼曰粗工允膺其稱爾

夫標本之道要而博小而大可以言一而知百病之害言標與本易而勿損察本與標氣可令調明知勝復爲萬民式天之道畢矣

天地變化尚可盡知況一人之診而云冥昧得經之要持法之宗爲天下師尚卑其道萬民之式豈曰大哉 新校正云按標本病傳論云有其在標而求之於標有其在本而求之於本有其在本而求之於標有其在標而求之於本故治有取標而得者有取本而得者有逆取而得者有從取而得者故知逆與從正行無問知標本者萬舉萬當不知標本是爲妄行夫陰陽逆從標本之爲道也小而大言一而知百病之害少而多淺而博可以言一而知百也以淺而知深察近而

而遠言標與本易而勿及治反爲逆治得爲從先病而後逆者治其本先逆而後病者治其本先寒而後生病者治其本先熱而後生病者治其本先熱而後生中滿者治其標先病而後泄者治其本先泄而後生他病者治其本必且調之乃治其他病先病而後生中滿者治其標先中滿而後煩心者治其本人有客氣有同氣小大不利治其標小大利治其本病發而有餘本而標之先治其本後治其標病發而不足標而本之先治其標後治其本謹察間甚以意調之間者并行甚者獨行先小大不利而後生病者治其本此經論標本尤詳帝曰勝復之變早晏何如岐伯曰夫所勝者勝至已病病已慍慍而復已萌也復心之慍不遠而有夫所復者勝盡而起得位而甚勝有微甚復有少多勝和而和勝虛而虛天之常也帝曰勝復之作動不當位或後時而至其故何也言陽盛于夏陰盛于冬清盛于秋溫盛于春天之常候然

其勝復氣用四序不同其何由哉　岐伯曰夫氣之生與其化衰盛異也寒暑溫涼盛衰之用其在四維故陽之動始於溫盛於暑陰之動始於清盛於寒春夏秋冬各差其分言春夏秋冬四正之氣在于四維之分也即事驗之春之溫正在辰巳之月夏之暑正在午未之月秋之涼正在戌亥之月冬之寒正在寅丑之月春始于仲春夏始于仲夏秋始于仲秋冬始于仲冬故丑之月氣結冰霜於厚地未之月陽焰電掣於天垂戌之月霜清肅殺而庶物堅辰之月風扇和舒而陳柯榮秀此則氣差其分昭然而不可蔽也然陰陽之氣生發收藏與常法相會徵其氣化及在人之應則四時每差其日數與常法相違從差法乃正當之也　故大要曰彼春之暖爲夏之暑彼秋之忿爲冬之怒謹按四維斥候皆歸其終可見其始可知此之謂也言氣之少壯也陽之少爲暖其壯也爲暑陰之少爲忿其

壯也爲怒此悉謂少壯之異氣證用之盛衰但立盛衰於四維之位則陰陽終始應用皆可知矣帝
曰差有數乎岐伯曰又凡三十度也度者日也新校正云按六元
正紀大論曰差有數乎曰後皆三十度而有奇也此云三十度也者此文爲略帝曰其脈應
皆何如岐伯曰差同正法待時而去也脈亦差以隨氣應也待差
日足應王氣至而乃去也脈要曰春不沉夏不弦冬不濇秋不數
是謂四塞天地四時之氣閉塞而無所運行也沉甚曰病弦甚曰病濇
甚曰病數甚曰病但應天和氣是則爲平形見太甚則爲力致以力而致安能久乎故
甚皆病參見曰病復見曰病未去而去曰病去而不去
曰病參謂參和諸氣來見復見謂再見已衰已死之氣也去謂下已而去者也日行之度未出於差
是爲天氣未出日度過差是謂天氣去而脈尚在既非得應故日病也反者死夏見沉秋見數

冬見緩春見濇是謂反也犯違天命生其能久乎
新校正云詳上文秋不數是謂四塞此註云秋見數
是謂反蓋以脈差只在仲月差之度盡而
數不去謂秋之季月而脈尚數則爲反也故曰氣之
相守司也如權衡之不得相失也權衡秤也天地之
氣寒暑相對溫清
相望如持秤也高者否下者否兩者齊等夫陰陽之
無相奪倫則清靜而生化各得其分也
氣清靜則生化治動則苛疾起此之謂也動謂變動
常平之候
而爲災眚也苛重也　新校正云按六微旨大帝曰
論云成敗倚伏生乎動動而不已則變作矣
幽明何如岐伯曰兩陰交盡故曰幽兩陽合明故曰
明幽明之配寒暑之異也兩陰交盡於戌亥兩陽合
明於辰巳靈樞繫日月論
云亥十月左足之厥陰戌九月右足之厥陰此兩陰
交盡故曰厥陰辰三月左足之陽明巳四月右足之
陽明此兩陽合於前故曰陽明然陰交則幽陽合則
明幽明之象當由是也寒暑位西南東北幽明位西

北東南幽明之配寒暑之位誠斯異也　新校正云按太始天元冊文云幽明既位寒暑施張帝曰分至何如岐伯曰氣至之謂至氣分之謂分至則氣同分則氣異所謂天地之正紀也因幽明之問而形斯義也言冬夏二至是天地氣主歲至其所在也春秋二分是間氣初二四五四氣各分其政於主歲左右也故曰至則氣同分則氣異也所言二至二分之氣配者此所謂是天地氣之正紀也帝曰夫子言春秋氣始于前冬夏氣始于後余已知之矣然六氣往復主歲不常也其補寫奈何以分至明六氣分位則初氣四氣始于立春立秋前各一十五日爲紀法三氣六氣始於立夏立冬後各一十五日爲紀法由是四氣前後之紀則三氣六氣之中正當二至日也故曰春秋氣始于前冬夏氣始于後也然以三百六十五日易一氣一歲已往氣則改新新氣既來舊氣復去所宜之味天地不同補寫之方應知先後故復以問之也岐伯曰

上下所主隨其攸利正其味則其要也左右同法大要曰少陽之主先甘後鹹陽明之主先辛後酸太陽之主先鹹後苦厥陰之主先酸後辛少陰之主先甘後鹹太陰之主先苦後甘佐以所利資以所生是謂得氣主謂主歲得謂得其性用也得其性用則舒卷由人不得性用則動生乖忤豈祛邪之可望乎適足以伐天真之妙氣爾如是先後之味皆謂有病先寫之而後補之也帝曰善夫百病之生也皆生於風寒暑濕燥火以之化之變也風寒暑濕燥火天之六氣也靜而順者為化動而變者為變故曰之化之變也經言盛者寫之虛者補之余錫以方士而方士用之尚未能十全余欲令要道必行桴鼓相應猶拔刺雪汙工巧神聖可得

聞乎鍼曰工巧藥曰神聖新校正云按難經云望而知之謂之神聞而知之謂之聖問而知之謂之工切脉而知之謂之巧以外知之曰聖以內知之曰神岐伯曰審察病機無失氣宜此之謂也得其機要則動小而功大用淺而功深也帝曰願聞病機何如岐伯曰諸風掉眩皆屬於肝風性動木氣同之諸寒收引皆屬於腎收謂斂也引謂急也寒物收縮水氣同也諸氣膹鬱皆屬於肺高秋氣凉霧氣煙集凉至則氣熱復甚則氣殫徵其物象屬可知也膹謂膹滿鬱謂奔迫也氣之爲用金氣同之諸濕腫滿皆屬於脾土薄則水淺土厚則水深上平則乾上高則濕濕氣之布上氣同之諸熱瞀瘛皆屬於火火象徵諸痛痒瘡皆屬於心心寂則痛微心躁則痛甚百端之起皆自心生痛痒瘡瘍生于心也諸厥固泄皆屬於下下謂下焦肝腎氣也夫守司於下腎之氣也門戶束要肝之氣也故厥固泄皆屬下也厥

三十二

謂氣逆也固謂禁固也諸有氣逆上行及固不禁出入無度燥濕不恒皆由下焦之主守也諸痿
喘嘔皆屬於上上謂上焦心肺氣也炎熱薄爍心之氣也承熱分化肺之氣也熱鬱化上故病屬上焦新校正云詳痿之爲病似非上病王注不解所以屬上之由使後人疑議今按痿論云五藏使人痿者因肺熱葉焦發爲痿躄故云屬於上也痿又謂肺痿也諸禁鼓慄如喪神
守皆屬於火熱之內作諸痓項强皆屬於濕太陽傷濕諸逆衝
上皆屬於火炎上之性用也諸脹腹大皆屬於熱熱鬱於內肺脹所生
諸躁狂越皆屬於火熱盛於胃及四末也諸暴强直皆屬於風
陽內鬱而陰行於外諸病有聲鼓之如鼓皆屬於熱謂有聲也諸病
胕腫疼酸驚駭皆屬於火熱氣多也諸轉反戾水液渾濁
皆屬於熱反戾筋轉也水液小便也諸病水液澄澈清冷皆屬於

寒上下所出及吐出溺出也諸嘔吐酸暴注下迫皆屬於熱酸酸水及味也故大要曰謹守病機各司其屬有者求之無者求之盛者責之虛者責之必先五勝踈其血氣令其調達而致和平此之謂也深乎聖人之言理宜然也有無求之虛盛責之言悉由也夫如大寒而甚熱之不熱是無火也熱來復去晝見夜伏夜發晝止時節而動是無火也當助其心又如大熱而甚寒之不寒是無水也熱動復止倏忽往來時動時止是無水也當助其腎內格嘔逆食不得入是有火也病嘔而吐食久反出是無火也暴速注下食不及化是無水也溏泄而久止發無恒是無水也故心盛則生熱腎盛則生寒腎虛則寒動於中心虛則熱收於內又熱不得寒是無火也寒不得熱是無水也夫寒之不寒責其無水熱之不熱責其無火熱之不久責心之虛寒之不久責腎之少有者寫之無者補之虛者補之盛者寫之居其中間踈者壅塞令上下無礙氣血通調則寒熱自和陰陽調達矣是以

方有治熱以寒寒之而水食不入攻寒以熱熱之而
昏躁以生此則氣不疏通壅而為是也紀於水火餘
氣可知故曰有者求之無者求之盛者責之虛者責
之令氣通調妙之道也五勝謂五行更勝也先以五
行寒暑溫涼濕酸鹹
甘辛苦相勝為法也帝曰善五味陰陽之用何如岐
伯曰辛甘發散為陽酸苦涌泄為陰鹹味涌泄為陰
淡味滲泄為陽六者或收或散或緩或急或燥或潤
或耎或堅以所利而行之調其氣使其平也涌吐也
泄利也
滲泄小便也言水液自迴腸泌別汁滲入膀胱之中
自胞氣化之而為溺以泄出也新校正云按藏氣
法時論云辛散酸收甘緩苦堅鹹耎又云辛酸甘苦
鹹各有所利或散或收或緩或急或堅或耎四時五
藏病隨五
味所宜也帝曰非調氣而得者治之柰何有毒無毒
何先何後願聞其道夫病生之類其有四焉一者始
因氣動而內有所成二者不因

氣動而外有所成三者始因氣動而病生於內四者不因氣動而病生于外夫因氣動而內成者謂積聚癥瘕瘤氣癭起結核癲癇之類也外成者謂癰腫瘡瘍痂疥疽痔掉瘛浮腫目赤瘭胗胕腫痛癢之類也不因氣動而病生於內者謂留飲澼食饑飽勞損宿食霍亂悲恐喜怒想慕憂結之類也生於外者謂瘴氣賊魅蟲蛇蠱毒蜚尸鬼擊衝薄墜墮風寒暑濕斫射刺割棰朴之類也如是四類有獨治內而愈者有兼治內而愈者有獨治外而愈者有兼治外而愈者有先治內後治外而愈者有先治外後治內而愈者有須齊毒而攻擊者有須無毒而調引者凡此之類方法所施或重或輕或緩或急或收或散或潤或燥或耎或堅方士之用見解不同各擅己心好丹非素故復問之者也 **岐伯曰有毒無毒所治為主適大小為制也** 言但能破積愈疾解急脫死則為良方非必要言以先毒為是後毒為非無毒為非有毒為是必量病輕重大小制之者也 **帝曰請言其制** **岐伯曰君一臣二制之小也君一臣三佐五制之中**

也君一臣三佐九制之大也寒者熱之熱者寒之微者逆之甚者從之夫病之微小者猶水火也遇草而焫焫得水而燔可以濕伏可以水滅故逆其性氣以折之攻之病之大甚者猶龍火也得濕而焰遇水而燔不知其性以水濕折之適足以光焰詣天物窮方止矣識其性者反常之理以火逐之則燔灼自消焰光撲滅然逆之謂以寒攻熱以熱攻寒從之謂攻以寒熱雖從其性用不必皆同是以下文曰逆者正治從者反治從少從多觀其事也此之謂乎　新校正云按神農云藥有君臣佐使以相宣攝合和宜用一君一臣三佐五使又可一君二臣九佐使也堅者削之客者除之勞者溫之結者散之留者攻之燥者濡之急者緩之散者收之損者溫之逸者行之驚者平之上之下之摩之浴之薄之劫之開之發之適事爲故量病證候適事用之帝曰何謂逆從岐伯曰逆

者正治從者反治從少從多觀其事也言逆者正治也從者反治也逆病氣而正治則以寒攻熱以熱攻寒雖從順病氣乃反治法也從少謂一同而二異從多謂二同而三異也言盡同者是奇制也

帝曰反治何謂岐伯曰熱因寒用寒因熱用塞因塞用通因通用必伏其所主而先其所因其始則同其終則異可使破積可使潰堅可使氣和可使必已夫大寒內結稸聚疝瘕以熱攻除除寒格熱反縱反縱之則痛發尤甚攻之則熱不得前方以蜜煎烏頭佐之以熱蜜多其藥服已便消是則張公從此而以熱因寒用也有火氣動服冷已過熱為寒格而身冷嘔噦嗌乾口苦惡熱好寒衆議彼同咸呼為熱冷治則甚其如之何逆其好則拒治順其心則加病若調寒熱逆冷熱必行則熱物冷服下嗌之後冷體既消熱性便發由是病氣隨愈嘔噦皆除情且不違而致大益醇酒冷飲則其類矣是則以熱因寒用也所謂惡熱者凡諸食餘

三十五

氣主於生者　新校正云詳王字疑誤上見之已悟也又病熱者寒攻不入惡其寒勝熱乃消除從其氣則熱增寒攻之則不入以豉豆諸冷藥酒漬或溫而服之酒熱氣同固無違忤溫熱既盡寒藥已行從其服食熱便隨散此則寒因熱用也或以諸冷物熱齊和之服之食之熱復圍解是亦寒因熱用也又熱食猪肉及粉葵乳以椒薑橘熱齊和之亦其類也又熱在下焦治亦然假如下氣虛乏中焦氣擁胠脇滿甚食已轉增粗工之見無能斷也欲散滿則恐虛其下補下則滿甚於中散氣則下焦轉虛補虛則中滿滋甚醫病參議言意皆同不救其虛且攻其滿藥入則減藥過依然故中滿下虛其病常在乃不知疏啓其中峻補於下少服則資壅多服則宣通由是而療中滿自除下虛斯實此則塞因塞用也又大熱內結注泄不止熱宜寒療結復須除以寒下之結散利止此則通因通用也又大熱凝內久利溏泄愈而復發綿歷歲年以熱下之寒去利止亦其類也投寒以熱涼而行之投熱以寒溫而行之始同終異斯之謂也諸如此等其徒實繁略舉宗兆猶是反治之道斯其類也　新校正云按五常政大論云治熱以寒溫而行

之治寒以熱涼而行之亦熱因寒用寒因熱用之義也帝曰善氣調而得者何如岐伯曰逆之從之逆而從之從而逆之疎氣令調則其道也逆謂逆病氣以正治從謂從病氣而反療逆其氣以正治使其從順從其病以反取令彼和調故曰逆從也不疎其氣令道路開通則氣感寒熱而爲變始生化多端也帝曰善病之中外何如岐伯曰從內之外者調其內從外之內者治其外各絶其源從內之外而盛於外者先調其內而後治其外從外之內而盛於內者先治其外而後調其內皆謂先除其根屬後削其枝條也中外不相及則治主病中外不相及自各一病也帝曰善火熱復惡寒發熱有如瘧狀或一日發或間數日發其故何也岐伯曰勝復之氣會遇之

時有多少也陰氣多而陽氣少則其發日遠陽氣多而陰氣少則其發日近此勝復相薄盛衰之節瘧亦同法陰陽齊等則一日之中寒熱相半陽多陰少則一日一發而但熱不寒陽少陰多則隔日發而先寒後熱雖勝復之氣若氣微則一發後六七日乃發瘧謂之愈而復發或頻三日發而六七日止或隔十日發而四五日止者皆由氣之多少會遇與不會遇也俗見不遠乃謂鬼神祟疾而又祈禱避匿病勢已過旋至其變病者頻發自謂其分至令寃魂寨於冥路夭死盈於曠野仁愛鑒茲能不傷楚習俗既久難卒釐革非復可改未加之何悲哉悲哉帝曰論言治寒以熱治熱以寒而方士不能廢繩墨而更其道也有病熱者寒之而熱有病寒者熱之而寒二者皆在新病復起奈何治謂治之而病不衰退反因藥寒熱而隨生寒熱病之新者也亦有止而復發者亦有藥在而除藥去而發

者亦有全不息者者方士若廢此繩墨則無更新之法欲依標格治則病勢不除捨之則阻彼凡情治之則藥無能驗心迷意惑無由通悟不知其道何恃而爲因藥病生新舊相對欲求其愈安可奈何

岐伯曰諸寒之而熱者取之陰熱之而寒者取之陽所謂求其屬也言益火之源以消陰翳壯水之主以制陽光故曰求其屬也夫粗工褊淺學未精深以熱攻寒以寒療熱治熱未已而冷疾已生攻寒日深而熱病更起熱起而中寒尚在寒生而外熱不除欲攻寒則懼熱不前欲療熱則思寒又止進退交戰危亟已臻豈知藏府之源有寒熱溫涼之主哉取心者不必齊以熱取腎者不必齊以寒但益心之陽寒亦通行強腎之陰熱之猶可觀斯之故或治熱以熱治寒以寒萬舉萬全孰知其意思方智極理盡辭窮嗚呼人之死者豈謂命不謂方士愚昧而殺之耶

帝曰善服寒而反熱服熱而反寒其故何也岐伯曰治其王氣是以反也物體有寒熱氣性有陰陽觸王之氣則強其用也夫肝氣溫和

三十七

心氣暑熱肺氣清凉腎氣寒冽脾氣兼并之故也春以清治肝而反温夏以冷治心而反熱秋以温治肺而反清冬以熱治腎而反寒蓋由補益王氣太甚也補王太甚則藏之寒熱氣自多矣

帝曰不治王而然者何也岐伯曰悉乎哉問也不治五味屬也夫五味入胃各歸所喜攻酸先入肝苦先入心甘先入脾辛先入肺鹹先入腎新校正云按宣明五氣篇云五味所入酸入肝辛入肺苦入心鹹入腎甘入脾是謂五入也久而增氣物化之常也氣增而久夭之由也天入脾爲温入心爲熱入肺爲清入腎爲寒入脾爲至陰而四氣兼之皆爲增其味而益其氣故各從本藏之氣用爾故久服黃連苦參而反熱者此其類也餘味皆然但人疎忽不能精候矣故曰久而增氣物化之常也氣增不已益歲年則藏氣偏勝氣有偏勝則有偏絶藏有偏絶則有暴夭者故曰氣增而久夭之由也是以正理觀化藥集商較服餌曰藥不具五味不備四氣而久服

之眠且獲勝益久必致暴夭此之謂也絕粒服餌則不暴亡斯何由哉無五穀味資助故也復令食穀其亦夭焉帝曰善方制君臣何謂也岐伯曰主病之謂君佐君之謂臣應臣之謂使非上下三品之謂也上藥為君中藥為臣下藥為佐使所以異善惡之名位服餌之道當從此為法治病之道不必皆然以主病者為君佐君者為臣應臣之用者為使皆所以贊成方用也帝曰三品何謂岐伯曰所以明善惡之殊貫也三品上中下品此明藥善惡不同性用也新校正云按神農云上藥為君主養命以應天中藥為臣養性以應人下藥為佐使主治病以應地也帝曰善病之中外何如前問病之中外謂調氣之法今此未盡故復問之此下對當次前求其闕也之下應古之錯簡也岐伯曰調氣之方必別陰陽定其中外各守其鄉內者內治外者外治微者調之其次平之盛

者奪之汗者下之寒熱溫涼衰之以屬隨其攸利病有中外治治有表裏在內者以內治法和之在外者以外治法和之氣微不和以調氣法調之其次大者以平氣法平之盛甚不已則奪其氣令甚衰也假如小寒之氣溫以和之大寒之氣熱以取之甚寒之氣則下奪之奪之不已則逆折之折之不盡則求其屬以衰之小熱之氣涼以和之大熱之氣寒以取之甚熱之氣則汗發之發之不盡則逆制之制之不盡則求其屬以衰之故曰汗之下之寒熱溫涼衰之以屬隨其攸利悠所也謹道如法萬舉萬全氣血正平長有天命守道以行衆無不中故能驅役草石召遣神靈調御陰陽蠲除衆疾血氣保平和之候天真無耗竭之由夫如是者蓋以舒卷在心去從意故精神內守壽命靈長帝曰善

黃帝內經素問卷二十二

熠羊入切 焞七渾切 膨普盲切 痤泚末切 爇如悅切 熛四搖切

黄海商部之二函

天都外史潘之恒景升定

古鄣山人謝承文從甫閱

紀藏二之六十三

黄帝内經素問卷第二十三 啓玄子次註

著至教論　示從容論

疏五過論　徵四失論

著至教論篇第七十五 新校正云按全元起本在四時病類論篇末

黄帝坐明堂召雷公而問之曰子知醫之道乎 明堂布政之宫也八窗四闥上圓下方在國之南故稱明堂夫求民之瘼恤民之隱大聖之用心故召引雷公問極

濟生靈之道也雷公對曰誦而頗能解解而未能別別而未能明明而未能彰言所知解但得法守數而已猶未能深盡精微之妙用也　新校正云按楊上善云習道有五一誦二解三別四明五彰足以治羣僚不足至侯王公不敢自高其道然則布衣與血食士主療亦殊矣願得受樹天之度四時陰陽合之別星辰與日月光以彰經術後世益明樹天之度言高遠不極四時陰陽合之言順氣序也別星辰與日月光言別學者二明大小異也　新校正云按太素別作列字上通神農著至教疑於二皇公欲其經法明著通於神農使後世見之疑是二皇並行之教　新校正云按全元起本及太素疑作擬帝曰善無失之此皆陰陽表裏上下雌雄相輸應也而道上知天文下知地理中知人事可以長久以教衆庶亦不疑殆

醫道論篇可傳後世可以爲寶以明著故雷公曰請受道諷誦用解誦亦諭也諷諭者所以比切近而令解也帝曰子不聞陰陽傳乎曰不知夫三陽天爲業天爲業言三陽之氣在人身形所行居上也陰陽傳上古書名也　新校正云按太素天作太上下無常合而病至偏害陰陽上下無常言氣乖通不定在上下也合而病至謂手足三陽氣相合而爲病至也陽并至則精氣微故偏損害陰陽之用也雷公曰三陽莫當請聞其解莫當言氣并至而不可當帝曰三陽獨至者是三陽并至并至如風雨上爲巔疾下爲漏病并至謂手三陽足三陽氣并合而至也足太陽脉起於目內眥上額交巔上其支別者從巔至耳上角其直行者從巔入絡腦還出別下項從肩髆內夾脊抵腰中入循膂絡腎屬膀胱手太陽脉起於手循臂上行交肩上入缺盆絡心循咽下鬲抵胃屬小腸故上爲巔疾下爲漏病也漏血

膿出所謂并至如風雨者言無常準也故下文曰新校正云按楊上善云漏病謂膀胱漏洩大小便數不禁守也外無期內無正不中經紀診無上下以書別言三陽并至上下無常外無色氣可觀內無正經常所至之時皆不中經脈綱紀所證之病又復上下無常以書記銓量乃應分別爾雷公曰臣治疎愈說意而已雷公言臣之所治稀得痊愈請言深意而已疑心已止也謂得說則疑心乃止帝曰三陽者至陽也六陽并合故曰至盛之陽也積并則爲驚病起疾風至如礔礰九竅皆塞陽氣滂溢乾嗌喉塞積謂重也言六陽重并洪盛莫當陽憤鬱惟盛是爲滂溢無涯故乾嗌塞也并於陰則上下無常薄爲腸澼陰謂藏也然陽薄於藏爲病亦上下無常定之診若在下爲病便數赤白此謂三陽直心坐不得起臥者便身全三陽之病足太陽脈循肩下至腰故坐不得起臥便身全也所

以然者起則陽盛鼓故常欲得臥臥則經氣均故且身安全新校正云按甲乙經便身全作身重也以知天下何以別陰陽應四時合之五行言知未備也雷公曰新校正云按自此至篇末全元起本別為一篇名方盛衰也陽言不別陰言不理請起受解以為至道帝未許為深知故重請也帝曰子若受傳不知合至道以惑師教語于至道之要不知其要流散無窮後世相習去聖久遠而學者各自是其法則惑亂於師氏之教旨矣病傷五藏筋骨以消子言不明不別是世主學盡矣言病之深重尚不明別然輕微者亦何開愈今得偏知耶然由是不知明世主學教之道從斯盡矣腎且絕惋惋日暮從容不出人事不殷舉藏之易知者也然腎脉且絕則神內爍筋骨脉肉日晚酸空也若以北之類諸藏氣俱少不出者當人事萎弱不復殷多所以爾者是則腎不足非傷損故也新校正云

按太素作腎且絕死死日暮也

示從容論篇第七十六新校正云按全元起本在第八卷名從容別白黑

黃帝燕坐召雷公而問之曰汝受術誦書者若能覽觀雜學及於比類通合道理爲余言子所長五藏六府膽胃大小腸脾胞膀胱腦髓涕唾哭泣悲哀水所從行此皆人之所生治之過失五藏別論黃帝問曰余聞方士或以髓腦爲藏或以腸胃爲藏或以爲府敢問更相反皆自謂是不知其道願聞其說岐伯曰髓腦骨脉膽女子胞此六者地氣所生也皆藏於陰而象於地故藏而不寫名曰奇恒之府夫胃大腸小腸三焦膀胱此五者天氣之所生也其氣象天故寫而不藏此受五藏濁氣故名曰傳化之府是以古之治病多以爲過失也子務明之可以十全即不能知爲世所怨不能知之動傷生者

故人聞議論多有怨咎之心焉雷公曰臣請誦脉經上下篇甚衆多矣別異比類猶未能以十全又安足以明之言臣所請誦脉經兩篇衆多別異比類例猶未能以義而會見十全又何足以心明至理乎安猶何也帝曰子別試通五藏之過六府之所不和鍼石之敗毒藥所宜湯液滋味具言其狀悉言以對請問不知過謂過失所謂不率常候而生病者也毒藥攻邪滋味充養試公之問知與不知爾　新校正云按太素別試作誠別而已雷公曰肝虛腎虛脾虛皆令人體重煩寃當投毒藥刺灸砭石湯液或已或不已願聞其解公以帝問使言五藏之過毒藥湯液滋味故問此病也帝曰公何年之長而問之少余真問以自謬也言問之不相應也以問不相應故言余真發問以自招謬誤之對也吾問

子窈冥子言上下篇以對何也窈冥謂不可見者則形氣榮衛也八正神明論岐伯對黃帝曰觀其冥冥者言形氣榮衛之不形於外而工獨知之以日之寒溫月之虛盛四時氣之浮沈參伍相合而調之工常先見之然而不形於外故曰觀於冥冥焉由此帝故曰吾問子窈冥也然肝虛腎虛脾虛則上下篇之旨帝故曰子言上下篇以對何也耳夫脾虛浮似肺腎小浮似脾肝急沈散似腎此皆工之所時亂也然從容得之脾虛脈浮候則似肺腎小浮上候則似脾肝急沈散候則似腎者何以然以三藏相近故脈象參差而相類也是以工惑之亂爲治之過失矣雖爾乎猶宜從容安緩審比類之而得三藏之形候矣何以形之然浮而緩曰脾浮而短曰肺小浮而滑曰心急緊而散曰肝搏沈而滑曰腎不能比類則疑亂彌甚若夫三藏土木水參居此童子之所知問之何也脾合土肝合木腎合水三藏皆在鬲下居止相近也雷公曰於此有人頭痛

筋攣骨重怯然少氣噦噫腹滿時驚不嗜臥此何藏之發也脉浮而絃切之石堅不知其解復問所以三藏者以知其比類也脉有浮弦石堅故問云所以三藏者以知其比類也帝曰夫從容之謂也言比類也夫年長則求之於府年少則求之於經年壯則求之於藏年之長者甚於味年之少者勞於使年之壯者過於內過於內則耗傷精氣勞於使則經中風邪恣於求則傷於府故求之異也今子所言皆失八面菀熟五藏消爍傳邪相受夫浮而弦者是腎不足也脉浮爲虛弦爲肝氣以腎氣不足故脉浮弦也沈而石者是腎氣內著也石之言堅也著謂腎氣內薄著而不行也怯然少氣者是水道不行形氣消索也腎氣不足故水道不行肺藏被衝故形氣消散索盡也欬嗽煩寃

者是腎氣之逆也（腎氣內著上歸於毋也）一人之氣病在一藏也若言三藏俱行不在法也（經不然也）雷公曰於此有人四支解墮喘欬血泄而愚診之以爲傷肺切浮脉大而緊愚不敢治粗工下砭石病愈多出血血止身輕此何物也帝曰子所能治知亦衆多與此病失矣（以爲傷肺而不敢治是乃狂見法所失也）譬以鴻飛亦沖於天（鴻飛沖天偶然而得豈其羽翮之所能哉粗工下砭石亦猶是矣）夫聖人之治病循法守度援物比類化之冥冥循上及下何必守經（經謂經脉非經法也）今夫脉浮大虛者是脾氣之外絶去胃外歸陽明也（足太陰絡支別者入絡陽胃是以脾氣外絶不至胃外歸陽明也）夫二火不勝三水是以

脉亂而無常也二火謂二陽藏三水謂三陰藏二陽藏者心肺也以在鬲上故三陰藏者肝脾腎也以在鬲下故然三陰之氣上勝二陽陽不勝陰故脉亂而無常也四支解墮此脾精之不行也土主四支故四支解墮脾精不化故使之然喘欬者是水氣并陽明也腎氣逆入於胃故水氣并於陽明血泄者脉急血無所行也泄謂泄出也然脉氣數急血溢於中血不入經故爲血泄以脉奔急而血溢故曰血無所行也若夫以爲傷肺者由失以狂也不引比類是知不明也言所識不明不能比類以爲傷肺猶失狂言耳夫傷氣者脾氣不守胃氣不清經氣不爲使眞藏壞決經脉傍絶五藏漏泄不衄則嘔此二者不相類也肺氣傷則脾外救故云脾氣不守肺藏損則氣不行不行則胃滿故云胃氣不清肺者主行榮衛陰陽故肺傷則經脉不能爲之行使也眞藏謂肺藏也若肺

藏損壞皮膜決破經脉傷絶而不流行五藏之氣上溢而漏泄者不衂血則嘔血也何者肺主鼻胃應口也然口鼻者氣之門戶也今肺藏已損胃氣不清不上衂則血下流於胃中故不衂出則嘔出也然傷肺傷脾衂血泄血標出且異本歸亦殊故此二者不相類也譬如天之無形地之無理白與黑相去遠矣言傷肺傷脾形證懸別譬天地之相遠如黑白之異象也是失吾過矣以子知之故不告子是猶此也言雷公子之比見病疏者是吾不告子比類之道故自謂過也明引比類從容是以名曰診輕新校正云按太素輕作經是謂至道也明引形證比量類例今從容之旨則輕微之者亦不失矣所以然者何哉以道之至妙而能窮也從容上古經篇名也何以明之陰陽類論雷公曰臣悉盡意受傳經脉頌得從容之道以合從容明古文有從容矣

# 疏五過論篇第七十七

新校正云按全元起本在第八卷名論過失

黃帝曰嗚呼遠哉閔閔乎若視深淵若迎浮雲視深淵尚可測迎浮雲莫知其際嗚呼遠哉歎至道之不極也閔閔乎言妙用之不窮也深淵淸澄見之必定故可測浮雲漂寓際不守常故莫知　新校正云詳此文與六微旨論文重聖人之術爲萬民式論裁志意必有法則循經守數按循醫事爲萬民副故事有五過四德汝知之乎愼五過則敬愼四時之德氣矣然德者道之用生之主故不可不敬愼之也上古天眞論曰所以能年皆度百歲而動作不衰者以其德全不危故人賴樞經曰天之在我者德也由此則天降德氣賴人而生生氣抱人上通於天生氣通天論曰夫自古通天者生之本此之謂也　新校正云按爲萬民副楊上善云副助也

雷公避席再拜曰臣年幼小蒙愚以惑不聞五過與四德比類形名虛引其經心無所對經未師受心匪生知功業微薄

故甲辭也帝曰凡未診病者必問嘗貴後賤雖不中邪病從內生名曰脫營神屈故也貴之尊榮賤之屈辱心懷眷慕志結憂惶故雖不中邪而病從內生血脈虛減故曰脫營嘗富後貧名曰失精五氣留連病有所并富而從欲貧奪豐財內結憂煎外悲過物然則心從想慕神隨往計榮衛之道閉以遲留氣血不行積并為病醫工診之不在藏府不變軀形診之而疑不知病名言病之初也病由相戀所為故未居藏府事因情念所起故不戀軀形醫不悉之故診而疑也身體日減氣虛無精言病之次也氣血相逼形肉消爍故身體日減陰陽應象大論曰氣歸精精食氣今氣虛不化精無所滋故也病深無氣洒洒然時驚言病之深也病氣深穀氣盡陽氣內薄故惡寒而驚洒洒寒貌病深者以其外耗於衛內奪於榮血為憂煎氣隨悲減故外耗於衛內奪於榮病深者何以耗奪故爾也舒校正云

按太素病深者以其作病深以甚也良工所失不知病情此亦治之一過也失謂失問其所始也凡欲診病者必問飲食居處飲食居處其有不同故問之也異法方宜論曰東方之域天地之所先生魚鹽之地海濱傍水其民食魚而嗜鹹皆安其處美其食西方者金玉之域沙石之處天地之所收引其民陵居而多風水土剛強其民不衣而褐薦其民華食而脂肥北方者天地所閉藏之域其地高陵居風寒冰冽其民樂野處而乳食南方者天地所長養陽之所盛處其地下水土弱霧露之所聚其民嗜酸而食胕中央者其地平以濕天地所以生萬物也衆其民食雜而不勞由此則診病之道當先問焉故聖人雜合以法各得其所宜此之謂矣暴樂暴苦始樂後苦新校正云按太素作始苦皆傷精氣精氣竭絕形體毀沮喜則氣緩悲則氣消然悲哀動中者竭絕而失生故精氣竭絕形體殘毀心神沮喪矣暴怒傷陰暴喜傷陽怒則氣逆故傷陰喜則氣緩故傷陽厥氣上行滿

脉去形厥氣逆也逆氣上行滿於經絡則神氣憚散去離形骸矣愚醫治之不知補寫不知病情精華日脫邪氣乃并此治之二過也不知喜怒哀樂之殊情縱爲補寫而同貫則五藏精華之氣日脫邪薄蝕而乃并於正眞之氣矣善爲脉者必以比類奇恒從容知之爲工而不知道此診之不足貴此治之三過也奇恒謂氣候奇異於恒常之候也從容謂分別藏氣虛實脉見高下幾相似也示從容論曰脾虛浮似肺腎小浮似脾肝急沈散似腎此皆工之所時亂然從容別而得之矣診有三常必問貴賤封君敗傷及欲侯王貴則形樂志樂賤則形苦志苦樂殊貫故先問也封君敗傷降君之位封公卿也及欲侯王謂情慕尊貴而妄爲不已也新校正云按太素欲作公故貴脫勢雖不中邪精神內傷身必敗亡憂惶煎迫怫結所爲始富後貧雖不傷邪皮焦

筋屈痿躄爲攣以五藏氣留連病有所并而爲是也醫不能嚴不能動神外爲柔弱亂至失常病不能移則醫事不行此治之四過也嚴謂戒所以禁非也所以從命也外爲柔弱言委隨而順從也然戒不足以禁非動不足以從令委隨任物亂失天常病且不移何醫之有凡診者必知終始有知餘緒切脉問名當合男女終始謂氣色也脉要精微論曰知外者終而始之明知五氣色象終而復始也餘緒謂病發端之餘緒也切謂以指脉也問名謂問病證之名也男子陽氣多而左脉大爲順女子陰氣多而右脉大爲順故宜以候常先合之也離絕菀結憂恐喜怒五藏空虛血氣離守工不能知何術之語離謂離間親愛絕謂絕念所懷菀謂菀積思慮結謂結固餘怨夫間親愛者魂遊絕所懷者意喪積所慮者神勞結餘怨者志苦憂愁者閉塞而不行恐懼者蕩憚而失守盛怒者迷惑而不治喜樂者憚散而不藏由是八者故

五藏空虛血氣離守工不思曉又何言哉**嘗富大傷**新校正云按蕩憚而失守甲乙經作不收斬筋絶脉言非分之**斬筋絶脉身體復行令澤不息**過損也身體雖以復舊而行且令津液不爲滋息也何者精氣耗減也澤者液也**故傷敗結留薄歸陽膿積寒炅**陽謂諸陽脉及六府也炅謂熱也言非分傷敗筋脉之氣血氣內結留而不去薄於陽脉則化爲膿久積腹中則外爲寒熱也**粗工治之亟刺陰陽身體解散四支轉筋死日有期**不知寒熱爲膿積所生以爲常熱之疾槩施其法數刺陰陽經脉氣奪病甚故身體解散而不用四支發運而轉筋如是故知死日有期豈謂命不謂醫邪**醫不能明不問所發唯言死日亦爲粗工此治之五過也**言粗工不必謂解不備學者縱備盡三世經法診不備三常療不慎五過不求餘緒不問特身亦足爲粗略之醫爾**凡此五者皆受術不通人事不明也**言是五者但名受術

之徒未足以通悟情微之理人間之事尚猶憒然故曰聖人之治病也必知天地陰陽四時經紀五藏六府雌雄表裏刺灸砭石毒藥所主從容人事以明經道貴賤貧富各異品理問年少長勇怯之理審於分部知病本始八正九候診必副矣聖人之備識也如此工宜勉之治病之道氣內爲寶循求其理求之不得過在表裏工之治病必在於形氣之內求有過者是爲聖人之寶也求之不得則以藏府之氣陰陽表裏而察之新校正云按全元起本及太素作氣內爲寶揚上善云天地間氣爲外氣人身中氣爲內氣外氣裁成萬物是爲外實內氣榮衞裁生故爲內實治病能求內氣之理是治病之要也守數據治無失俞理能行此術終身不殆守數謂血氣多少及刺深淺之數也據治謂據穴俞所治之旨而用之也但守數據治而用之則不

十一

失俞穴之理矣弟者危也不知俞理五藏菀熟癰發六府菀積也熟熱也

五藏積熱六府受之陽熱相薄熱之所過則爲癰矣診病不審是謂失常謂失常經

術正用之道也謹守此治與經相明謂前氣內循求俞會之理也上經下經揆度陰陽奇恒五中決以明堂審於終始可以橫行所謂上經者言氣之通天也下經者言病之變化也言此二經揆度陰陽之氣奇恒五中皆決於明堂之部分也揆度者度揆之深淺也奇恒者言奇病也五中者謂五藏之氣色也夫明堂者所以視萬物別黑白審長短故曰決以明堂也審於終始者謂審察五色四王終而復始也夫道循如是應用不窮目牛無全萬舉萬當由斯高遠故可以橫行於世間矣

## 徵四失論篇第七十八

新校正云按全元起本在第八卷名方論得失明著

黃帝在明堂雷公侍坐黃帝曰夫子所通書受事衆

多矣試言得失之意所以得之所以失之雷公對曰循經受業皆言十全其時有過失者請聞其事解也言循學經師受傳事業皆謂十全於人庶及乎施用正術宣行至道或得失之於世中故請聞其解說也

帝曰子年少智未及邪將言以雜合邪言謂年少智未及而不得十全邪為復且以言而雜合衆人之用邪帝疑先知而反問也夫經脉十二絡脉三百六十五此皆人之所明知工之所循用也謂循學而用也所以不十全者精神不專志意不理外內相失故時疑殆外謂色內謂脉也然精神不專於循用志意不從於條理所謂粗略揆度失常故色脉相失而時自疑殆也

診不知陰陽逆從之理此治之一失矣脉要精微論曰冬至四十五日陽氣微上陰氣微下夏至四十五日陰陽有時與脉為期又曰微妙在脉不可不察

察之有紀從陰陽始由此故診不知陰陽逆從之理爲一失矣受師不卒妄作雜術謬言爲道更名自功新校正云按太素功作巧妄用砭石後遺身咎此治之二失也不終師術惟妄是爲易古變常自功術已遺身之咎不亦宜乎故爲失二也老子曰无遺身殃是爲襲常蓋嫌其妄也不適貧富貴賤之居坐之薄厚形之寒温不適飲食之宜不别人之勇怯不知比類足以自亂不足以自明此治之三失也貧賤者勞富貴者佚佚則邪不能傷易傷以勞勞則易傷以邪其於勞也則富者處貴者之半其於邪也則貧者居賤者之半例率如此然世禄之家或此殊矣夫勇者難感怯者易傷二者不同蓋以其神氣有壯弱也觀其貧賤富貴之義則坐之厚薄形之寒温飲食之宜理可知矣不知比類用必乖衰則適足以汩亂心緒豈通明之可妄乎故爲三失也診病不問其始憂患飲食之失節起居

之過度或傷於毒不失言此卒持寸口何病能中妄言作名爲粗所窮此治之四失也憂謂憂懼也患謂患難也飲食失節言甚飽也起居過度言潰耗也或傷於毒謂病不可拘於藏府相乘之法而爲療也卒持寸口謂不先持寸口之脉和平與不和平也然工巧備識四術循疑故診不能中病之形名言不能合經而妄作粗畧醫者尚能窮妄謬之違背況深明者見而不謂非乎故爲失四也是以世人之語者馳千里之外不明尺寸之論診無人事言工之得失毀譽在世人之言語皆可至千里之外然其不明尺寸之診論當以何事知見於人耶治數之道從容之葆治王也葆平也言診數當王之氣皆以氣高下而爲比類之原本也故下文曰坐持寸口診不中五脉百病所起始以自怨遺師其咎自不能深學道術而致診差違如上申怨謗之詞遺過咎於師氏者未之有也是故治不能循理棄

十二

術於市妄治時愈愚心自得不能修學至理乃衒賣於市屢人不信之謂乎虛誇故云棄術於市也然愚者百慮而一得何自功之有耶　新校正云按全元起本自作巧太素作自功嗚呼窈窈冥冥孰知其道今詳熟當作孰道之大者擬於天地配於四海汝不知道之諭受以明為晦嗚呼歎也窈窈冥冥言玄遠也至道玄遠誰得知之孰誰也擬於天地言高下之不可量也配於四海言深廣之不可測也然不能曉諭於道則授明道而成暗昧也晦暗也

音釋

著至教論　恤音戌

示從容論　砭方驗切

疏五過論　沮七余反　憚音但　佚音逸　葆音保

徵四失論　衘音信

黄海商部之二函

天都外史潘之恒景升定
繩谷山人唐協極惟和校

紀藏二之六十四

黄帝内經素問卷第二十四啓玄子次注

陰陽類論

方盛衰論

解精微論

陰陽類論篇第七十九新校正云按全元起本在第八卷

孟春始至黄帝燕坐臨觀八極正八風之氣而問雷公曰陰陽之類經脉之道五中所主何藏最貴孟春始至

謂立春之日也燕安也觀八極謂視八方遠際之色正八方謂候八方所至之風朝會於太一者也五中謂五藏 新校正云詳八風朝太一具天元玉冊中又按楊上善云夫天爲陽地爲陰人爲和陰無其陽衰殺無已陽無其陰生長不止生長不止則傷於陰陰傷則陰災起衰殺不已則傷於陽陽傷則陽禍生矣故須聖人在天地間和陰陽氣令萬物生也和氣之道謂先修身爲德則陰陽氣和陰陽氣和則八節風調八節風調則八虚風止於是疵癘不起嘉祥競集此亦不知所以然而然也故黄帝問身之經脉貴賤依之調攝修德於身以正八風之氣

雷公對曰春甲乙青中主肝治七十二日是脉之主時臣以其藏最貴東方甲乙春氣主之自然青色内通肝也金匱眞言論曰東方青色入通於肝故曰青中主肝也然五行之氣各王七十二日五積而乘之則終一歲之數三百六十日故云治七十二日也夫四時之氣以春爲始五藏之應肝藏合之故以其藏爲最貴藏或爲道非也

帝曰却念上下經陰陽從容子所言

貴最其下也 從容謂安緩比類也帝念脉經上下篇陰陽比類形氣不以所藏爲貴貴故謂公之所貴最其下也

雷公致齋七日旦復侍坐 悟非敢齋以洩心願益故坐而復請

帝曰三陽爲經二陽爲維一陽爲游部 經謂經綸所以濟成務維謂維持所以繫天眞游謂游行部謂身形其分也故主氣者濟成務化穀者繫天眞主色者散在精微游行諸部也 新校正云按楊上善云三陽足太陽脉也從目內眥上頭分爲四道下項并正別脉上下六道以行於背與身爲經二陽足陽明脉也從鼻而起下咽分爲四道并正別脉六道上下行腹綱維於身一陽足少陽脉也起目外眥絡頭分爲四道下缺盆并正別脉六道上下主經營百節流氣三部故曰游部

此知五藏終始 觀其經綸維繫游部之義則五藏之終始可謂知矣

三陽爲表二陰爲裏 三陽太陽二陰少陰也少陰與太陽爲表裏故曰三陽爲表二陰爲裏

一陰至絕作朔晦却具合以正其理 一陰厥陰也厥猶盡也靈樞經

曰亥爲左足之厥陰戌爲右足之厥陰兩陰俱盡故
曰厥陰夫陰盡爲晦陰生爲朔厥陰者以陰盡爲義
也徵其氣王則朔朔適言其氣盡則晦晦既見其朔又當
其晦故曰一陰至絶作朔晦也然徵彼既盡之陰合
此發生之木以正應五行之理而無替循環故云却
其合以正其理也　新校正云按注言陰盡爲晦陰
生爲朔疑是陰生爲朔　雷公曰受業未能明　言未明氣候之應見　帝曰所
謂三陽者太陽爲經　陽氣盛大故曰太陽　三陽脈至手太陰弦
浮而不沈決以度察以心合之陰陽之論　太陰爲寸口也寸口
者寸太陰也脈氣之所行故脈皆至於寸口也太陽
之脉洪大以長今弦浮不沈則當約以四時高下之
度而決斷之察以五智與同之候而參合之以應陰陽之論知其臧否耳　所謂二陽者陽
明也　靈樞經曰辰爲左足之陽明巳爲右足之陽明兩陽合明故曰二陽者陽明也　至手太
陰弦而沈急不鼓炅至以病皆死　鼓謂鼓動炅熱也陽明之脉浮大而

短今弦而沈急不鼓者是陰氣勝陽木來乘土也然陰氣勝陽木來乘土而反熱病至者是陽氣之衰敗也猶燈之焰欲滅反明故皆死也

**一陽者少陽也**陽氣未大故曰少陽**至手太陰上連人迎弦急懸不絕此少陽之病也**人迎謂結喉兩傍同身寸之一寸五分脈動應手者也弦爲少陽之脈今急懸不絕是經氣不足故曰少陽之病也懸者謂如懸物之動搖也

**專陰則死**專獨也言其獨有陰氣而無陽氣則死

**三陰者六經之所主也**三陰者太陰也言所以諸脈皆至手太陰者何耶以是六經之主故也六經謂三陰三陽之經脈也所以至手太陰者何以脈朝百脈之氣皆交會於氣口也故下文曰**交於太陰**此正發明肺朝百脈之義也經脈別論曰肺朝百脈

**伏鼓不浮上空志心**脈伏鼓擊而不上浮者是心氣不足故上控引於心而爲病也志心謂小心也刺禁論曰七節之傍中有小心此之謂也 新校正云按楊上善云肺脈浮濇此爲平也今見伏鼓是腎脈也足少陰脈貫脊屬腎上入肺中

從肺出絡心肺氣下入腎志上入心神也王氏謂志心爲小心義未通二陰至肺其氣歸膀胱外連脾胃二陰謂足少陰腎之脉少陰之脉別行者入跟中以上至股內後廉貫脊屬腎絡膀胱其直行者從腎上貫肝鬲入肺中故上至於肺其氣歸於膀胱外連於脾胃一陰獨至經絶氣浮不鼓鉤而滑若一陰獨至肺經氣內絶則氣浮不鼓於手若經不內絶則鉤而滑　新校正云按楊上善云一陰厥陰也此六脉者乍陰乍陽交屬相并繆通五藏合於陰陽或陰見陽脉陽見陰脉故云乍陰乍陽也所以然者以氣交會故爾當審比類以知陰陽也先至爲主後至爲客脉氣乍陰見陽乍陽見陰何以別之當以先至爲主後至爲客也至謂至寸口也雷公曰臣悉盡意受傳經脉頌得從容之道以合從容不知陰陽不知雌雄頌今爲誦也公言臣所頌誦今從容之妙道以合上古從容而比類形名猶不知陰陽尊

卑之次不知雌雄殊目之義請言其旨以明著至教陰陽雌雄相輸應也帝曰三陽爲父父所以督濟羣小言高尊也二陽爲衛衛所以却禦諸邪言扶主也一陽爲紀紀所以綱紀形氣言其平也三陰爲母母所以育養諸子言滋生也二陰爲雌雌者陰之目也一陰爲獨使一陰之藏外合三焦三焦主謁導諸氣名爲使者故云獨使也二陽一陰陽明主病不勝一陰耎而動九竅皆沈一陰厥陰肝木氣也二陽陽明胃土氣也木土相薄故陽明主病也木伐其土土不勝木故云不勝一陰脉耎而動者耎爲胃氣動謂木形土木相持則胃氣不轉故九竅沈滯而不通利也三陽一陰太陽脉勝一陰不能止內亂五藏外爲驚駭三陽足太陽之氣故曰太陽勝也木生火今盛陽燔木木復受之陽氣洪盛內爲狂熱故內亂五藏也肝主驚駭故外形驚駭之狀也二陰二陽病在肺少陰脉沈勝肺傷脾外傷四

支二陰謂手少陰心之脉也二陽亦胃脉也心胃合病邪土下并故內傷脾外勝肺也所以然者胃爲脾府心火勝金故爾脾主四支故脾傷則外傷於四支矣少陰脉謂手掌後同身寸之五分當小指神門之脉也新校正云詳此二陽乃手陽明大腸肺之府也少陰心火勝金之府故云病在肺王氏以二陽爲胃義未甚通況又以見胃病腎之說此乃是心病肺也又全元起本及甲乙經太素等並云二陰一陽

二陰二陽皆交至病在腎駡詈妄行巔疾爲狂二陰爲腎水之藏也二陽爲胃土之府也土氣刑水故交至所病在腎也以水腎不勝故胃盛而顛爲狂二陰一陽病出於腎陰氣客遊於心脘下空竅堤閉塞不通四支別離一陽謂手少陽三焦心主火之府也水上于火故火病出於腎陰氣客游於心也何者腎之脉從腎上貫肝鬲入肺中其支別者從肺中出絡心注胷中故如是也然空竅陰客上游胃不能制胃不能制是土氣衰故脘下空竅皆不通也言是者謂如是壞不容溲滿胃脉循足心脉絡手故

四支如別離而不用也新校正云按王氏云胃脉循足按此二陰一陽病出於腎胃當作腎一陰一陽代絕此陰氣至心上下無常出入不知喉咽乾燥病在土脾一陰厥陰脉一陽少陽脉並木之氣也代絕者動而中止也以其代絕故爲病也木氣生火故病生而陰氣至心也夫肝膽之氣上至頭首下至腰足中主腹脇故病發上下無常處也若受納不知其味竅寫不知其度而喉咽乾燥者喉嚨之後屬咽爲膽之使故病則咽喉乾燥雖病在脾土之中蓋由肝膽之所爲爾二陽三陰至陰皆在陰不過陽陽氣不能止陰陰陽並絕浮爲血瘕沉爲膿胕二陽陽明三陰手太陰至陰脾也故曰至陰皆在也然陰氣不能過越於陽陽氣不能制心今陰陽相薄故脉並絕斷而不相連續也脉浮爲陽氣薄陰故爲血瘕脉沉爲陰氣薄陽故爲膿聚而胕爛也陰陽皆壯下至陰陽若陰陽皆壯而相薄不已者漸下至於陰陽之內爲大病矣陰陽者男子爲陽道女子爲

陰器者以其能盛受故而也上合昭昭下合冥冥昭昭謂陽明之上冥冥謂至陰之內幽膽之所也診決死生之期遂合歲首謂下短期之旨雷公曰請問短期黃帝不應欲其復問而實之也雷公復問黃帝曰在經論中上古經之中也新校正云按全元起本自雷公已下別爲一篇名四時病類雷公曰請問短期黃帝曰冬三月之病病合於陽者至春正月脉有死徵皆歸出春病合於陽謂前陰合陽而爲病者也雖正月脉有死徵陽已發生至王不死故出春三月而至夏初也冬三月之病在理已盡草與柳葉皆殺裏謂二陰腎之氣也然腎病而正月脉有死徵者以枯草盡靑柳葉生出而皆死也理裏也已以也古用同春陰陽皆絕期在孟春立春之後而脉陰陽皆懸絕者期死不出正月新校正云太素無春字春三月之病曰陽殺陽病不謂

傷寒温熱之病謂非時病熱脉洪盛數也然春三月中陽氣尚少未當全盛而反病熱脉應夏氣者經云脉不再見夏脉當洪數無陽外應故必死於夏至也以死於夏至陽氣殺物之時故云陽殺也

陰陽皆絶期在草乾若不陽病但陰陽之脉皆懸絶者死在於霜降草乾之時也

夏三月之病至陰不過十日謂熱病也脾熱病則五藏危土成數十故不過十日也

陰陽交期在溓水評熱論曰温病而汗出輒復熱而脉躁疾不爲汗衰狂言不能食者病名曰陰陽交六月病暑陰陽復交二氣相持故乃死於立秋之候也新校正云按全元起本云溓水者七月也建申水生於申陰陽逆也楊上善云溓廉儉反水靜也七月水生時也

秋三月之病三陽俱起不治自已秋陽氣衰陰氣漸出陽不勝陰故自已也

陰陽交合者立不能坐坐不能起以氣不由其正用故爾

三陽獨至期在石水有陽無陰故云獨至也著至教論曰三陽獨至者是三陽并至由此則但有陽而無陰也

石水者謂冬月水冰如石之時故云石水也火墓於戌冬陽氣微故石水而死也　新校正云詳石水之解本全元起之說王氏取之　二陰獨至期在盛水　亦所謂并至而無傷也盛水謂雨雪皆解爲水之時則止謂正月中氣也　新校正云按全元起本二陰作三陰

## 方盛衰論篇第八十

新校正云按全元起本在第八卷

雷公請問氣之多少何者爲逆何者爲從黃帝荅曰陽從左陰從右　陽氣之多少皆從左陰氣之多少皆從右從者爲順反者爲逆陰陽應象大論曰左右者陰陽之道路也　老從上少從下　老者穀衰故從上爲順少者欲甚故從下爲順　是以春夏歸陽爲生歸秋冬爲死　歸秋冬謂反歸陰也歸陰則順殺伐之氣故也　反之則歸秋冬爲生　反之謂秋冬秋冬則歸陰爲生也　是以氣多少逆皆爲厥　陽氣之多少反從右陰氣之多少反從左是爲不順故曰氣少多逆

也如是從左從右之不順者皆爲厥厥謂氣逆故曰皆爲厥也問曰有餘者厥耶言少之不順者爲逆有餘者則成厥、逆之病乎答曰一上不下寒厥到膝少者秋冬死老者秋冬生一經之氣厥逆上而陽氣不下者何以別之寒厥到膝是也四支者諸陽之本當溫而反寒上故曰寒厥也秋冬謂歸陰歸陰則從右發生其病也少者以陽氣用事故秋冬死老者以陰陰氣用事故秋冬生新校正云按楊上善云虛者厥也陽氣一上於頭不下於足足脛虛故寒厥至膝氣上不下頭痛巔疾巔謂身之上巔疾則頭首之疾也求陽不得求陰不審五部隔無徵若居曠野若伏空室緜緜乎屬不滿日謂之陽乃脉似陰盛謂之陰又脉似陽盛故曰求陽不得求陰不審也五部謂五藏之部隔謂隔遠無徵無徵猶無可信驗也然求陽不得其熱求陰不審是寒五藏部分又隔遠而無可信驗故曰求陽不得求陰不審五部隔無徵也夫如是者乃從氣久逆所作非由陰陽寒熱之氣所爲也若居曠野言心神散越若伏空室謂志意沈潛散越以氣逆而痛甚未止沈潛以痛定而復恐再來也縣縣乎謂動息微也身雖縣縣乎且存然其心所屬望將不得終其盡日也故曰縣縣乎屬不滿日也新校正云按太素云若伏空室爲陰陽之有此五字疑此脫漏是以少氣之厥令人妄夢其極至迷氣之少有厥逆則令人妄爲夢寐其厥之盛極則令人夢至迷亂三陽絕三陰微是爲少氣三陽之脉懸絕三陰之診細微是爲少氣之候也新校正云按太素云至陽絕陰是爲少氣是以肺氣虛則使人夢見白物見人斬血藉藉白物是象金之色也斬者金之用也藉藉夢死狀也得其時則夢見兵戰得時謂秋三月也金爲兵革故夢見兵戰也腎氣虛則使[illegible]舟船溺人皆水之用腎象水故夢形之得其時則夢伏水中若有畏恐冬三月也肝氣虛則夢見菌香生草菌香苗生

草木之類也肝合草木故夢見之新校正云按全元起本云菌香足桂得其時則夢伏樹下不敢起春三月也心氣虛則夢救火陽物心合火故夢之陽物赤火之類得其時則夢燔灼夏三月也脾氣虛則夢飲食不足脾納水穀故夢飲食不足得其時則夢築垣蓋屋得其時謂辰戌丑未之月各王十八日築垣蓋屋皆土之用也凡此五藏氣虛陽氣有餘陰氣不足府者陽氣藏者陰氣合之五診調之陰陽以在經脈靈樞經備有調陰陽合五診故引之曰以在經脈也經脈則靈樞之篇目也診有十度度人脈度藏度肉度筋度俞度度各有其二故二五爲十度也陰陽氣盡人病自具診備盡陰陽虛盛之理則人病自具知之脈動無常散陰頗陽脈脫不具診無常行診心上下度民君卿脈動無常數者是陰散而陽頗調理

也若脉診脱略而不具備者無以常行之診也察候之則當度量民及君卿三者調養之殊異爾何者憂樂苦分不同其秩故也受師不卒使術不明不察逆從是爲妄行持雌失雄棄陰附陽不知并合診故不明皆謂學不該備傳之後世反論自章章露也以不明而授與人反古之迹自然章露也至陰虛天氣絶至陽盛地氣不足至陰虛天氣絶而不降至陽盛地氣微而不升是所謂不交通也至謂至盛也陰陽並交至人之所行交謂交通也唯至人乃能調理使行也陰陽並交者陽氣先至陰氣後至陰陽之氣並行而交通於一處者則當陽氣先至陰氣後至向者陽速而陰遲也靈樞經曰所謂交通者並行一數也由此則二氣亦交會於一處也是以聖人持診之道先後陰陽而持之奇恒之勢乃六十首診微合之事追陰陽之變章五

中之情其中之論取虛實之要定五度之事知此乃足以診（奇恒勢六十首今世不傳）是以切陰不得陽診消亡得陽不得陰守學不湛知左不知右知右不知左知上不知下知先不知後故治不久知醜知善知病不知病知高知下知坐知起知行知止用之有紀診道乃具萬世不殆（聖人持診之明誠也）起所有餘知所不足（審命全形論因內外相得無以形先言起已身之有餘則當知病人之不足也）度事上下脉事因格（度事上下之宜脉事因而至於微妙矣格至也）是以形弱氣虛死（中外俱不足也）形氣有餘脉氣不足死（藏衰故脉不足也）脉氣有餘形氣不足生（藏盛故脉氣有餘）是以診有大方坐起有常（坐起有常則息力調適故診之

方法必先用之、出入有行以轉神明言所以貴坐起有常者何以出入行運皆神明隨轉也必清必靜上觀下觀司八正邪別五中部按脉動靜上觀謂氣色下觀謂形氣也八正謂八節之正候五中謂五藏之部分然後按尺寸之動靜而定死生矣循尺滑濇寒溫之意視其大小合之病能逆從以得復知病名診可十全不失人情故診之或視息視意故不失條理數息之長短候脉之至數故診之法或視喘息也知息合脉病處必知聖人察候條理斯皆合也道甚明察故能長久不知此道失經絕理亡言妄期此謂失道謂失精微至妙之道也

解精微論篇第八十一新校正云按全元起本在第八卷名方論解

黃帝在明堂雷公請曰臣授業傳之行教以經論從

容形法陰陽刺灸湯藥所資行治有賢不肖未必能十全言所自授用可十全然傳所教習未能必爾也賢謂心明智遠不肖謂擁造不法若先言悲哀喜怒燥濕寒暑陰陽婦女請問其所以然者卑賤富貴人之形體所從羣下通使臨事以適道術謹聞命矣皆以先聞聖旨猶未究其意端請問有毚愚仆漏之問不在經者欲聞其狀言不智狡見頻問多也漏脫漏也謂經有所未解者也毚狡也愚不智見也仆猶頓也猶不漸也新校正云按全元起本仆作朴帝曰大矣人之所大要也公請問哭泣而淚不出者若出而少涕其故何也言何藏之所爲而致是乎帝曰在經有也靈樞經有悲哀涕泣之義復問不知水所從生涕所從出也復問謂重問也欲知水液所出之由也帝曰若問此

者無益於治也工之所知道之所生也言謬本者皆道氣之所生問之何也夫心者五藏之專精也專任也言五藏精氣任心之所使以爲神明之府是能焉故目者其竅也神內守明外鑒故目其竅也華色者其榮也華色其神明之外飾是以人有德也則氣和於目有亡憂知於色德者道之用人之生也老子曰道生之德畜之氣者生之主神之舍也天布德地化氣故人因之以生也氣和則神安神安則外鑒明矣氣不和則神不守神不守則外榮滅矣故曰人有德也氣和於目有亡憂知於色也新校正云按太素德作得是以悲哀則泣下泣下水所由生水宗者積水也新校正云按甲乙經水宗作衆精積水者至陰也至陰者腎之精也宗精之水所以不出者是精持之也輔之裹之故水不行也夫水之精爲志火之精

爲神水火相感神志俱悲是以目之水生也目爲上液之道故水火相感神志俱悲水液上行方生於口故諺言曰心悲名曰志悲志與心精共湊於目也水火相感故曰心悲名曰志悲神志俱升故志與心神共奔湊於目是以俱悲則神氣傳於心精上不傳於志而志獨悲故泣出也泣涕者腦也腦者陰也五藏別論以腦爲地氣所生皆藏於陰而象於地故言腦者陰陽上鑠也鑠則消也新校正云按全元起本及甲乙經太素陰作陽髓者骨之充也充滿也言髓塡於骨充而滿也故腦滲爲涕鼻竅通腦故腦滲爲涕流於鼻中矣志者骨之主也是以水流而涕從之者其行類也類謂同類夫涕之與泣者譬如人之兄弟急則俱死生則俱生同源故生死俱新校正云按太素生則俱生作出則俱亡其志以

十七

早悲是以涕泣俱出而橫行也行恐當爲流夫人涕泣俱出而相從者所屬之類也所屬謂於腦也類者上文云涕泣者腦也雷公曰大矣請問人哭泣而淚不出者若出而少涕不從之何也怪其所屬同而行出異也帝曰夫泣不出者哭不悲也不泣者神不慈也神不慈則志不悲陰陽相持泣安能獨來泣不出者謂淚也不泣者泣謂哭也水之精爲志火之精爲神水爲陰火爲陽故曰陰陽相持安能獨來也夫志悲者惋惋則沖陰沖陰則志去目志去則神不守精精神去目涕泣出也惋謂內爍也沖猶升也神志相感泣由是生故內爍則陽氣升於陰陰腦也去目謂陰陽不守目也志去於目故神亦浮游夫志去目則光無內照神失守則精不外明故曰精神去目涕泣出也且子獨不誦不念夫經

言乎厥則目無所見夫人厥則陽氣并於上陰氣并於下并謂各并於本位也陽并於上則火獨光也陰并於下則足寒足寒則脹也夫一水不勝五火故目背盲背視也一水目也五火謂五藏之厥陽也新校正云按甲乙經無盲字是以衝風泣下而不止夫風之中目也陽氣內守於精是火氣燔目故見風則泣下也風迫陽伏不發故內燔也有以比之夫火疾風生乃能雨此之類也故陽并則火獨光盛於上不明於下是故目者陽之所生系於藏故陰陽和則精明也陽厥則光不上陰厥則足冷而脹也言一水不可勝五火者是手足之陽爲五火下一陰者肝之氣也衝風泣下而不止者言風之中於目也是陽氣內守於精故陽氣盛而火氣燔於目風與熱交故泣下是故火疾而風生乃能雨以陽火之熱而風生於泣以此譬之類也新校正云按甲乙經無火

十二

素問二十四

字太素云天之疾風乃能雨無生字

## 音釋

陰陽類論濂音廉 方盛衰論菌祛倫切 解精微論毚士銜切 湊麁勾切

黃海紀藏黃帝內經素問卷第二十四